新潮文庫

火車

宮部みゆき著

新潮社版

6043

火車

火車【かしゃ】火がもえている車。生前に悪事をした亡者をのせて地獄に運ぶという。
ひのくるま。

1

電車が綾瀬《あやせ》の駅を離れたところで、雨が降り始めた。なかば凍った雨だった。どうりで朝から左膝《ひざ》が痛むはずだった。

本間俊介《ほんましゅんすけ》は、先頭車両の中央のドアの脇《わき》に、右手で手すりをつかみ、左手に閉じた傘《かさ》を持って立っていた。尖《とが》った傘の先端を床につき、杖《つえ》の代わりにしている。そして、窓の外を眺《なが》めていた。

平日の午後三時、常磐《じょうばん》線の車内はすいている。座ろうと思えば、空席はたくさんあった。制服姿の女子高生の二人連れと、大きなハンドバッグを抱えて居眠りをしている中年の女性、運転席に近い先頭のドアのそばで、両耳に突っ込んだイヤーフォンから流れ出る音楽に合わせ、リズミカルに身体《からだ》を揺すっている若者——一人一人、仔細《しさい》に顔を見ることができる程度の人数しか乗り合わせていない。別に無理をして立っている必要はなかった。

実際、座ったほうがよほど楽なのだ。午前中のうちに家を出て、理学療法をみっちり受け、そのあと捜査課に寄ってきた。その間、タクシーも使わず、徒歩と電車だけでこなした。ひどく疲れている。背中はパンパンに張って、鉄板が押し込まれたような感じだ。

捜査課では、同僚たちは出払っていたが、留守番役の係長が、死人が生き返ってきたといわんばかりに大げさな歓待をして、暗黙のうちに（早く帰れ）と促してくれた。昨年末に退院してから、職場に顔を出すのは今日でまだ二回目だが、あの大騒ぎには何か魂胆でもあるのかもしれないと思うと、あまりいい気持ちはしない。仕事はフェアなスポーツとは違うから、ペナルティを喰《く》らって退場しているうちに、代わりの選手が現れたのではなく、ルールそのものが変わって、自分のポジションが失《な》くなってしまう――そんなこともあり得るだろう。休職などしないほうがよかったのかもしれないと、初めてちくりと後悔した。

たぶん、そのせいだ。こうして阿呆《あほ》くさい意地を張り、車内でずっと、立ったままでいようとしているのは。誰が見ているわけでもないのに。いや、誰が見ているわけでもないから。やっぱりだいぶ辛《つら》そうですねなどと言われる心配がないから。

そんなことを考えて、ふと思い出した。昔まだ少年課にいたころに補導した、万引常習犯の少女のことだった。語弊のある言い方ではあるが、腕のいい女の子だった。仲間の密告がなければ、まず捕まることなどなかったろう。若者向けの高級ブランド専門に荒稼《あらかせ》ぎをしていた彼女は、しかし、人前で盗んだ洋服を身につけることはなかった。売り飛ばすわけでもなかった。かといって、足がつくのを恐れたわけではない。自宅の自室で、ドアに鍵《かぎ》をかけ、誰の目にも触れる恐れがないようにして、大きな姿見の前に立ち、とっかえひっかえ着てみるのだ。あれこれとコーディネイトを工夫し、洋服だけではなく時計やアクセサリーまできちんと組み合わせ、ファッション雑誌のモデルのように着飾ってポーズをとる。ただ姿見の前だけで。そこなら、似合わないねと言われる心配がないから。そして、表を歩くときは、いつも、膝の出かかったジーンズをはいていた。

誰もいないところでだけ、自己主張をする。負い目があるとそうなるのだと、悟ったような気がした。あの娘《こ》は今どうしているだろう。もう二十年近く昔の話だ。下手をすると、当時の彼女ぐらいの子供の母親になっているかもしれない。押し黙ったままの彼女に説教を垂れようとして、言葉の接穂《つぎほ》さえうまく見つけることができなかった新米の刑事の顔など、とっくに忘れているだろうが。

ぼうっと物思いをしているあいだにも、雨は降り続いていた。雨足が激しくなる様子はないが、電車のドアに降りかかる雨滴は大粒で、見るからに冷たそうだった。車窓の外を流れてゆく町並みも、低く垂れこめた雲の下で、寒さに首を縮めているようだ。

面白いもので、これが雪になってしまうと、薄汚れた町並みが、白い綿にくるまれて、かえって暖かそうに見えたりする。そういう感覚は、本物の雪の怖さを知らない関東人だけのものだと、昔、千鶴子《ちづこ》に笑われたことがあったが、本間にはどうしてもそう思える。今でも、雪が積もるほどに降れば、やっぱりそう感じるだろう。

亀有《かめあり》の駅に着くと、数人の乗客が乗りこんできた。四、五人連れの中年の婦人客が、本間の傍《かたわ》らを、固まってどやどやと通りすぎてゆく。ぶつからないようにと少し身体の向きを変えた。だが、それだけのために、傘を杖代わりに突っ張って、左足に体重がかからないようにしたとき、自分では意識しないうちに唸《うな》っていたらしい。話に興じていた女子高生たちが、ちらりとこちらに目をやった。（あのおじさん、ヘンね）とでも思われたのかもしれない。

中川を渡るとき、左手にそびえる三菱《みつびし》製紙の工場の紅白に塗り分けられた煙突から、真っ白な煙があがっているのが見えた。煙突が吐き出す工場の吐息も、季節と気温にしたがって、人間のそれと同じように色合いを変えるのだ。ひょっとすると、みぞれから雪になるかもしれないな、と思った。

金町《かなまち》駅で降りるときが、また一苦労だった。こういう状態になってみて初めて、公共交通機関は、シルバーシートなどという亡国ものの制度を設けるのではなく、老人や身体障害者専用の車両をこそつくるべきだと実感した。そうしてくれれば、乗り降りのとき、他の乗客とぶつかったりする心配もない。その車両では、ドアの開閉もゆっくりやってほしい。あわてないで済むように。

意地を張った報いで、駅の階段を降りることが、ほとんど拷問《ごうもん》のように感じられた。結局、駅から家までの道程には、駅からタクシーを使うことになりそうだ。馬鹿馬鹿《ばかばか》しいが、笑っている余裕はなかった。気を抜くと、雨に濡《ぬ》れたコンコースで傘の先端が滑り、転んでしまいそうだった。

タクシー乗り場から、水元《みずもと》公園の南側にある公団住宅までは、車ならほんの五分ほどの距離だ。内溜《うちだま》りの釣堀《つりぼり》の脇を通りすぎるとき、この寒さのなかでも、防寒着とベストを着込んで釣り糸を垂れている男の姿を見かけ、急に自分がひどく老いこんでしまったような気分になった。

エレベーターで三階の共同廊下へあがるとすぐに、東端の自宅の部屋のドアを開けて、智《さとる》が立っているのが見えた。タクシーが着くのを、上から見ていたらしい。

「遅かったね」と言いながら近寄ってきた。

手を貸してくれようとしたが、「大丈夫だよ」と言ってやった。息子はまだ十歳だ。

もたれて歩くには小さすぎる。転べば二人で怪我《けが》をする。それでも、智は両手を広げて構え、父親が倒れかかってきたらすぐにでも受け止めようという姿勢で、ゆっくりと横歩きをしていた。

智に代わって、今度は井坂恒男《いさかつねお》がドアを押さえてくれている。勢ぞろいでお出迎えかと思うと、苦笑の気分だった。

「お疲れでした」と、井坂は言った。「途中から降り出したんで、気をもみましたよ。どうして傘をささないんです?」

「穴が開いてるんですよ」

傘の先端で床を突っ張りながら入り口を抜け、本間は答えた。

「ボロ傘で。だから杖の代わりにしか使えない」

「ははあ」

半白の髪に、小柄《こがら》で小太りの身体、それによく似合うエプロン姿で、井坂は肩を貸してくれた。

「杖を買うなんて、もったいないでしょう。どうせすぐ要らなくなる」

「なるほど」

3LDKの男所帯に、ふさわしくないような甘い匂《にお》いが漂っていた。井坂が甘酒をつくっていたらしい。着替えに行く前に、壁に手をついてほっと安堵《あんど》しながら、本間は智を振り返った。

「何か変わったことはあったか？」

家族内での社交辞令のような言葉だった。千鶴子には、新婚当時からずっと、出先から家に電話するときや、泊まりや深夜の帰宅が続いたあと久しぶりに顔を合わせたときなど、いつもそう訊《き》いてきた。三年前にその千鶴子が亡《な》くなり、智と二人きりになってしまって以降は、今度は智に向かって、同じように尋ねてきた。今日は何か変わったことはあったかい？

そして返事は、いつもこうだった。別に、なんにも。だが、今日は違った。

「あったよ」

反射的に、本間は子供ではなく井坂の顔を見た。だが、答えたのは智だった。

「あのね、電話があったんだ。栗坂《くりさか》のお兄さんから」

栗坂のお兄さん。誰のことを言われているのか、すぐにはピンとこなかった。智の方もそれを承知しているようで、

「ほら、銀行に勤めてる人でさ」と、言い足した。

栗坂家は、亡くなった千鶴子の側の親戚《しんせき》である。あれ、これ、と名前と顔を思い浮

かべながら考えて、やっと得心がいった。

「わかった。和也《かずや》くんか」

「そうそう。あの背の高い人」

「おまえ、よく覚えてたなあ。声を聞いただけで、すぐに誰だかわかったのか?」

智は首を振った。「わかったようなふりして返事しながら考えちゃった」

井坂が笑っている。

「電話があったのは何時ごろ?」

「一時間ぐらい前」

「なんの用だって?」

「ボクにはしゃべれないって。お父さんが夜はうちにいるかって訊いた。大事な用があるから、来るってさ」

「今夜かな?」

「うん」

「なんだろう」

井坂が脇で首をひねった。「私もじかに話は聞いてないんですがね。えらく急いでいるようだったよね」

と、智に訊いた。智はうなずいて、

「途中で一度、テレフォンカードの度数がなくなっちゃったんだと思うけど、切れちゃったんだ。そしたら、あわててかけなおしてきてさ、スゴイ早口でしゃべってさ」

「へえ……珍しいこともあるもんだ。まあ仕方ないね、来るっていうんなら、そのつもりで待っていようか」

着替えて台所に戻ってみると、智は小さな盆の上に湯気のたつカップをふたつ載せ、そろりそろりと歩きだしたところだった。本間を見ると、訊かれる前に答えた。

「カッちゃんとこに行ってくるよ」

そりゃかまわんが、と思った。

「あの子が甘酒なんか飲むかね」

「飲んだことないんだって」

カッちゃんは五階に住んでいる同級生である。共働きの両親はどちらも多忙で、しじゅう一人で留守番をしている。

「エレベーターで転ぶな。掃除が手間だ」

「わかってる」

智が行ってしまったので、椅子《いす》を引いて座るとき、遠慮なく顔をしかめることがで

きた。井坂が湯呑《ゆの》みを目の前に置いてくれながら、

「あんまり無理はしないほうがいいですな」と言った。

「理学療法士は無理なことばっかり言ってきますよ」

「厳しいですか」

「プロのサディストとでも呼びますかね」

井坂は丸顔を崩して笑った。「まあ、何事も経験だと思って」

井坂の笑顔が、きれいにみがかれたテーブルの天板に映っている。彼は、テーブルに食器の糸じりの痕《あと》が残っていたり、こぼしたコーヒーのしみがついていたりすることを、冒瀆《ぼうとく》と考えている家庭人なのだった。

「夕食は三人前用意します」と、井坂が言った。分厚い手のひらで湯呑みを包んでいる。

「すみません。手間をかけさせて」

「二人分も三人分も差はないですよ。しかし、栗坂さん――和也さんですか、親戚でしょう?」

「どういうふうに呼べばいいんですかね。家内の従兄《いとこ》の子供だから」

「ああ、だから智くんが〝お兄さん〟と呼んでいるわけだ」

「面倒ですからね。もっとも、そう親しく行き来してたわけじゃない」

わざわざ何の用で訪ねてくるのだろう。

「彼とは、もう何年もまともに顔を合わせてないくらいですよ」

「奥さんの葬儀にも来なかったんですか」

「ええ。顔を見せてくれなかったですね。千鶴子とは結構親しかったらしいんですが」

リビングの隣の六畳間に、明るい窓の方へ向けて、小さな仏壇が据《す》えてある。本間がそちらへ目を遣《や》ると、黒枠《くろわく》の写真たてのなかから、千鶴子の顔が見つめ返してきた。気のせいに決まっているが、遺影の彼女も、（いったい何事かしらね）と首をひねっているように見えた。

「おや、雪になってきましたな」

窓の方を眺めながら、井坂が呟《つぶや》いた。

2

栗坂和也が訪ねてきたのは、その夜九時近くになってのことだった。

雪はずっと降り続いていた。路上や平らな屋根の上などでは、五センチほどの深さにまで降り積もっている。日が暮れるころから北風が出てきたので、窓の外に目をやると、冷え切った外気を突っ切って走る、無数の白い斜線が見えた。

夕方六時ごろには、本間は、和也は今夜はもう来ないだろうと思い始めていた。あれから特に電話連絡もないが、テレビのニュースでも、遅れて配達された夕刊の社会面でも、大雪が交通機関に影響を与えていると報じている。七時のＮＨＫニュースで、外回りの山手線と、中央線、総武線がダウンしているというのを知って、これじゃあ無理だろうなと思った。

和也の家は西船橋にある。ずいぶん昔に一度訪ねたきりだから記憶が薄れているが、駅からさらにバスで二十分以上かかるところだったはずだ。この天気の下、しかも夜になって、あとひとまたぎで埼玉県になるという葛飾《かつしか》区のこのあたりを訪ね、さらに千葉の西船橋まで帰るとなると、これは大仕事になる。天気のいいときだって、乗り換えとその待ち時間とを考えあわせると、一時間半はかかると覚悟しなければならないのだから。

だが、逆に言えば、和也が今夜わざわざそれだけの手間をかけてやってくるとしたら、それは即、彼の言う「大事な用」が半端《はんぱ》なものではないという証拠になる。

嫌《いや》な予感がするな——智《さとる》と二人で夕食を済ませたあと、そんなふうに思っていたところに、ドアチャイムが鳴ったのだった。

記憶の中の顔より、痩《や》せているように思った。

真冬には、人間はどうしても小柄に見える。寒さに首を縮めているからだ。だが、顔はそう変わらない。和也の頬《ほお》がこけて見えるのは雪と外気のせいではあるまい。

(これはこれは……)

嫌な予感が当たったらしい。

和也から、「食事は済ませてきたんだ」と聞くと、智は彼と本間にコーヒーをいれてくれて、自分はさっさと風呂《ふろ》に入りにいってしまった。許可がないかぎり大人の話に首を突っ込んではいけないというのが本間家の鉄則だから、心得たものだ。それに、和也とさして仲がいいわけでもない。今は便宜上「お兄さん」と呼んでいるが、智が二十歳になったときもそう呼んでいるかどうかは、はなはだ怪しいものだ。

狭い居間で向き合うと、こんなにでかかったかなとあらためて驚くほど、青年は長身だった。本間も上背のある方だが、それでもまだ頭半分ぐらい和也の方が高いのだ。

「いくつになったっけ?」

コートを脱いで椅子に腰をおろした彼に、真っ先にそれを尋ねてみた。

「二十九です」と、青年は薄く笑った。「たぶん、本間さんと会うのは七年ぶりぐらいですよ。千鶴子おばさんから就職祝いをもらったときにお会いしたきりですから」

そう——そんなこともあったなと、ぼんやり思い出した。銀行に就職する人に、いったい何をあげたらいいかしらと、千鶴子は悩んでいたものだ。現金でいいじゃないかと本間が言うと、つまらない人だと笑っていた。

「今でも神田支店にいるの？」

和也の勤めている銀行の名前もよく覚えていない。第一勧銀だったか、三和銀行だったか——でも、とにかく、最初に配属されたのは確か神田支店だったような気がする。

「とっくに転勤させられました。神田、押上《おしあげ》、今は四谷支店にいます。今年あたり、そろそろ異動がかかるでしょうけど」

「大変だね」

「仕方ないですよ、金融機関だから。覚悟していたことです。僕は外回りも嫌《きら》いじゃないし、自分に向いた仕事についたと思ってるから、割り切ってます」

外回り——つまり、渉外の得意先係をしているというわけか。納得顔でうなずいてしまったので、いよいよ銀行名を訊くことができなくなってしまった。

「本間さんだって、色々な署を異動したでしょう？　あ、いけない」

そう言って、青年の整った顔が、ふと曇った。ひととおりの儀式の始まりだと、本間は思った。

「僕はまだお悔やみも言ってなかった」

三年前のことなのだから、本当に「まだ」である。

うつむいて、輸入もののように見える手のこんだ織りのネクタイの胸のあたりを見つめながら、和也はぼそぼそと呟いた。

「おばさんのことは、本当に残念でした。僕は通夜《つや》にも告別式にも出られなくて――申し訳ないと思ってたんですが」

「仕方がないよ。それに、いいことじゃないから。めでたいことなら、みんなに来てもらいたいけどね」

「おばさんはいつだって安全運転だったから、まさかあんなことになるなんて」

「相手があることだからね。こっちが何もしてなくても、ぶつけられることはある」

バツが悪そうな顔で、あわてて腰を浮かし和也は言った。「そうだ、まず線香をあげさせてください。それが先ですよね」

だが、仏壇に手をあわせてしまうと、もうそれ以上、事故のことは尋ねなかった。思いやりか、それとも自分の悩み事で頭がいっぱいなのか、しかとはわからないが、いずれにしろ本間にはありがたいことだった。

「それで？」

和也が椅子に落ち着きなおすと、本間は切りだした。

「大事な用というのは何だい？　こんな天気のなかをわざわざやってくるんだから、よほどのことなんだろう。早めにそれを聞かせてもらった方がよさそうだね」

和也はまた目を伏せた。しばらくのあいだ、口の端を震わせていた。出かかった言葉という生きものがそこで嚙《か》み殺され、尻尾《しっぽ》だけがピクピク動いているようだった。

ようやく、うつむいたまま言った。

「なかなか決心がつかなくて、遅れてしまいました」

本間は黙ってコーヒーをかきまぜていた。風呂場の方から、智が持ち込んでいる防水ラジオから流れ出るかすかな音楽が聞こえてくる。子供がBGM付きで風呂に入るという風習は、いったいいつごろから始まったのだろう。

それきり、和也は口をきかない。二人して永遠に黙りっくらをしているわけにもいかないので、本間は訊いた。

「その決心てのは、俺《おれ》を訪ねてくる決心ということかな」

和也はうなずき、やっと顔をあげた。

「ひょっとするとすごく失礼なお願いになるんじゃないかと思って――それでためらってたんです。ただ、本間さんはこういう方面の専門家だし、いつもは忙しくてとても無理だけど、母から、今は休職中だと聞いたから――」

思わずという感じで、本間は両眉《まゆ》をあげた。休職中の刑事に(専門家だから)と頼んでくることなら、その内容は知れたものだ。

「暴力団にかかわっちまったとか、友達から気軽に預かったものが盗品だったとか、盗まれた自分の車がどこかでナンバーをつけ替えて売られているのを発見したとか、そんな類《たぐい》のことかい?」

「いえ、違います」

否定の言葉は素早く返ってきた。

「じゃ、どういうこと?」

喉《のど》をごくりとさせて、和也は言った。「僕、婚約しました」

彼がそれをあまりに深刻な表情で口にしたので、笑ってしまうこともできなかった。

「そりゃ、おめでとう」

「それが全然めでたくないんです」真顔のまま、和也は続けた。「その婚約者が消えちまったんですから。だから、彼女を探してほしいんです。本間さんなら、人探しも仕事のうちでしょう？　慣れているし、僕なんかが一人でジタバタするよりずっと早く彼女を見つけだすことができると思うんです。だからお願いします、探してください」

懇願するように、テーブルに手を置いて身を乗り出す和也にまともに見つめられて、本間はちょっと言葉が出なかった。まばたきして目をそらすと、窓の方を見あげてみた。雪は盛んに降り続いている。

「前後の事情がよくわからないんで――」

彼がそう言い始めると、和也は勢い込んで乗り出してきた。

「それは、ちゃんと説明します」

本間は片手をあげた。「ちょっと、ちょっと待った。まずこっちの言うことを聞いてからにしてくれ」

「はい」

和也は座りなおした。どこまでも大真面目《おおまじめ》で、真剣そのものだ。

「君の婚約者がいなくなっちまった。つまり、失踪《しっそう》したということだね？」

「はい、そうです」

「で、彼女を探してほしいと」

「はい」

「いくら俺だって、そんなことをホイホイ引き受けるわけにはいかないよ。それぐらいのことはわかるだろう？」

和也はなにか言おうとして途中でやめ、顎《あご》を前に押し出すようにしてうなずいた。

「だから、とりあえずだ、とりあえず事情を話してみてくれないか？　引き受けると決めたわけじゃないが、そんな穏やかじゃない話を黙って聞き捨てにするわけにもいかない。それでいいかな？」

どのみち、和也も誰かに話を聞いてほしかったのだろう、さしてためらう様子も見せず、

「はい」と承知した。

「それじゃ、その前に、すまないけど、そこの小引き出しを開けて紙とボールペンを出してくれないかな。そうそう——それ。ありがとう」

智の計算用紙を横領してメモ代わりに使っているのだ。ボールペンには文具屋の名前が入っていた。

「えーと……どこから話せばいいのか――」

おかしなもので、相手に構えられるとかえって話しにくくなるのだろう。和也はしどろもどろな感じになった。

「じゃ、こっちから質問していこうか。彼女の名前は？」

和也はほっとしたように肩をおろした。

「関根《せきね》彰子《しょうこ》」

ペンを差し出し、漢字で書いてもらった。

「年齢」

「今年二十八歳になります」

「職場恋愛かな」

「いいえ。彼女は僕の得意先の社員です。いえ、でした。失踪して会社も辞めちまってるから」

「その会社は？」

「今井事務機といいます。金銭登録器を扱ってる問屋です。最近はOA機器のリースなんかもしてるようですが、事務員が二人しかいない、小さなところでした」

「彼女もその事務員だったわけだね。いつごろ知り合ったの？」

初めて、和也はちょっと考えた。

「えーと、一昨年だから平成二年か。十月ごろです。いや、九月の連休の前だったかな。そのとき初めてデートしたんだから」

手元のメモに、本間は「一九九〇年九月ごろ」と書いた。元号が切り替わって以来、努めて西暦を使うようにしている。

現在が一九九二年一月二十日なのだから、知り合ってから一年と四ヵ月程度だ。しかし、これなら婚約が早すぎたということはないだろう。まあ標準的な交際期間だ。

「で、婚約したと」

「はい。去年のクリスマス・イブに」

思わず微笑がもれた。ロマンティックなことをしたものだ。

「これは正式な結納《ゆいのう》が済んだということかな？」

和也は口ごもった。「そうじゃありません。僕たち二人だけのあいだの約束で――

でも、指輪は贈りました」

ペンを握ったまま、本間は目だけ動かして和也を見あげた。

「親に反対されてた？」

和也はのろのろとうなずいた。

「君の両親かな？　それとも先方の」

「僕の方です。彰子はまるっきりの天涯《てんがい》孤独ですから」

「ほう……」

二十八歳という若さで、それは珍しい。

「もともと一人娘なんです。それが、小学生のときにお父さんを亡《な》くして。病気だったらしいんですが、思い出すのが辛《つら》いのか、詳しい話はしてくれたことがありません。お母さんの方は二年ほど前に亡くなっています」

「やっぱり病死？」

「いえ、事故だったとか」

二親死亡、と、関根彰子の名前の下に書き込んだ。

「じゃ、彼女は一人暮らしか」

「そうです。杉並区の、方南町《ほうなんちょう》のアパートです」

「故郷はどこだろう。訊《き》いたことはあるね？」

「ええ。宇都宮市内だと言っていました。ただ、さっきも言いましたけど、早くに父親に死に別れて、貧乏したり、親戚《しんせき》に冷たくあしらわれたりして、いい思い出がないようなんです。二度と戻りたくないって言ってましたし、故郷の話なんて、ほとんどしてくれたことがありませんでした」

「じゃあ、親戚とかとの身内付き合いは――」

「まったくありません。本当のひとりぼっちなんです、彰子は」

ひとりぼっちというところと、「彰子」と名前を呼び捨てるところとに、力がこもっていた。自分だけが味方なのだと、暗に主張しているかのように。

「彼女の経歴は知ってるかい？」

和也は自信なさそうな顔になった。「宇都宮の地元の高校を出て、すぐに上京してきたという程度のことしか……」

そして、弁解口調になると、

「だけど、女の子と付き合うのに、いちいち学歴や職歴のことまで考えたりしないでしょう」

「そうかね」本間は真顔で問い返した。「まったく考えないと言ったら、その方が嘘《うそ》だと思うが」

徐々に思い出していた。千鶴子の口から、ぽつりぽつりと聞いたことがある。和也の父親である彼女の従兄とその一家は、親族のなかでも妙にエリート意識が強い家で、学歴や職業にこだわる傾向がある、と。千鶴子が本間と結婚したときにも、（警官といったって、キャリア組でなきゃ将来性なんてないぞ）と、ずいぶん馬鹿《ばか》にされたと言っていた。

当のご本人は有名大学から一流企業に進み、上司の肝煎《きもい》りで取引先の取締役の娘と結婚したというのだから、気に食わない野郎だが首尾一貫していることは確かだ。夫人も、おそらくは、彼と人生観が一致している女性なのだろうし。

和也はその両親の子供である。どうしても影響は受けているはずだ。

じっと見つめていると、和也は居心地悪そうに視線をそらし、コーヒーカップを手にとった。冷めきって、表面にミルクの薄い膜が張ってしまっている。

「僕は、両親とは考え方が違います」

カップを置き、少し怒ったような口調で続けた。

「人柄《ひとがら》が良くて、僕が一緒に暮らしていけると思った女性なら、学歴だの職歴だの、そんな下らないものに意味はないですよ」

「下らなくはないよ」本間は静かに言った。

「そこまで言うと、それもまた言い過ぎだ。別の意味で大きな間違いだ」

智が風呂からあがったのか、ラジオの呟《つぶや》きが聞こえなくなった。静かになった居間のなかに、本間の声が妙に大きく響いた。

「すると、君のご両親は、ご両親の考え方に照らして、彰子さんは君にはふさわしくないと思っていたというわけだ」

「……そうです」

「引き合わせたことは」

「一度だけ。去年の秋でした」

「どんな感じだった？」

「カンボジア和平会議の方がもっと友好的だったと思いますね」

本間は笑ってしまった。和也は意固地な口調で続けた。

「だから僕は、自分の考えで彼女と婚約したんです。結婚だって、押し切ってするつもりでした。式を挙げることにこだわる必要もない。最近はそういうカップルも多いですからね」

「きみの上司に対してはまずくないか？」

初めて、和也がにやりと笑った。不敵という感じの笑いだった。

「その程度のことで印象を悪くするほど、僕は無能じゃありません」

事実、頭も切れるし行動力もあるのだろう。風貌《ふうぼう》からも、それは察することができた。二十年以上も人間相手の商売をしていれば、その程度の鑑識眼はできてくる。刃物屋の親父が、試し切りをしなくてもなまくら刀を見抜くことができるのと同じようなものだ。

この青年がこれだけ入れこむのだから、関根彰子はかなり魅力的な女性なのだろう。頭も良いに違いない。年若く、天涯孤独の身の上で、水商売の方向へそれることもなく、淡々と地味に働き生活していたということからだけでも、いい根性の持ち主だということがわかる。

だが――

「結果的には、彼女はやっぱり、きみのご両親との軋轢《あつれき》に耐えられなかったのかな。だから姿を消したんだろうか」

昔ふうの言い方をするならば、「身を引いた」というところだ――と言いかけて、本間は口をつぐんだ。

和也の目が真っ暗になっていたからだ。目は心の窓というが、時として、裸電球ひとつともっていない穴蔵のような倉庫と同じくらい、奥深い闇《やみ》を宿すことがある。

「きみは、彼女の失踪の理由を知ってるのか？」

かなり長いこと、和也は黙りこくっていた。バスタオルを肩にかけた智が、遠慮がちに顔をのぞかせたので、本間は目顔で（入らないように）と注意した。智はうなずいて顔を引っ込めた。

「そんな……『椿姫《つばきひめ》』のヒロインみたいな理由じゃないことは確かです」

ようやくそう言って、和也は本間の顔を見た。

「じゃ、はっきりした理由を知ってるんだな？　彼女が手紙でも書いて寄越したか」

和也は首を振った。「何も残していってはくれませんでした。僕が推測しているだけです。それも完全じゃない」

「いったい何があったんだ？」

ため息まじりの問いに、和也は説明口調で答え始めた。

「正月休みに、僕たち、二人で買物に行ったんです。僕の会社の社宅に入ることができるので、新居は決まってますから、家具やカーテンなんかをそろえるために」

「なるほど」

「で、いろいろ買物をして、ついでに衣類なんかも見て、彼女がセーターを買いましてね。現金で払おうとしたら、もう金があまり残ってなかったんです」

何が辛いのか、和也は一度天井を見あげて間を置いた。

「結局は僕が払ったんですけど、最初からそのつもりだったので、それは全くかまわないんですけど、そのとき初めて、彰子が一枚もクレジットカードを持ってないってことを聞いて、驚いたんです。うちの銀行でもカード会社をつくってますし、渉外のノルマもありますけど、僕は公私混同が嫌《きら》いだから、彼女はもちろん、親しい友達にだって、うちのカードをつくってくれなんて持ちかけたことはありませんでしたからね」

それでも上司から有能と認められている渉外担当なのだから、逆に、友人知人以外の客には相当な無理を言うこともあるのかもしれない——ちらりと考えて、本間は内心、苦笑した。

「で、その日、話し合ったんです。結婚の準備のために、これからも、まだいろいろ買物をしなきゃならないし、でも、そのために、いつもいつも僕と二人で出歩けるとは限らない。そういうとき、彰子一人でまとまった現金を持ち歩くのは危ないでしょう。だから、この際カードをつくっておけよってね。どのみち、結婚したら、姓の変更届だけ出して、今の彼女の口座はそのまま生活費の口座にしようと思っていたところだし。僕には僕の裁量で使える口座もカードも必要ですからね」

それが、今風の若夫婦の考え方なのだろう。和也は、所帯を持っても、財布の紐《ひも》を手放すつもりはないということだ。

「僕がそう言うと、彰子は素直に承知してくれました。だから、翌日また会って、僕がうちのカード会社の申し込み用紙を渡して、その場で記入してもらって、支店へ持ち帰ったんです」

その申し込み用紙は担当者の手に渡り、そこから銀行系列のカード会社へ送られた。

「カードをつくるには、普通、一ヵ月くらいかかります。ただ、僕にはそのカード会社に知り合いがいまして——。ご存じかもしれませんけど、銀行の系列のカード会社には、定年退職後の元管理職とか、いわゆる窓際族《まどぎわ》や、いろいろな事情で銀行から弾《はじ》きだされてしまった出向組社員がけっこう大勢いるもんなんです。で、そういう出向組の一人に、僕と同期の、田中って男がいるんですよ」

弁解するように眉をさげて、

「彼は優秀なんですけど、ちょっと病気をしましてね。頭が良すぎるのかな。まあ、軽いノイローゼにかかっちまったんです。それで、一時的にカード会社の方に籍を置いているんですよ」

本間はうなずいた。「で、その彼に？」

「彰子のカードを早めにつくってもらえるよう、頼んでおいたんです。田中は承知してくれました。それなのに、先週の月曜日に電話をかけてきて——」

月曜日というと、十三日だ。目の隅《すみ》でカレンダーをとらえ、確かめた。

「悪いけど、彰子のカードはつくれないって言うんです」

和也の口元が、また震え始めた。

「それだけじゃない。栗坂おまえ、この彼女と結婚するんなら、ちょっと待ってよく調べてみたほうがいいぞって言うんですよ」

「どういう理由で？」

大きく息を吐き、自分をはげますように肩を上下させてから、和也は答えた。

「関根彰子の名前が、銀行系と信販会社系、両方の信用情報機関のブラックリストに載ってるからです」

クレジットカードをつくったり、割賦《かっぷ》で品物を購入するときには、誰でも信用情報機関に身元を照会され、過去に滞納や未払いがないこと、あっても悪質なものではないことを確認される。その程度のことは、本間も知っていた。ちょっとひっかかったのは、

「銀行系と信販会社系って——ああいう機関はひとつじゃないのかい」

「ええ、複数あるんです。銀行系、信販会社系、サラ金系。東京と大阪でも組織は別になってるし。でも、情報のやりとりはしていますよ。だから、一度でもカードやローンを利用したことのある客の支払い状況のことなら、まずわからないことはないん

です」

だから身元保証にもなるのだ。

「そこでブラックリストに載せられたというのは、要するに『支払い状況の悪い、要注意人物だ』と目されたということです」

「で、カードがつくれなくなったり、銀行ローンが組めなくなったりする——」

「ええ。僕は仰天しましたよ。だって、彰子はこれまでクレジットカードを持ったことがないと言ってたんですから。そんな人間が、どうやったらブラックリストに載れるっていうんです？」

「人違いじゃないのかい？」

「僕もすぐにそう思いました。実際、カッとして言葉も悪くなってたみたいです。田中も気を悪くして、喧嘩《けんか》ごしで言い返してきましたからね。『そんなミスなんかしない』って」

興奮がぶり返したのか、和也は息をはずませていた。

「彼は言ったんです。人違いじゃない。俺《おれ》だって、おまえに報《しら》せる前に、間違いがないかどうかよく確かめたんだからって」

本人に訊いてみろよ、と言われて、和也も青ざめた。

「でも、きっと人違いに決まってると思いました。信用情報機関に登録してあるデータは、名前と生年月日、職業、あとはせいぜい住所ぐらいなものでしょう？　本籍地まで載せるわけじゃないんだから、引っ越してしまえば住所はあてにならなくなる。仕事だって転職することがある。名前と生年月日だけなら、偶然の一致だってあり得ます」

それは確かにあり得ることだ。事実、本間の同僚にも、まったく知らない信販会社から突然電話がかかってきて、ローン提携の確認を受けたことのある男がいる。驚いて調べてもらうと、名前が同じで、電話番号も似ていたために起きた人違いだったとわかった。まったくの同名異人、しかも、電話番号も、違っていたのは市外局番だけだったのである。

「わかるよ。それで？」

「こんな不愉快なことを彰子の耳に入れたくなかったし、第一、不当きわまりない扱いですからね。だから、僕はすぐ田中に電話をかけなおして、謝って、もっと詳しく調べてくれるように頼んだんです。どこからその情報が入っているのか、何が根拠になっているのか。それをよく調べれば、すぐにおかしい点を見つけることができると思いましたから」

本間はちょっと眉《まゆ》をよせた。

「そんなことが簡単にできるの？」

「できます。いえ——」

和也は言いよどんだ。

「本当は、すぐにはできません。こういうミスに異議を申し立てることができるのは、本当は本人だけなんです。この場合は、彰子が信用情報機関に登録情報の開示を求める、という形をとらなきゃならないし、その場合は、本人確認のために、いろいろめんどうかめしい手続きがあるんですけど……」

「急いでいたから省略した、と」

和也は肩をすくめた。「僕には、彰子に代わって異議を申し立てる権利があると思ったし、田中の立場なら、すぐにそういう情報をとることができますから」

だが、その調査の結果は、案に相違したもののようだ。和也は頰《ほお》を強《こわ》ばらせて続けた。

「実際、たいした手間はかかりませんでした。田中は、火を見るより明らかだっていうんです。人違いなんかじゃない。証拠があるから」

「何が？」

和也は背広の内ポケットを探り、一枚の紙切れを取り出した。感熱紙のようだった。

「これ、もともとは、ある大手の――名前は伏せますけど――信販会社の顧客管理部長宛《あ》てに、郵便で送られてきたものだそうでした。それを、田中が信用情報センターを通して手に入れて、僕のところへファックスで送ってくれたんです」

本間はそれを手にとった。

B4判の用紙である。ワープロで、縦書きの文面が綴《つづ》られていた。

冠省　当職は東京都墨田区江東橋4の2の2　キャッスルマンション錦糸町405関根彰子から委任を受けた代理人として本書を呈上します。

関根氏は、昭和五十八年九月頃《ごろ》にクレジットカードを取得、以来日常的にショッピング、キャッシングなどに利用しておりましたが、計画性を欠いたカード利用と、金利等に関する無知とがあいまって、昭和五十九年夏ごろから徐々に月々の返済金がかさむようになりました。この状態から抜け出すため、毎月の収入を増やそうとアルバイトなどを始めましたが、そのために逆に健康を損ね、当座の生活費にも事欠くようになったため、さらに借財がかさむようになってきました。月々の支払い金を捻出《ねんしゅつ》するためにサラ金からも借入をするようになり、借り替え等のために借金がふくれあがり、現在、債権者三十名、負債総額約一千万円になってしまっております。関根氏には見るべき資産もありません。そこで万やむを得ず、本日、東京地方裁判所に破産申立てをいたしました。

したがいまして、各債権者におかれましては、なにとぞ関根氏の右窮状をご賢察の上、破産手続きの進行にご協力をいただきますようお願い申し上げます。なお、一部貸し金業者においては、現在もなお厳しい取り立て行為を続けているところがありますが、今後このような行為を続けられました場合には、ただちに民事刑事等の法的手段に訴えますので、よろしくご理解たまわりたく存じます。

昭和六十二年五月二十日

東京都中央区銀座9の2の6
三和ビル八階　溝口《みぞぐち》・高田法律事務所
関根彰子代理人
弁護士　溝口悟郎　㊞

目をあげて、本間は和也の顔を見た。

「彼女、自己破産してたんですよ」と、和也は言った。

「これを見て、それからどうした？」

和也はぼそりと答えた。「彰子に訊《き》いてみました」

「身に覚えがあるかと？」

「はい」

「いつ」

「十五日です」

「この時点では、まだ人違いの可能性もあったんだろう」

「そう思いました。いや、そう願いました」和也は苦しそうに首を振った。「だから、僕も、これを彰子に見せたんです」

本間はもう一度文面に目を落とした。

「すると、彼女は消えてしまったというわけか」

和也はうなずいた。

「君がこれを見せたとき、彼女、否定はしなかった？」

「ただ、すうっと青ざめただけでした」

口元だけでなく、和也の声も震え始めていた。

「……探してやってくれませんか」と、小さく言った。「本間さんしか頼るあてがないんです。興信所なんかに頼んだら、両親にバレてしまうかもしれない。僕は、今はまだ親と一緒に暮らしていますからね。それに、職場に電話をかけてこられても、やっぱりまずいんです」

「興信所だとな」

だが、身内ならいいというわけだ。しかも、休職中で暇をもてあましている刑事だ。

「僕は彰子と話し合いたいんです。この写しを見せたとき、彼女は、これには色々と深い事情があって、すぐには話せない、だから、少し時間をくれと言いました。僕は承知した。彰子を信じていたから。それなのに、翌日にはもう彼女は姿を消してしまってたんです。アパートにもいない。会社にも出ていない」

ひとことと口にするたびに首を振りながら、今、目の前に関根彰子がいて、彼女に訴えかけているかのように熱をこめて、和也は言った。

「弁解もない、喧嘩さえしていない。これじゃあんまりだ。僕は彼女の口から事情を説明してもらいたい。そして話し合いたい。責めるつもりなんかない。本当にただそれだけなんです。僕の力じゃどうしようもないんです。彰子はアドレス帳みたいなものは残していかなかったし、僕は彼女の友達関係についてはほとんど知らないし、探しようがないんです。でも、本間さんならなんとかできるでしょう? お願いです。彰子を探してください」

一息に感情を吐き出してしまい、言うべき言葉が品切れになっても、和也は、ぜんまい仕掛けで走る玩具《おもちゃ》の車の車輪が、車が倒れてしまってからも惰性で回り続けるのと同じように、顎《あご》を震わせていた。上顎と下顎が触れ合うたびに、かすかにカチカチと音がした。歯が鳴っているのだった。

本間は何も言わずに彼を見つめていた。頭のなかでは、ふたつの傾向の違う考えが争っていた。激しく勝負しているというほどではないが、互いの出方をうかがいながらにらみあっている――

ひとつは、純粋な好奇心だった。職業病というべきかもしれない。

若い女性の失踪《しっそう》は、それ自体はめずらしいものではない。都会では、路上に放置しておいたゴミバケツの蓋《ふた》が盗まれるのと同じくらいの頻度《ひんど》で、女が姿を消している。だが、若い女の単独での失踪に「自己破産」がからんでいるケースというのは、あまり耳にしたことがない。一家そろって夜逃げということならあり得るが、女が一人で、男からではなく、借金から逃げるとは。

――いや違うか、と思いなおした。関根彰子は自己破産しているのだから、借金は消えて失《な》くなっているわけだ。それとも、破産しても借金は借金として残るんだろうか？

もうひとつは、その好奇心の下から頭を持ちあげている、苦い不快感だった。和也は、生前の千鶴子にはずいぶん可愛《かわい》がってもらっていたはずなのに、忙しいからと、葬式にも顔さえ出さなかった。三年間、一度の連絡も、悔やみの電話一本寄越さなかった。そのくせ、自分の頼みごととなると、吹き降りの雪をついてでもやってくる。勝手な奴《やつ》だ。

本間が黙りこくっているからだろう、和也は上目遣いにこちらを見あげた。やっと、自分の立場と本間の置かれている状況を考えるゆとりがわいてきたのだろう、恐る恐るうかがうという口調で、訊いた。

「本間さん、まだ身体《からだ》の方がよくなくて、動き回るのは無理ですか……」

「いや」

素っ気なく、できるだけ短く、それだけ答えた。和也は恥じ入ったように頭を下げている。

「母の話だと、撃たれたとか――」

「よく知ってるね」

事件そのものは、大げさなものではなかった。新聞にも、大きな記事は出なかった。深夜営業の喫茶店やスナックばかりを専門に狙《ねら》う、ケチな強盗が――刃物を使って脅しはするが、実際に人を傷つけたことはない――一人いたというだけのことだ。ただ、この小心な強盗犯が、半分はお守りぐらいの気持ちで、安物の改造拳銃《けんじゅう》を一丁、誰にも見せずにそっと懐《ふところ》に忍ばせていたというだけのことだ。

そして、その強盗犯が、自分を逮捕にきた二人組の刑事のうち一人にそれを向け、あとで本人が言うには「撃つ気はなかったんだけども、ついうっかり」引き金を引いてしまい、「本当に弾が飛び出したんでびっくり仰天」して、狼狽《ろうばい》のあまり「夢中でもういっぺん撃ってしまった」というだけの、つまらない事件である。「ついうっかり」引き金を引かれて膝《ひざ》を撃ちぬかれた刑事である本間としても、実につまらない話だと思う。だが、あとになって、この小心な強盗野郎が続けて二発目を撃ったとき、持ち主と同じくらい根性の曲がった改造拳銃が暴発したために、右手の指が吹っ飛んでしまったというのを聞いたときには、ひょっとすると後遺症が残るかもしれないと案じながらギプスに包まれた左足を眺《なが》めつつ、ちょっと笑った。そして、白状するならば、回復期の、今よりももっと辛《つら》いトレーニングを受けていたあいだには、何度か後悔したものだ。あの時もっと腹を抱えて笑ってやればよかった、と。

和也はくちびるを噛《か》んだ。

「すみません。自分のことに夢中になってて、そこまで頭が回らなかった。僕は……」

口をつぐむ和也を、本間はまた黙って見つめた。だが、そうしているうちに、自分が少し興奮していることに気がついた。

思い切って休職したのは、和也の言ったとおり、現在の状態では、かえって同僚たちの仕事の邪魔になると思ったからだ。フルに働くことができないなら、最初から戦力として数えてもらわないほうがいい。困難な雪山登山のパーティのなかの負傷者にはなりたくなかった。そのことは、自分も周囲もよくわかっている。

だが、今日の帰りの電車のなかで感じた苛立《いらだ》ちや焦燥感は、そういう理屈では処理しきれないものだった。そういう理屈の外にあるものだった。

「多少は力になれるかもしれないが――」

腹が決まらないうちに、気がついたらそんなことを言っていた。和也はぱっと頭をあげた。

「ただ、あんまり期待されちゃ困る。それに、彼女を探しだすことを引き受けるわけじゃないよ。まだわからないことの方が多いし、とりあえず、この状況をどうにかできないものかどうか、当たってみるという程度だ。それでもよければ」

和也の頰の強ばりが、ほんの少しだけ緩んだ。

「それで結構です。お願いします」

3

栗坂和也には、天候が回復し、雪が溶けて、道が歩きやすい状態にならなければ自分は動けない——と話してあった。彼もそれは承知してくれた。だから、今朝目を覚まして、まだ雪が降っているか、やんではいても天気に恵まれなければ、関根彰子《しょうこ》のあとを追いかける作業は、一日先に見送りになるはずだった。

ところが、雪は深夜のうちにやんで、今朝はもう呆《あき》れるような晴天が広がっている。家の窓から外を見おろしてみても、鋪道《ほどう》はきれいに除雪され、濡《ぬ》れたコンクリートが陽光に照らされて輝き、それこそ、見る間に乾いてゆくという感じだった。家々の屋根や建物の軒先からずりさがっている、板のように固まった雪も、ぼたぼたと汗をしたたらせて溶けてゆく。

朝食を済ませた智《さとる》が、ランドセルをつかんで玄関の方に向かいながら、途中で振り返った。

「お父さん、今日、出かける？」

新聞から目をあげて、本間は簡単に「うん」と答えた。

「栗坂のお兄さんに何か頼まれたんだね？」

「そうだよ」

「何時ごろ帰ってくる？」

「さあな……まだわからない。出たとこ勝負だ」

廊下の途中に立ってこちらを向いていると、まともに東側の窓に向き合うことになる。だが、智が顔をしかめているのは、まぶしい朝日のせいだけではないようだ。

「だいじょぶなの？」

「大丈夫なように行動するよ」

「栗坂のお兄さん、何を頼みにきたの？」

本間はテレビの時刻表示を見た。「遅刻するぞ」

智はしぶしぶランドセルを背負った。

「結局、うちでじっとしてられないヒトなんだね、お父さんは」と、呆れ顔をした。

「なにも、ひとりで暴力団の壊滅に出かけようってわけじゃないよ」

「転んで今度は反対側の足を折ったって、僕は知らないよ」

「おまえこそ、気をつけろ」

「そんなの、大きなお世話なんだから。行ってきます。行ってらっしゃい」と言い、ぶすりと付け加えた。「あとの行ってらっしゃいは、お父さんが出かけるときにプレイバックして聞いてよね」

本間は笑った。「わかった、わかった」

ぷんぷん怒りながら登校していく。悪いなとは思ったが、こう見事に晴れてしまった以上は仕方がない。約束だ。

智が出かけていったあと、すぐに椅子《いす》を立ち上がって窓から下をのぞいてみた。この団地の小学生たちは、棟ごとにいくつかのグループをつくって、四区画南側にある学校へと向かう。まもなく、智も入れて七人のグループが、植込みのそばを抜けて団地の歩路を進んでゆくのが見えてきた。

途中で、シャベルで掻《か》き集められ、そこここに山積みにされた薄汚れた雪に手を触れては、

「かちんかちんだぁ」

「ぐじょぐじょじゃんか」

「きったねー」

と、てんでにひどい裏切りにあったかのように大声で文句を言っている。たしかに、子供たちにとって、夕方から降り出して夜中にやんでしまい、朝になると溶けだしている雪などは、絶対に許しがたいものなのだろう。気ばかり持たせていつもすっぽかす嘘《うそ》つき女のようなものだ。せっかく遊ぼうと思っていたのに。

通勤ラッシュの時間帯を避けたいので、十時まで家でぶらぶらしていた。そのあいだに、地図をよく調べて目的地を確認する。無駄《むだ》のない移動の仕方をしなければならないからだ。

もうひとつ、「自己破産」の正確な意味についてわかるものはないかと、それも探してみた。国語辞典には載っていない。あとは、自宅にあるのは現代用語辞典ぐらいのものだから、あまり期待せずにめくってみると、ちゃんと説明文が載っていた。

〈自己破産〉　裁判所が主催して債務者の全財産を公平に債権者に分け与える制度が「破産」であり、債務者は破産手続き完了後、「免責」によって債務から解放される。このなかで、債務者本人が申し立てるものを「自己破産」というが、これは近年、クレジットカードの乱用やローンによる多重債務者を救済するため、申立て件数が急激に増加している。こうした個人の破産を一般の企業破産に対して「消費者破産」とも呼ぶ。破産者は破産によっていくつかの資格制限を受けるが、これも免責によって「復権」することができる。また、破産の事実は戸籍などには記載されず、選挙権、被選挙権など公民権の停止を受けることもない。

最後の数行は、正直言って意外だった。

これまで、漠然《ばくぜん》とではあるが、ひとたび破産などしようものなら、その事実がどこまでもつきまとってくるものだと思っていたのだ。他人のプライバシーを調べることが仕事の延長線上にある本間のような人間でさえそう考えているのだから、一般にはもっと、そう思い込んでいる人間が多いに違いない。だから、こんな用語辞典のようなものでさえ、そんなことはないという断りを、わざわざ入れてあるのだろう。

(ということは、隠そうとすれば簡単——いや、わざわざ隠そうとしなくたって、黙っていればわからないというわけだ)

関根彰子も、クレジットカードさえつくろうとしなければ、過去の破産の事実が露見することはなかったのだ。現に、それまでの彼女はカードを持っていなかったのだし——

それとも、和也に勧められたとき、破産から五年もたっているのだからもう大丈夫だと思ったのだろうか。その見込みがはずれたのか。

重い辞典を書棚《しょだな》に戻し、それから支度にかかった。朝っぱらから——と、庶民的な罪悪感を感じながら、駅へ行くためにタクシー会社に電話した。

経費は請求するよ、という申し出も、和也は無条件で呑《の》んだ。常識から言えば当然なのだが、それを(細かいことにうるさい)と解釈する向きが、身内同士のなかにはある。きちんと領収書をとっておけばいいのだから、この際タクシーはどんどん使うつもりだった。

受話器を置いたあと、一本だけ煙草《たばこ》を吸って灰皿に水を入れ、家を出た。途中、一階の井坂家に寄って鍵《かぎ》を預け、挨拶《あいさつ》を交わしてから出かけた。

昨日と同じように、閉じた傘《かさ》を杖代《つえが》わりに突っ張って歩きながら、歩路のあちこちで、掻き集められた雪の小山に触れてみた。日向《ひなた》のものは「ぐじょぐじょ」で、日陰のものは「かちんかちん」で、どちらも「汚い」ことは同じだが、日向の山の方がずっと小さくて、触ると崩れた。

歩路のはずれで最後に触った雪の小山は、「かちんかちん」だった。

よかった。「ぐじょぐじょ」よりは、幸先《さいさき》がいいような気がする。

今井事務機は、新宿駅西口から、健康人の足なら徒歩五分ほどのところにあった。甲州街道沿いにある五階建ての共同ビルの二階だった。正面を向いている細長い窓の六枚のガラスに、内側からカラーテープで一字ずつ社名を貼《は》りつけてある。余った六枚目のガラスには何も貼らず、カーテンを掛けていた。妙に律儀《りちぎ》だと思った。

ビルの一階は金庫屋である。階上の会社と結託して商売をすることができそうだ。顔を出してエレベーターの場所を訊くと、新聞を読んでいた店員が、「階段が――」と言いかけた言葉を呑み込んで、教えてくれた。

小《お》滝橋《たきばし》通りの緩やかな下り坂は、かえって曲者《くせもの》だったようだ。膝に負担がかかるので、上りよりも下りの方が辛い。電車のなかではずっと座ってきたが、二日連続の外出なので、まだ午前中だというのに、もう大腿《だいたい》部が突っ張ったような感じがしていた。

受付も応接も事務室もすべてワンフロアのなかに納まっていて、ひと目で見通しがきく――そういう会社だった。机についていた紺色の事務服姿の女性が一人、すぐに立ち上がって出てきてくれた。

「私は、こちらにお勤めの関根彰子さんの婚約者の栗坂和也の身内の者です。関根さんの件で少しお話をうかがえたらと思って参ったんですが」

事務服の女性は、まだ二十歳ぐらいだろう。丸顔に大きな目、鼻のまわりにそばかすがいっぱい散っている。その目をくるりと見開いて、

「ああ、はい、はい、わかりました」と言った。子供みたいな声だった。身体も小柄《こがら》だ。

「社長さんか、関根さんの上司である方に、できたらお目にかかりたいんですが。どうでしょうか」

「関根さんのことなら聞いてます、聞いてます」と、せっかちに答える。「社長、向かいのビルの喫茶店にいますから」

「商談中ですか？」

「ショウ——いえいえ、コーヒー飲んでるだけです。いつもそうなんです。あたしは留守番です。呼んできます」

もうドアの方に向かいかけている。せかせかと振り返って、

「あの、あたしの留守に電話がかかってきたら、どうしましょう」

こちらの方が訊《き》きたいようなことを訊いてくる。

「どうしたらいいですか？」

彼女はちょっと考えた。「かかってこないと思います」

面倒なことはすぐに棚上げにしてしまう性格らしい。

「すぐ戻りますから、その辺におかけになっててください。コート脱いで、その辺にかけてください」

言い残して、雀《すずめ》が飛びたつようにぱたぱたと駆けていった。

狭い室内は、きちんと整頓《せいとん》されていた。同じ大きさの事務机が三つあり、向かい合わせに据《す》えてある。どの机の上にも帳簿やファイルのたぐいがたくさん置かれているが、きちんと立てて背表紙をこちらに向け、いつでも自由に出し入れできるようにしてあった。このコンパクトな感じには、キヨスクを連想させるものがあった。

三つの机のうち、先ほどの女性が座っていた机の向かい側にあるのが、関根彰子の席だろう。机の上はきれいに整頓されていたが、いちばん上の引き出しを開けてみると、ボールペンや定規や付箋《ふせん》と一緒に「関根」の三文判が入っていた。

窓に背を向け、三つの事務机を見渡す位置に、側机のついた幅広の机がひとつあった。社長のものだろう。椅子の背もたれに、手編みの毛糸のカバーがかけてある。机の上に載せられているのは、空っぽの書類箱がひとつと、表紙の反った雑誌が一冊。近寄って見てみると、「財界通信」だった。

倉庫は他所《よそ》にあるのだろうが、それにしても静かで暇な感じのする会社だった。関根彰子がいたときは、今の女の子とあわせて、女性事務員が二人働いていたことになる。それほどの仕事があるのだろうかと、危ぶみたくなるような雰囲気《ふんいき》だ。

これじゃ、給料の額も知れたものだったろうな——と思っていたところに、さっきの女性が社長を連れて戻ってきた。

「おう、お待たせしました」

声の大きい老人だった。ワイシャツに毛糸のベスト、ループタイという服装で、遠近両用眼鏡をかけている。分厚い靴下《くつした》に包まれた爪先《つまさき》を、真新しい健康サンダルに突っ込んでいた。

「関根さんのご家族とか？」

「いえ、彼女の婚約者の身内です」

問題なのはどちらだろう。雀みたいな女性事務員の伝達能力か。それとも社長の聴取能力か。

「ああ、そうですか。栗坂さんのね」

どちらでもたいした違いはない、という顔だ。

「まあ、どうぞ」

窓際《まどぎわ》にある応接セットの方に手を振って、自分が先にたって腰をおろした。本間が足を引きずりながら近づいていくと、いきなり、「リューマチでしょう」と言った。

「いえ」ちょっと驚いた。「事故の後遺症でして」

「ははあ。なんで傘を持ってるんです？」

「杖を買うのが業腹《ごうはら》なんですよ」

「医者のところで貸してくれませんかな」

「ええ、押しつけられました。でも、それを使っていると気分がよくありませんでね。さも怪我人《けがにん》、という感じで」

社長はきれいに禿《は》げあがった頭をつるりと撫《な》でた。「なるほどね。わかるような気もしますな」

昨夜、和也に、持っているだけの名刺を出させ、その裏に彼の自筆で、「この本間俊介氏は私の親戚《しんせき》で、今回のことで調査を頼んであります。よろしくお願いいたします」と書かせておいた。これなら、少なくとも、和也が関根彰子の婚約者だったことを知っているところには、紹介状代わりになる。

書きながら、和也は（こんなもの要らないでしょう）という顔をしていた。刑事である本間が相手なら、黒い手帳をちらりと見せるだけで、誰もが協力的に何でもペラペラしゃべるに決まっていると考えていたのだろう。だから頼みにきた。だが、それは大きな勘違いである。

正式に届けを出して休職している身の上だから、警察手帳も刑事部屋に預けたままだ。カラ手である。そして、手帳なしに「警察の者です」ということは、偽《にせ》手帳を見せて「警察の者だ」と嘘をつくことよりも、もっと危険だ。不必要な騒ぎを招きやすい。

だから、昨夜も、和也が名刺の裏書きを終えたあとで、その辺の事情を説明してやった。和也は裏切られたような顔をしたが、それでも、(だったら興信所に頼んだ方がいい)とは言わなかった。今度のことが親や銀行に露見するのが、よほど恐ろしいのだろう。

和也の名刺と、自分の名前と自宅の住所・電話番号だけを刷った名刺を並べて、社長に差し出した。相手はそれを順番に吟味した。その間に、さっきの雀のような女性事務員がお茶を持ってきた。

社長から差し出された名刺には、「㈱今井事務機　取締役社長　今井《いまい》四郎《しろう》」とあった。

「栗坂さんのお身内というのは、どういうつながりで?」

社長が真っ先に関心を示したのは、その部分だった。

「和也は私の家内の従兄《いとこ》の息子なんです」

「ははあ……」

「いつも困るんですよ。続柄としてはどう言えばいいんでしょうかね」

「はとこかねえ。ねえ、みっちゃん」

と、雀の事務員を振りあおぐ。彼女はみっちゃんというらしい。

みっちゃんはまたせかせかと答えた。「辞書ひいてみます」

社長は次に、きわめて順当な質問をした。

「失礼ですが、名刺に肩書きがないが、あなたのご職業はなんですかな」

嘘は用意してあった。「雑誌のライターのようなことをしています。それで、まあいろいろ調べ回ることは仕事のうちなので、和也に頼まれたんですよ。なんとか関根さんを探しだしてくれないか、と」

「雑誌なら、私もよく寄稿している」

社長が得意気に言ったので、本間はうなずいた。

「財界通信ですね」

「ほう、わかりますか」

本間は微笑しただけで答えなかった。「名前をお見かけしたことがあります」と言えば嘘になるが、微笑だけなら騙《だま》したことにはならない。「財界通信」は、寄稿者しか読まない雑誌の代表選手みたいなものだと、以前に聞いたことがあった。

「それで、と」

薄い日本茶を一口飲んでから、社長は用向きに入った。

「関根さんのことだそうですが、まだ帰ってこないんですか」

和也がここに電話を入れて、関根彰子が姿を消したと話したのは、四日前、一月十七日の朝九時ごろだったという。その日の昼ごろ外回りの途中で立ち寄って、さらに事情を説明し、彼女の行く先に心当たりはないかと訊いていった。

「私らは、十六日に彼女が出てこなかったときは、祝日の翌日だし、無断欠勤かなあという程度に軽く考えてましたんで、栗坂さんから電話をもらったときには驚きましたなあ」

「関根さんは、以前にも無断欠勤したことがあったんですか」

「一度ありましたねえ。熱を出して寝込んでて、電話をかけられなかったと話してたな。な、みっちゃん？」

みっちゃんは首をかしげた。社長は笑った。

「そうか。あれはみっちゃんがまだいないときだったかな」

「社長さんは、和也のことはよくご存じですよね？」

「はい。といっても、出入りの銀行さんというだけのことですがね。ですから、彼が関根さんと婚約したということを聞かされたときは、ビックリしましたよ」

「婚約の報告を受けたのは、ここでですか？」

「いえいえ、酒の席でした。うちはごらんのとおりの零細企業ですから、忘年会や新年会なんかも淋《さび》しいものです。だから、そういうときには、事務の女の子たちに、友達や彼氏を連れておいでと言っとるんですよ。二人のめでたい話を聞いたのは、今年の新年会のときだったですかね。なあ、みっちゃん、あれは新年会だったよな？」

自分の机について熱心に辞書をひいているみっちゃんは、あわてて「はい、はい」と返事をした。

「そのとき、指輪も見せてもらった。ルビーでしたかな。関根さんの誕生石だ」

「サファイアですよ」と、初めてみっちゃんが自分から注釈を入れた。「社長はすぐ間違えるんだから。サファイアです。青い宝石だったもん」

「ああ、そうか」また自分の頭を撫でながら——そうすると内部の記憶を修正できるのかもしれない——社長は言った。「サファイア、サファイアと。関根さん、その指輪は持って姿を消したそうじゃないですか」

「そうですか。それは初耳だ」

和也とは、今夜、二人で彰子のアパートの部屋を少し調べてみる約束をしていた。所持品などについては、そのとき詳しく尋ねようと考えていたところだ。

「栗坂さんの話じゃ、十五日の夜に喧嘩《けんか》したそうでしたな。で、十六日の朝にアパートに電話をかけたけど、彼女は出なかった。で、その夜アパートに行ってみたら、関根さんは、もう、身の回りのものをまとめて出ていったあとだったと話してましたよ」

「実際、そのとおりなんです。和也は真っ青になっていますよ」

「指輪を持っていってるのは、まだ栗坂さんとよりを戻したいと思ってるのか、それとも単にそれが高価なものだからだったのか、どっちかでしょうけども……でも、喧嘩した程度なら、待ってれば帰ってくるんじゃないですか？　騒ぎたてると、逆に関根さんに恥ずかしい思いをさせることになりゃせんですかなあ」

年配の男のなかには、こういうとき、こういう方向に考えて、若い女性を思いやるタイプがいる。かといって、決してお人好しというわけではない。ただ、あまり女性にひどい目にあわされた経験がないのだ――とは言ってもよさそうだと、本間は思う。

「それが、ただの喧嘩じゃありませんでね」本間は慎重に言った。「それこそ関根さ

ん に嫌《いや》な思いをさせないために、あまり言い触らすことはできないんですが。だから、和也も青くなってるんですよ」

社長は少し乗り出した。「深刻なわけですか」

「そうですね。二人の間では」

社長はこの曖昧《あいまい》な言い方の裏にあるものを察してくれたようだった。

「気の毒だが、しかし、それだと私らには何もしてあげられそうにないなあ。話と言ったって、栗坂さんにしたのと同じことしか話せんし。なあ、みっちゃん？」

みっちゃんはうなずいた。辞書に目を落としたままだ。それから言った。「はとこじゃないみたいですよ、社長」

やめろと言われるまでひとつのことをやっている性格であるらしい。だが、社長が何も言わないので、本間も気にしないことにした。それに、少しばかりみっちゃんが気に入ってきた。

「関根さんは、いつごろこちらに採用されたんでしょうか」

社長は「うーん」とうなった。彼が「いつだったかね、みっちゃん？」と言い出さないうちに、本間は提案した。

「どうでしょう、できたら彼女の履歴書を見せていただけませんか。こういう事情ですし、彼女の前の勤め先などにも当たってみたいんです」

「あ、いいですよ」と、拍子抜けするほど気軽に言って、社長は立ち上がった。自分の机のいちばん下の引き出しを開けて、さして手間取ることもなく、ファイルから一枚の紙を抜き出して戻ってきた。

ごくありふれた様式の履歴書だった。顔写真が貼ってある。まず、そこに目がいった。

迂闊《うかつ》なことに、昨夜、和也は関根彰子の写真を持ってきてくれなかった。だから本間は、今初めて彼女の顔を拝んだのだ。

美人だな、と思った。

この種の顔写真は、誰でもひとしなみに指名手配犯のように見せてしまう。それでも美しく見えるということは、実物は平均以上の美貌《びぼう》だと考えていい。

髪は、少し長めのショートカット——短いボブカットとも言うかもしれない。鼻筋がくっきりとしており、描《か》いているのかどうか写真ではわからないが、眉《まゆ》のカーブがやわらかく、秀《ひい》でた額と涼しい目のあいだに、いいバランスでおさまっている。閉じたくちびるがかすかに笑っていた。

「可愛《かわい》いでしょう」と、社長が言った。「本物はもっと美人ですよ。とくに、栗坂さんと付き合い始めてからどんどんきれいになった。なあ、みっちゃん？」

みっちゃんは辞書をひくのをやめていた。回転椅子《いす》に腰掛けてこちらを見ている。

「一緒に買物とか行くと、よく男の人に声かけられてました」と言った。

それはそうだったろう。

「背は高いですか？」

「おや、あなたは会ったことがないんですかな？」

「そうなんです。和也のやつ、婚約したことさえ身内に隠してましてね」

「関根さんが言ってました」みっちゃんが口をはさんだ。「栗坂さんのおうちの人に反対されてるって。学歴がないから駄目《だめ》だって言われたって」

「そう」本間はみっちゃんに目を向けた。「悔しがってるようだった？」

「はい。一時は本当に、痩《や》せちゃうくらい悩んでました。栗坂さんが、親のことなんか気にしないから結婚しようって言って指輪をくれるまでは、ずっと悩んでました。婚約したあとは、全然違ってたけど」

うなずいて、本間は履歴書に戻った。

関根彰子の生年月日は一九六四年九月十四日。本籍は東京都になっている。和也の話では、生まれは宇都宮だそうだから、転籍したのだろう。

経歴を見てゆくと、高校までの教育を宇都宮市内で終えている。そのあとの職歴欄には、会社名が三つ並んでいた。いちばん最初が事務機器の会社らしい「三好リース機器」。所在地は渋谷区道玄坂。就職したのは一九八三年の六月。八五年三月に退職。高校を卒業してすぐ上京したということだったから、就職まで二ヵ月間ほどブランクがあるが、職探しにそれぐらいかかったのかもしれない。

次は、「㈱いしい」。社名からは業種がわからないが、「タイピストとして勤務」と、本人が添え書きしている。所在地は千代田区三崎町。就職は一九八五年四月。退職は八六年六月。

三番目が、「有吉公認会計事務所」。所在地は港区虎ノ門。一九八六年八月に勤めて、一九九〇年一月まで働いている。退職の理由は、いずれも「自己都合により」だ。

そしてこの履歴書の日付が、平成二年——一九九〇年四月十五日。

「以前は会計事務所にいたんですね」

「そうですなあ」

首をのばして履歴書をのぞきこみながら、あらためて思い出したというような顔で、社長は言った。

「なぜそこを辞めたのか、具体的な理由は訊かれましたか?」

「なんでも……忙しすぎて身体《からだ》をこわしたとかなんとか言ってたんじゃなかったかなあ」

経営者としては無防備なほど鷹揚《おうよう》なものだ。本間がそう感じていることが、社長にもわかったのだろう。頭に手をやりながら、破顔した。

「いやあ、うちはこんな小さなところですからなあ。うるさく前歴を訊いたりすると、なかなか勤めてくれる人が見つからないんですわ。だから、人柄《ひとがら》を見て大丈夫そうだと思ったら、あまり尋ねないことにしてまして。誰にでも、いろいろ事情はありますからな」

それはよくわかった。また、そういう形で人を雇ったとしても、この社長ならそう人物鑑定を間違うことはないのではないか、とも思った。

社長は、こんな小さな会社を、新宿の一等地で維持しているのである。小さい会社だからこそ、これには大変な能力が要る。

大企業を動かすのは、ある意味で、コンピュータによる自動操縦装置がついたジャンボジェット機を飛ばすようなものだ。毎回毎回、シビアにパイロットの能力を問われることはない。

だが、こんな零細以下の会社は、言ってみればロートルのプロペラ機だ。有視界飛行しかできない。コンピュータはあてにできない。パイロット一人の力量を頼りに、毎回の離着陸が命懸けだ。一回一回の飛行に、存亡がかかっているのである。パイロットの腕次第では、すぐに墜落だ。

「この求人は、どういうふうになさったんですか?」

「求人欄ですよ。新聞の」

「関根さんが採用されたのはいつですか」

社長はまた履歴書をのぞきこんだ。

「面接の翌日には採用通知を出しました。二十日ぐらいから来てもらったんじゃなかったかなあ」

「彼女は、ここでは一般事務をしていたんですか?」

「そうですよ。タイプやワープロを打ったりもしてくれました」

「同僚は――」と言ってみっちゃんの方を見ると、彼女はびっくりしたような顔をした。

社長が答えた。「当時は、関根さん一人だけでした。みっちゃんは、うちで働くようになってまだ半年くらいですから。そうだな、みっちゃん?」

みっちゃんはうなずいた。

「ほかに人は――」

「おりません。三人きりです。ときどき出入りする者はおりますが、関根さんとは挨《あい》拶《さつ》程度の付き合いですから、彼女の行き先など知らんでしょう」

「社長さんに、お心当たりはありませんか」

彼は残念そうに首を横に振った。

「栗坂さん以外には、関根さんが親しくしていた友達がいたかどうかさえ――いたんでしょうがね――私は知らんです。申し訳ない」

「いえ、とんでもない」

本間が目を向けると、みっちゃんは、今度は準備をしていたのだろう。驚いた顔もせずに、すぐに答えた。

「あたしも、心当たりがないです」

「友達の名前なんか耳にしたことはない？」

しばらく考えてから、かぶりを振った。

「栗坂さんのことならたくさん聞かせてもらったけど……あたし、関根さんとは、帰り道にたまにお茶を飲んだり、デパートに寄ったりすることがあるくらいでしたから」

「そうか……」

「故郷へ帰ったんじゃ？」と、社長が訊《き》いた。

「関根さんにはもう両親がいないんですよ」

平手で額を叩《たた》き、「あ、そうだったか」

「もちろん、一応調べてはみるつもりですが」

本間は履歴書を取り上げた。

「申し訳ないんですが、これ、コピーさせていただけないですか」

社長は軽く手を振った。

「いや、そのままお持ちになってください。栗坂さんにお貸しするならかまいません。前の勤め先に訊いてみれば、何かわかるかもしれないでしょう」

ありがたくその申し出を受けることにした。

「関根さん、早く見つかるといいですな」

「こっちから探して連絡をつければ、本人も帰って来やすいんじゃないかと期待してるんですが」

「そうですなあ。喧嘩別れはよくない」

立ち上がると、抜かりないという感じでみっちゃんがコートを持って構えていて、着せかけてくれようとしたのだが、いかんせん身長が違いすぎるので、うまくいかなかった。本間は笑ってコートを受け取り、自分で着た。そのあいだ、みっちゃんに傘《かさ》を持っていてもらった。

「さっきの、奥さんの従兄の子供をどう呼ぶかってことですけど」と、生真面目《きまじめ》な感じで言う。「はとこじゃないってことしかわかりませんでしたぁ」

いかにも残念そうだった。

「じゃ、わかったら教えてください」と言わずにはいられないようなところがあった。

「はい」と、みっちゃんは答えた。社長はにこにこしていた。

関根彰子は、給料は安いかもしれないが、そう悪い会社で働いていたわけではないなと思いながら、本間は階下へ降りた。

4

まず、電話だ。

関根彰子《しょうこ》が履歴書に記載している会社を、三つとも当たってみる必要はないだろうと思った。今井事務機の前に勤めていた「有吉会計事務所」だけで充分だろう。ここには四年ほど籍を置いている。知人友人がいる可能性は、ここがいちばん高い。

歩道も車道もすっかり乾いており、掻《か》き集められて道端に積み上げられた雪の小山も、北国帰りの長距離トラックの落とし物程度の大きさにまで溶けてきていた。

甲州街道と小滝橋通りの交差点まで戻って、すぐ目についた喫茶店のドアを押した。電話は出入口のそばにあったが、一度席に落ち着いてしばらく足を休め、コーヒーを頼んでから、あらためて立ち上がった。

彰子はきれいな字で履歴書を書いていた。達筆とまでは言えないが、一字一字、注意深く記しているという印象を受ける。日記や家計簿などもきちんとつけているタイプだ──番号案内の担当員が応答してくれるまでのあいだに、そんなことを考えていた。

番号案内の女性の声がやっと聞こえてきた。本間は「有吉公認会計事務所」の所在地を告げて案内を頼んだ。返事がかえってくるまで、四、五秒間あった。

「そのご住所には、有吉公認会計事務所の登録は見当たりませんが」

ちょっと虚をつかれた感じだった。

「まったくありませんか。似たような名称の事務所も?」

「お待ちください」

現在の番号案内はすべてコンピュータ照会によるものだから、ざわざわした雑音の底に、かすかなキータッチの音が混じって聞こえてくる。

「ございませんね。ご住所に間違いはありませんか?」

もう一度読み上げて確認した。読み違えではない。仕方がないので、いったん電話を切った。

会計士や弁護士、司法書士など、独立して看板を掲げ、依頼人相手に仕事をする商売の人間は、めったに事務所を移転したりしないものだ。それは根を引っこ抜いてしまうことだから。彼らが一様に、最初に開業するときの場所の選択にうるさいのは、一度そこに居を定めてしまうと容易には移動ができないからだ。

新米のうちに、誰か先輩の事務所に居候《いそうろう》をさせてもらい、時機を見て独立するということなら、移転も考えられる。しかし、「有吉」と単独名で営業していた事務所が、そっくりすぽんと電話帳の上から消えてしまうとは――

年輩の会計士で、引退して事務所をたたんでしまったのだろうか。しかし、先ほどの今井社長の話では、彰子は、四年も勤めたその事務所が(忙しすぎて身体をこわしてしまったので、辞めた)と話していたそうだ。だったら、廃業の線は薄い。(まあ、彼女がそこを辞めた本当の理由を隠したくて、適当な嘘《うそ》を言っていたという

ことも あり得るだろうが……)

この住所地へ行って、周辺の会社などに尋ねてみれば、多少は事情もわかるかもしれない。だが、そうなると、それだけで一日仕事だ。少し面倒だなと思いながら、もう一度受話器をあげた。

「㈱いしい」。千代田区の三崎町。彰子は、ここには一年と二ヵ月ほどしか勤めていないが、すぐに連絡がつくならば、こちらのほうが手っ取りばやい。

しかし——

「その会社名では、この住所に登録がありませんが」

さっきとは違う女性の番号案内担当者の声が、てきぱきとそう答えた。さっきと同じように、(似たような会社名もないか——)と訊きかけて、本間は口をつぐんだ。

「もしもし?」

呼びかけられて、小さく咳払《せきばら》いをした。

「すみません。もう一件頼みます」

三好リース機器。今度は「番号を調べてくれ」とは言わなかった。

「この住所に、この名前の会社の登録がありますか?」と訊いた。

番号案内の担当者は、「ありません」と答えた。

席に戻り、温いコーヒーを飲みながら、じっくりと履歴書を点検してみた。

参ったな――という気がした。

今井社長は、あのとおりの人柄だ。彰子をひと目見て気に入り、信用できると思ったから、前の職場に電話をかけたりして、履歴書の記載内容をチェックすることもなかったのだろう。だから、これまで、ここに真っ赤な嘘が書かれていることに、誰も気づかなかったのだ。

だが、それはまったくの僥倖《ぎょうこう》だ。危ない綱渡りだ。今までバレなかったのは、ただただ運が良かったからだ。

関根彰子も、それは最初から承知だったのだろう。そうでなければ、もう少し工夫したはずだ。せめて実在の会社名を書くとか。

彼女は、履歴書に本当の職歴を書きたくなかった。だから、嘘を並べた。そうして、人事担当者がうるさそうな従業員数の多いところは避け、零細会社ばかりを訪ねて歩いた。それでも万が一身元調べをされ、履歴書に嘘を書いたことがバレてしまった場合には、それで仕方がないと腹をくくっていた。どうせバレるなら早いほうがいいから、手のこんだ嘘にはしなかった。そうやっていくつかの会社を訪ね歩いているなかで、たまたま今井事務機が採用してくれた――ということだったのではないか。

彼女の弁護士が信販会社にあの自己破産を報《しら》せる手紙を送ったのは、昭和六十二年――一九八七年の五月。

やはり、それだろうな、と思った。それを隠したいから、履歴書には嘘を書くしかなかったのだろう。

当然のことながら、自己破産した当時、彰子は働いていたはずだ。そして、勤め先にも、信販会社やサラ金から、激しい督促の電話や通知があり、ときには担当者が訪ねてくることだってあったろう。会社に対して、相当不面目な事態になっていたはずだ。仕事がらみで得た程度のものではあるが、本間も、ああしたノンバンクの債権回収担当者のやり口については、多少の知識がある。昭和五十八年十一月――一九八三年十一月にサラ金規制法が施行されてから、「サラ金地獄」と騒がれたころのような暴力的な取り立てはできなくなり、表面的にはおとなしくなったが、そのかわり陰湿になり、また手がこんできた。たとえば、職場のファクシミリに、督促状や「すぐに連絡してください○○クレジット」などという文面を流されたら、やられた方はたまらない。

履歴書に本当の職歴を書いて、新しい雇い主に、もとの会社の人事課にでも、電話一本かけられたら、どうなる？

「関根さんですか？　ああ、あの人はねえ、サラ金で——」

などとしゃべられたら、それだけで雇ってもらえなくなるだろう。自己破産のことを知られても具合が悪い。頭から金銭にルーズだと決めつけられてしまう。だから嘘を書いたのだ。

着脱が面倒なので、ずっとコートを着たままだ。いささか暑い。冷たい水を飲んで、また履歴書に目を落とした。

彰子がどういう事情で自己破産したのかわからないから、予断を持つのはいけないが、気の毒にな……と思うのと同時に、やはり、和也は早いところ彼女と手を切ったほうがいいんじゃないかとも思ってしまった。

さて、次はどうするかな。効率的に動くことを考えると——

それにしても、丁寧に嘘を書いたものだ。この会社名と住所、どこから拾いだしてきたのだろう。

そのとき、「なんだ」という感じで気がついた。

今井事務機の以前にもどこかで勤めていたのなら、彼女は雇用保険に入っていたはずだ。職業安定所《ハローワーク》で行なっている雇用保険の事務処理は、もう十年以上前から、すべてコンピュータによるオンラインになっており、そのシステムに切り替わってから登録された被雇用者については、被保険者証につけられた番号を入力すると、以前の被雇用記録がすぐに照会できるようになっている。無論、この場合の「――切り替わってから登録された」というのは、なにも新入社員に限らない。転職しても、定年退職しても、同じことだ。新しい被保険者証が渡される。一度見たことがあるが、旧タイプの、定期券ぐらいの大きさで、偽造を避けるため複雑な模様が刷りこまれていた被保険者証に比べると、なんだかガックリするような薄っぺらい紙片だった。

関根彰子も、それを持っていたはずだ。今井事務機に採用されたとき、それを提出し、社長か、おそらくは彰子本人が、それを持って、新宿の職安の得喪係へ届けを出しに行っているはずである。

もう一度立ち上がり、電話のそばへ行った。今井事務機にかけると、みっちゃんの声が出た。

事情を説明すると、みっちゃんは驚いたようだったが、雇用保険のことを聞き出すのに、さして骨は折れなかった。すぐに調べてくれた。彼女が受話器を離れると、社長とやりとりしている声が聞こえてきた。

「もしもし？　保険証、見てみました」

「どうかな？」

「雇用保険、被保険者証」と、みっちゃんが読み上げた。「関根、彰子。被保険者証発行日が、平成二年、四月、二十日、です」

彰子の履歴書の作成日付が同じ年の四月十五日だ。ということは――

みっちゃんが言った。「あの、関根さんは、うちにお勤めして、初めて雇用保険に入ったんだって言ってましたよ」

「本当かい？」

「うん――いえ、はい」

「それまでは入っていなかったんだって？」

「そうでした。あたしが採用されたとき、あたし一人じゃ手続きの仕方がわかんなくて窓口の人に怒られるといけないからって、関根さんが一緒に職安へついてきてくれたんです。その時、話してましたから」

がさがさと雑音がして、社長が出た。

「やあ、先ほどは失礼しました。みっちゃんの言うとおりですわ。しかし、職歴がウソだったとはねえ」

「妙な話ですね」

「雇用保険のことについては、関根さんは、前の勤め先ではずっとアルバイト扱いだったから入っていないんだって言ってましたよ。正社員になったことがないってねえ。今でいうクリーターってやつでしょうよ、きっと」

「ははあ……」

クリーターではなく「フリーター」だろうが、と思いながら、

「なぜ正社員にならなかったんでしょうかね。そのことについては何か話していませんでしたか？」

社長はみっちゃんとひと言ふた言会話をし、

「アルバイトの方が給料がいい、というようなことは言ってましたな」

「というと、水商売をしていたということも考えられますかね？」

社長は、今度は一人で「うーん」と考えた。

「どうでしょうなあ。今日日《きょうび》はそうとばかりも言えないと思いますよ。それに、関根さんには、その手の仕事をしていたような雰囲気《ふんいき》はありませんでしたしねえ。匂《にお》いがなかった」

それこそ、今日日はそうとばかりも言えないのだ。昼は学生、夜は高級クラブのホステスという女子大生がごろごろしている世の中なのだから。

それに関根彰子は美貌《びぼう》だった。和也のような男を惹《ひ》きつけたその魅力を、上等の店で上等の客に向かって振りまけば、かなり稼《かせ》ぐことができただろう。だから、雇用保険で守ってもらわねばならない必要などなかった――

しかし、自己破産はしている。いったい、彼女に何があったのだろう？

電話を置き、席に戻り、さすがに少しばかり嫌《いや》な顔をしてこちらを見ているウエイトレスの視線を無視しながら、背もたれに深く寄りかかった。

五年か、と思った。人生が右から左に激変するには充分な年月だ。そして、そのあいだに何があったにしろ、和也の口を通して語られた関根彰子の肖像、勤めていた今井事務機の雰囲気から推《お》して、彼女は良いほうに変わったに違いない。

小銭を数え、ため息とともに、次の行き先への移動方法を考えた。

かつて、弁護士に頼んであの通知を信販会社に出してもらった頃《ころ》、彰子はどういう生活をしていたのか。彼女の行方を探すには、遠回りのように見えても、そっちの側から攻めていった方が早いかもしれない。彼女が隠そうとしていた過去。それが隠し切れずに露出しているところに行けば、ストレートにわかることがあるかもしれない。

和也の知っていた関根彰子は、慎重に、そして一所懸命に、彼女がつくりあげたものだ。生《き》のままの彰子ではない。彼女がつくりあげた部分に足場を置いて探索に出かけると、まったく見当違いのところに連れていかれてしまうかもしれない。

こういう展開になってくるなんて、思ってもみなかった。いちばんスムーズに行った場合には、今井事務機で彰子の友人知人の名前を聞き出し、そこを回ってみればすぐに見つけることができるのではないか、とさえ考えていたのだ。和也には「あまり期待するな」と言っておいたが、あれはまあ牽制《けんせい》であり、建前みたいなものだった。

彼女は、和也に問いつめられてすぐに姿を消している。金ぐらいは持って出たにしろ、心情的には着の身着のまま同然だ。絶対に友達関係を頼って身を寄せているはずだと確信していた。

しかし、彼女がこれほど過去にこだわり、過去を隠蔽《いんぺい》しようと注意を払っていたということがわかった以上、たとえ、失踪《しっそう》の前に彼女が親しくしていた友人・知人を見つけることができたとしても、あまりあてにはできないという気がしてきた。彰子は、過去を目の前に突きつけられて逃げだしたのだ。その逃げて行く先は、彼女の過去をまったく知らず、一から説明しなければ頼ることのできない相手や、彼女の過去を知って彼女を軽蔑《けいべつ》したり、非難の目を向けてくる可能性のある相手では困る。

だとすれば相手は自然に限られてくるというものだ。

仕方がない。関根彰子が破産の申立てを依頼した、溝口《みぞぐち》という弁護士に会ってみよう。銀座なら、ここから丸ノ内線で乗り換えなしに行くことができる。

5

いろいろと深い事情があって、すぐには話せない。少し時間をくれ――

溝口法律事務所のドアの前に立ったとき、頭のなかにその言葉を思い浮かべていた。関根彰子《しょうこ》が、和也に、五年前の自己破産の事実について問いつめられたとき答えたという言葉だ。

銀座通りの喧騒《けんそう》から二区画ほど奥に入った小さな共同ビルの八階だった。ちょうど角部屋で、ドアが正面と右手、二箇所ついている。しかも曇りガラスだから、内部がぼんやりと見える。

法律事務所を訪ねてくるのは、多かれ少なかれ「深い事情」を抱えている人間ばかりだ。いかめしいドア一枚というよりも、この造りの方が安心感があっていいかもしれない。「ここが最後の逃げ場、この先退路なし」という雰囲気ではなくなるからだ。たとえそれが気分だけのものであっても。

正面のドアに、太字で「溝口・高田法律事務所」と大書してある。ノックすると、すぐに応答があって、きびきびした感じの青年がドアを開けてくれた。

「すみません、ちょっとお待ちください」

そう言って、彼は急ぎ足でドアのそばを離れ、すぐうしろにある机ごしに身体《からだ》を乗り出すようにして電話に出た。話し中のところだったのだろう。

入り口のそばに事務員たちの机が四つほどごちゃごちゃ固まっており、その脇《わき》のキャビネットの上にデジタル式目覚まし時計が置かれていて、午後三時二十七分を表示している――いや、二十八分になった。

ひと目でそれとわかる目覚まし時計だ。スタッフの誰かがここに泊まりこむことがあるのだろう。あるいは、「二時間だけ寝て、また仕事だ」ということがあるのだろう。アラームは午前二時にセットされていた。目覚まし時計をこういうふうに使う人種は、ごく限られている。どんな仕事にしろ、殺人的スケジュールをこなしている人種である。

部屋のなかにたちこめた空気全体がせかせかしている――それも、今井事務機のみっちゃんのように趣味でせかせかしているのではなく、リアルな時間と競争するためにせわしなくしている、という感じの事務所だった。舞いあがる埃《ほこり》の、塵《ちり》の一粒まで、時間をくぎられて動いているという感じだった。

L字型の部屋の、縦棒の部分が事務所のスタッフのためのスペースで、横棒の部分が応接のための場所になっている。応接室というような構えた形ではなく、病院の診察室にあるような衝立《ついたて》でスペースを三つに仕切って、それぞれにテーブルと椅子《いす》を置いていた。看板からすると弁護士は二人しかいないのだから、ふたつが依頼人との打ち合わせ用、残りひとつが順番を待っている客のためのスペースだろう。今は三つともふさがっている。したがって、室内はかなりにぎやかだ。人間の肉声が飛びかっている。

先ほどの青年がようやく電話を終え、急いで本間の方へ向きなおった。その拍子に、電話の脇にあるワープロのプリンタのスタッカにぶつかり、それが大きな音をたてて床に落ちた。

「ああ、いや、すみません」

あわててそれをつけなおしながら言ったので、本間にというより、はずれて落ちたスタッカに謝っているように見えた。

「ちょっとおかけになっててください。溝口先生は、前の相談が長引いてまして」

「ご心配なく。私の方には時間がありますから」

しかし、新宿駅前から電話をかけたときの話では、溝口弁護士は、午後三時半から四時までの三十分間だけしか、突然の来客のために割くことのできる時間はない――ということだった。あまり悠長《ゆうちょう》なことは言っていられない。

「あ、どうぞ」

片手で何かメモを取りながら、青年が空いている回転椅子を押して勧めてくれた。本間はありがたく腰かけることにした。傘《かさ》は外の廊下に立てかけてきた。

青年のほかに、二十七、八ぐらいの女性事務員がいて、こちらも先ほどから電話にかかりきりになっている。相手が興奮しているのか、しきりと宥《なだ》めている。関根彰子も、初めてここを訪れたときには、やはり不安と懸念《けねん》とでいっぱいになって、激しやすい状態になっていただろうな、と思った。

青年がメモをとり終え顔をあげたので、尋ねてみた。

「最近、こちらに関根彰子という者が訪ねてこなかったでしょうか」

青年は目玉を上に動かして、さて、という顔をした。

「関根さん」

「ええ。ショウコというのは、一章二章の章に、なんていいますかね、さ、さんずいを逆にしたみたいなのをつけるんですが」

「ああ、ショウシの彰ですね」

いつのまに電話を終えていたのか、女性事務員が言った。

「藤原道長の娘で、一条天皇の妃《きさき》の彰子《しょうし》」

「余計にわかんないですよ」と、青年が言って本間に笑いかけた。本間は宙に字を書いてみせた。

「そうそう、それですね」と、女性事務員がうなずく。

「彰子というのは、紫式部が仕えていた妃ですか」

本間が尋ねると、彼女は笑顔になった。

「ええ、そうです」

青年の方はますますわからないという顔だ。頭を振りながら、仕事に戻ることにしたのか、大きなファイルを広げた。

本間も古典にはさっぱり弱いのだが、昔、千鶴子がカルチャーセンターの教室に通い、「源氏物語を読む」という講座をとっていたことがあって、しきりと話を聞かされた時期があったのだ。

「ライバルの定子《ていし》という妃のところには、清少納言が仕えていた。当時の朝廷には、時代を代表する二人の才女がいたんでしょう」

「そうです。のちのち、定子の生家の中関白家はだらしなく没落しちゃうので、二人の才女の立場はまったく違ってしまうんですけどね」

我ながら、なんでこんなことを覚えているのだろうと驚いた。千鶴子がそういう話をしているとき、たいていは右から左へ聞き流しながら、生返事ばかりしていたのに。それを思い出すと、ふと笑ってしまった。あわてて話を戻した。

「写真があるんだ」

履歴書を内ポケットから取り出し、関根彰子の顔写真のところだけが見えるように折って差し出した。興味を取り戻したのか、青年が立ち上がり机を回って出てきた。

「――見覚えないですねえ。最近ここに来たことのある人なら、たいてい覚えているはずですけど」

「わたしにも見せて」と、女性事務員が言った。青年が本間の手から履歴書を受け取り、たたんだままの状態で彼女のところまで持っていって見せた。

「顔はピンと来ませんね。うちの依頼者だった方ですか？」

「五年ほど前、溝口先生に自己破産の手続きをしていただいてるんですよ」

「五年前じゃ、僕はいなかった」

青年が言って、履歴書を返してくれた。今度こそ自分はお役御免だという表情で椅子に戻った。女性事務員は、机に両肘《ひじ》をついて考え込んでいる。

「うちにくる依頼は九割までそういうものですから、内容では判断がつかないけど――名前は覚えてるような気がしますねえ」

大勢の人間が出入りする場所だろうから、ぱっと反応がなくて当然だ。本間は履歴書を元どおりポケットに入れた。

「彰子――しょうこ――ええ、聞いたことがあるような……」

「そのときも、やっぱり一条天皇のなんとかとか言ったんでしょ？」

青年がからかうと、女性事務員は笑った。

「言ったんじゃないかなあ。めずらしい名前だもの。普通は素直にアキコと読ませるところでしょう？」

すっかり首をひねってしまっている。

「……あの、八重歯のあった人じゃないかしら」

しかし、これだけ手間取るところを見ると、最近は、彰子はここを訪れてはいないのだ。弁護士を頼ってはこなかったのか。

そのとき、呼ばれた。

「本間さんですかな。やあ、お待たせしました」

とっさに、中腰になりながら声のするほうを見ると、ちょうど目と目が同じ高さで合った。老人が立っていた。

サラリーマンなら、一度定年退職をして、さらに顧問や嘱託で数年勤め、そろそろ本当に仕事をやめようかという年代だ。四捨五入すれば七十だろう。それでも表情には張りがあり、小太りで、血色もいい。年齢を感じさせるのは、たるんだ首の皮膚をおおっているしわと、左の頬《ほお》に浮いている小さなしみ、そして、鼻筋にちょこんと載っている遠近両用眼鏡だけだった。

忙しく頼もしい、背広を着た小さな救いの神。

事情を説明するのに、気が急《せ》いた。四時まであと十五分ほどしかない。かといって、自分が調査を頼まれた成り行きを端折《はしょ》ってしまうわけにもいかない。和也が頼ってきたのは私が警察官であるからだ、というところだけは伏せ、また「フリーライターなので調査も仕事のうちだ」ということにして、できるだけ簡単明瞭《めいりょう》に話した。

「先生、こちらでは、自己破産の申立てをしている依頼者の債権者宛《あ》てに、通知書を出すことはありますか?」

弁護士はすぐに答えた。「ありますよ。自己破産を申し立てたから協力してくれ、と報《しら》せるためにですな。そうしておくと、たいてい、取り立てがおとなしくなるのです。逆に、急いで強制執行をかけようとしてくる業者もいますが、そういう場合は稀《まれ》ですし、対処の仕方もありますからね」

本間は例の通知書を取り出して見せた。

「これは先生が出されたものだと思いますが――」

弁護士はうなずいた。「そのとおりです。うちのものですよ。関根彰子さんね。はあはあ」

記憶をたどるような顔をしている。やっぱり、と、失望を確認した思いだった。

「最近は先生を訪ねて来ていないんですね」

「いませんなあ。姿を消したのが十六日なら、まだ一週間とたっておらんでしょう。私も、そんな最近のことを忘れるほど耄碌《もうろく》してはおらんし――」

用談続きのせいか、弁護士は声が嗄《しゃが》れていた。先ほどの女性事務員が運んできたお茶をゆっくりとすすりながら、頭をひねっている。

「それに、関根さんね、彼女のことならよく覚えていますから、会えばわかりますよ」

そう言ってから、湯呑《ゆの》みを置いて顔をあげた。

「しかし、いくらお身内の――関根さんの婚約者の身内だと言われても、私としては彼女のことをペラペラしゃべるわけには参りませんよ。あなたも、そういうことはご存じでしょう」

「はい、承知しています」

守秘義務である。

「ただ、我々としては、なんとか彼女を探しだして、もう一度話し合いたいんです。それで、彼女が先生を頼ってうかがっているんじゃないかと思ったものですから——」

「お気の毒ですが、お役には立てませんなあ。関根さんとは、あれから、二年ほど前に一度会ったきりですよ」

あれから？　二年前？　彼女が自己破産したのは五年前のことだ。

その言葉にひっかかったことが、本間の顔に出たのだろう。溝口弁護士は一瞬バツの悪そうな顔をした。

当て推量だったが、言ってみた。

「二年前というと、彼女の母親が亡《な》くなったときじゃないですか」

弁護士の目が眼鏡の奥でちょっと広がった。知ってたのか、という口調で、

「そうですよ」と言った。

「当時の彼女がどこに勤めていたか、ご存じでしたら教えていただけませんか。現在の彼女は、新宿にある今井事務機という会社で働いてるんですが、社長のほかには関根さんも入れて事務員が二人いるだけというところで、しかも、社長もあと一人の事務員も、彼女の交友関係についてはほとんど何も知らないんです」

彰子を非難しているように聞こえないよう、気をつけて言葉を続けた。

「彼女がそこに提出した履歴書を見せてもらったんですが、記入してある職歴はすべて嘘《うそ》でした。過去にあったことを知られると就職できないと思ったからでしょう。ですから、責めるつもりはありません。ただ、彼女を探すのにどこから手をつけたらいいかまったくわからないという状態なんです」

「栗坂さんという婚約者はどうですか」

「やはり、彼も何も知りません。そもそも彼が何か知っていたなら、私に頼んでくることもなかったでしょう。関根さんは、あまり自分のことを語りたがらなかったようですね」

弁護士は、額にほんの少ししわを寄せて考えている。

本間は、あまりまじまじと見つめて、相手に脅迫的な感じを与えたくなかったので、自分の手元のあたりに視線を移した。そして、テーブルの上にボールペンでじかに書いた落書を見つけた。「バカバカバカ」と書いてあった。依頼者の誰かが、弁護士が現れるのを待っているときに書いたものであるに違いなかった。

バカ、バカ、バカ。

このテーブルが五年前からここにあったものならば、これが関根彰子の残した落書であったとしてもおかしくはなかった。少なくとも、破産後の生活ぶりを見るかぎり、関根彰子は昔の自分とはきっぱり縁を切り、人生をやりなおすことを決意していたに違いないし、またそれに成功していたはずだった。和也のような男を惹《ひ》きつけた知的な魅力は、過去はどうあれ、現在の生活が堕落したものであったなら、決して生まれ出てくるものではないのだから。

そして、その原動力となったのは、この事務所を訪れたとき、自己破産の手続きをとったとき、彼女が抱いた激しい後悔と自己嫌悪《けんお》の念だったろう。それが建設的な方向に働いたのでなかったら、やりなおしはきかなかったはずだ。

だからこそ、和也に問いつめられたとき、彼女はすうっと青ざめたのだ。すぐには言葉も出なかったのだ。そう思った。

「ちょっと失礼」

そう言って、弁護士は席を立った。本間の渡した和也の名刺を手に、急ぎ足で事務員の机のほうへ歩いてゆく。

本当に栗坂和也という人物が働いているかどうか、銀行へ電話してみるのだろう。本間の電話番号がデタラメでないことも確かめているのだろう。

本間は椅子の背によりかかって待っていた。二、三分で、弁護士は戻ってきた。席に落ち着くと、いきなり訊《き》いた。

「今井事務機というのは、普通の会社ですな?」

まだ額にしわを刻んだままだ。だが、口調は前向きになっていた。

「はい。小さな問屋です。金銭登録器を扱っています」

みっちゃんの顔を思い出して、付け加えた。

「従業員は地味な事務服を着てますよ」

弁護士はゆっくりと、嚙《か》みしめるように言った。

「そうすると、関根さんは夜の仕事とは縁を切ったんですなあ」

本間は黙って相手の顔を見返した。まあ、少し折れるか——枝の先の先ではあるけれど——という感じで、弁護士は言葉をついだ。

「五年前、破産の相談のために、初めて私を訪ねてきた当時は、彼女はスナックで働いていましたよ。銀座か新橋か、とにかくあの辺の店だったと思います」

「先生を訪ねてきたのは、誰かの紹介で?」

弁護士は温和な顔で笑った。

「いやいや。私は昭和五十年代後半のいわゆるサラ金パニックのころから、個人の多重債務者や破産者の救済活動に首を突っ込んでましてね。講演会に参加したり、雑誌の取材を受けたりすることが多かったんです。関根さんは、私と私の事務所のことを、美容院に置いてある女性雑誌の記事で知ったんだと言っていました」

手元の手帳にメモをとりながら、本間はゆっくりうなずいた。弁護士が訊いた。

「関根さんは、故郷はたしか——宇都宮でしたかね?」

「ええ、そうです。高校を卒業してすぐ上京してきたようですが」

「そうそう。それで、最初は普通の会社勤めをしていたんですよ。初めてクレジットカードを持ったのも、その会社にいたときです。支払いに追われるようになって、アルバイトでスナック勤めを始めたんですが、そうしているうちにも取り立てが激しくなって、会社の方は辞めざるをえなくなったわけです。そうやって、まあ染まってしまったとでも言いますかね。だから、破産したあとも、すぐにはなかなか普通の勤めに戻れなかったんでしょう。私が知っている限りでは、夜の商売を続けていたんです。少なくとも、本人はそう言っていました。それを、よくまあ堅い勤めに戻れたもんだ」

　弁護士は眼鏡をはずし、指先で鼻筋をもんだ。

「しかし、前歴を偽ったりしても、いいことはないんですがなあ」

　湯呑みに手をかけ、それが空であることに気がつくと、

「おおい、澤木《さわき》さん、お茶を頼むよ」と呼んだ。さっきの女性事務員が出てきて、手早く湯呑みをさげ、入れ替えてきた。

　新しい熱いお茶を一口飲んでから、弁護士は言った。

「それでですな、二年前、彼女は、母親の保険金のことで相談に来たんですよ。よく覚えています」

　彰子の母親は簡易保険に加入しており、死亡後、二百万円ほどの金がおりたのだという。それはもちろん、彼女の手に入ることになる。

「それをそっくりもらっていいのか、と訊いてきたんです。不安だったんでしょうな。破産したあとの収入は自由に自分のものにすることができますから、大丈夫だと言ってやりました。少し痩《や》せていましたが、元気そうだったので、安心したことを覚えています」

　大勢の依頼者のなかの一人であったのに、老弁護士は彰子のことを覚えていた。思

いやってくれていた。それを思うと、気が楽になった。彰子には、そうされるだけのものがあったのだ。

「私は、自分のこととなると、一時間前に食べた昼飯のメニューさえ忘れてしまう人間ですが、依頼者のことはよう忘れんのです」

この弁護士なら、きっとそうだろう。

「それに、関根さんのケースは、破産の手続き自体にも多少手がかかりましたし――彼女が非常にとり乱していたものですからね。二年前に再度相談にきたころには、多少金も入ったからでしょうが、態度もすっかり落ち着いて、明るくなっていましたが」

平成二年。一九九〇年である。

「関根さんが訪ねてきたのは、何月ごろのことでしたか？　いえ、同じ年の四月に、彼女は今井事務機に就職してるんです。ひょっとすると、母親の保険金が入ったので、貯《たくわ》えもできたし、それを機会に水商売をやめたということも考えられるんじゃないかと思いまして」

溝口弁護士は、軽くため息をついた。

「記録を見てみればはっきりするでしょう。当時の住所と勤め先もねえ。ちょっと待っていてください」

　また席を離れ、今度は十分ほど戻ってこなかった。時計を見ると、四時二十五分だ。本間の方が心配になってきた。

　四時二十七分に、弁護士は戻ってきた。小さなメモを持っていた。

「二年前に彼女が訪ねてきたのは、ちょうど今ごろですよ。正月明け早々でした。一月二十五日です」

　そして、メモを差し出した。

「これが、関根さんの当時の勤め先と住所です」

　丁寧に礼を言って、本間は受け取った。大きな文字で、「ラハイナ」というスナックの名前と、その所在地である新橋の住所、その下に、「自宅」として「埼玉県川口市南町2—5—2—401」と書いてある。

　さらに、スペースをあけて、「株式会社葛西《かさい》通商」とあり、江戸川区の住所が書いてあった。

「これは、関根さんが取り立てにあって辞めざるを得なくなった会社ですか？」

　弁護士はうなずいた。

「助かります」

本間がメモをしまうと、弁護士は言った。

「どうなったか、私にも報せてくださいますかな。情報を提供した以上、気になります」

「お約束しますよ」

次の来客が待っているのだろう。弁護士は椅子《いす》の脇《わき》に立ったままだった。本間も立ち上がった。

「どうしても見つからない場合は、新聞に三行広告を出してみたらいかがですか」

「『彰子　話し合いたい　すぐ帰れ』とでも出しましょうか」

「案外、効果があるものですよ。関根さんがとっていた新聞を選んで出してみたらいいと思います」

やってみる価値はあるかもしれない。

「関根さんが戻ってきて、栗坂さんと話し合うのに、彼女がどうして自己破産をしなければならなかったのかということについて説明が必要なら、私はいくらでも協力します。あれは、かならずしも彼女だけに落ち度があってのことではない。現代のクレジット・ローン破産というのは、ある意味では公害のようなものでもあるのですよ」

公害。

興味を引かれる言葉だった。時間のないのが惜しいな、と本間は思った。

「彼女から私に連絡があったなら、そのときは、栗坂さんとあなたが探していること
は伝えましょう」

ただし、彼女の居所をあなた方に教えることはしない——弁護士は、無言のうちに、
そう言っているのだ。

「それで関根さんがあなた方に会いにいくかどうかは、彼女が決めることです。しか
し、私も説得はしてみます。逃げていても仕方がないですからな」

「感謝します」

「もし、連絡があったらの話ですよ」

かすかに笑って、弁護士は言った。

「その二年前のとき以来、関根さんは音信を寄越していません。私は、彼女がその後
また引っ越したことも、スナック勤めを辞めていたことも知らなかったんですから
ね」

「今井事務機は雰囲気《ふんいき》のいい会社ですよ。アットホームで」

「栗坂さんは真面目《まじめ》な青年ですか」

「非常に」

やや独善的ではあるがと、内心で付け加えた。

「そうですか。銀行勤めの方ですからな」

弁護士は感心したように言った。

「関根さんも、生活から仕事から、身につけるものまで変えたんでしょうかな。二年前に私が会ったときには、一見して夜の勤めとわかるような服装で、化粧も派手でした」

本間は笑った。「じゃあ、まったく変えたんですよ。いえ、昔に戻ったというべきですか。男性に声をかけられることは多かったようですが、和也や今井事務機の人たちの話から想像しても、履歴書の写真を見ても、実に知的な印象を受ける美人です」

「ほほう」弁護士は顎《あご》をひねっている。「まるで別人だ。女性はやはり、魔性のものですな」

「柔軟なんでしょう」

「まあ、喜ばしいことだが」

弁護士を訪ねてきたのが一九九〇年の一月二十五日。今井事務機に就職したのは、その三ヵ月後の四月二十日。たしかに、短い間に一八〇度の方向転換だ。やはり、母親の保険金の影響だろうか、と思った。

二人は通路を半ばあたりまで進んでいた。次の来客が二人、こちらに背を向け、申し合わせたように首をうなだれて座っている。

「関根さんは、言葉は悪いが、いわゆる男好きするタイプの女性でしたから、いったん入りこんでしまうと、なかなか夜の仕事から抜けられないんじゃないかと思っていたんですがね。そうそう、お金をためて歯並びをなおすんだとも言っていたなあ。八重歯がありましてね。私は特徴があっていいじゃないかと言ったんですが、本人は抜きたがっていた」

それでなくてもゆっくり歩いていたのだが、本間は足を止めた。

八重歯か。

さっき、澤木という女性事務員もそう言っていなかっただろうか。

(あの、八重歯のある人じゃなかったかなあ)

それほど大きな特徴なのだ。ちょっと凝った読み方をする名前よりも深く印象に残っている。

だが和也は、関根彰子の容貌《ようぼう》について語るとき、八重歯については一言も語っていなかった。単に言い落としただけだろうか。

履歴書の顔写真では、彼女は微笑しているが口元は閉じている。だから歯並びはわからない。笑えば、目立つ八重歯があるのかもしれない。

あるいは、和也と知り合う前に、彼女は歯並びをなおしたのかもしれない。母親の死によって手にした保険金を、そのために使ったということも考えられる。

だが——

一九九〇年一月二十五日から四月二十日のあいだに、一八〇度の方向転換。

まさか。冗談じゃない。

とんでもないことを考えるものだと、自分に呆《あき》れた。まさか、ばかばかしい。だいいち、これは事件じゃない。身内からの頼まれごとでしかないのだ。

「どうかしましたか？」

わずかに焦《じ》れたような口調で、溝口弁護士が訊いた。

短期間で、まるで別人のように。

本間は自分の額を叩《たた》きたいような気がした。職場を離れて二ヵ月で、もう焼きがまわったか。

捜査で、ある人間について聞き込みに歩くとき、必ずすることはなんだ？

人物の同定だ。あれこれ質問を続けたあげく、人違いだったというような間抜けなミスをしないために、最初に確かめる。

名前と顔が一致しているかどうか。

わずかなひっかかりだ。八重歯の一本や二本、どうということもない。和也が言わなかっただけかもしれない。

それでも、どんなに馬鹿《ばか》らしいと思っても、ひっかかった以上は確かめておいた方がいい。その習癖があるから、それが本能のように身についているものだから、自分は、昨夜和也が彰子の写真を持ってこなかったことを迂闊《うかつ》だと思った。今井事務機で彼女の履歴書をコピーさせてくれと頼んだ。写真が、彼女の顔がほしかったからだ。

「申し訳ない、あとひとつだけお願いします」

あの履歴書を取り出し、弁護士に差し出した。

「関根彰子さんは、この顔写真の女性ですね？」

溝口弁護士は履歴書を見た。本間が十数えるあいだ、じっと見つめていた。

その凝視の長さに、悪いほうの直感が当たったのだとわかった。

まさか。

短期間で、まるで別人のように。

「違います」

ゆっくりとかぶりを振り、にわかにそれが汚いものに変わったとでもいうかのように、履歴書を本間の手に押し返しながら、弁護士は言った。

「この女性は、私の知っている関根彰子さんではありません。会ったこともない。誰だか知らないが、この女性は関根彰子さんじゃありませんよ。別人です。あなたは別人の話をしている」

6

丸ノ内線方南町の駅から、徒歩なら十五分ほどだろう。流行のお手軽な造りの、積み木を積んだような外観のアパートで、可愛《かわい》らしい出窓がついている。それが、和也の元婚約者の住まいだった。一階の103号室、東南向きの角部屋、窓のすぐ外側は入居者たちの自転車置場になっている。

時刻は午後八時をまわったところだった。本間はアパートの前で車を降り、和也は、あまり近所の迷惑にならないで済むような場所を探し、路上駐車してから戻ってきた。

彼女の住まいを調べに行く際、水元《みずもと》の自宅まで車で迎えに来てもらうことは、最初からの約束だったが、和也は、道中本間があまり話さず、今日の調査の首尾について報告しようともしないので、はっきりと不満を顔に表していた。運転も荒っぽかった。

「本当なら残業しなきゃならないところを、六時にあがってきたんですよ。ちょっとぐらい話をしてくれたっていいじゃないですか」

ズボンの尻《しり》ポケットに手を突っ込み、鍵《かぎ》を探しながら口をとがらせている。

「残業拒否ぐらいで印象を悪くするほど、君は無能じゃないんだろう？」

ポーチの柱に寄りかかって立ちながら、そう言ってやった。

「鍵が見つからないのか？」

和也が彼女から部屋のスペア・キーを渡されたのは、半年ほど前のことだという。

彼はそのキーを、財布のなかに入れていた。自宅のドアのキーと一緒にしておくと、母親に見咎《みとが》められてうるさいからだ、と話した。

「ありましたよ」

和也はむくれたままキーを取り出した。必要以上に大きな音をたててドアを開けながら、

「こっちだってびっくりするじゃないですか。仕事中に電話してきて、いろいろ注文つけて。説明ぐらいしてほしいと思うのは当然でしょう？」

彼をやりすごして先に玄関のなかに踏み込んだ。

「明かりはどこかな」

背後で和也がスイッチを入れ、天井に、丸い電灯がともった。二人は靴《くつ》を脱ぎ、短い廊下にあがった。

溝口弁護士の事務所を出たあと、本間がまずしたことは、和也の職場に電話をかけることだった。急用と言ってポケットベルで呼び出してもらい、喫茶店の電話で彼と話した。

「なあ、きみは関根彰子《しょうこ》がどこに住民登録してるか知ってるか?」

いきなりそう切りだすと、電話の向こうの和也はちょっと絶句した。それから訊いた。

「そんなこと訊いてどうするんですか?」

「知ってるか?」

「知って——知ってますよ。方南町のアパートです。ずっと住んでたところですよ」

「……本当に?」

「ホントですよ。区議会議員選挙のとき、ちゃんと葉書が来てましたから。あの選挙人の通知は、その住所に住民登録してなきゃ来ないものでしょう?」

和也の言うとおりだった。

彼女は選挙に行っている。関根彰子として、公的に。

じんわりとインクがにじむように、不吉な予感がたちこめてきた。

「じゃあ、彼女の住民票をとってほしいんだ。外回りのあいだにそれぐらいの時間はとれるだろう？」

「なんでそんなものが必要なんですか？」

「理由はまだ説明できないんだ。君は彼女の婚約者で、彼女に頼まれて来たんだと説明すれば、役所でもたぶん断らないだろうと思う。身元を証明するものを持っていけよ。もし、駄目《だめ》だと断られたら仕方ないが、できるだけうまく言ってとってくるんだ」

「……ええ、まあやってみますよ」

それだけ言いつけておいて、いったん自宅へ帰った。帰りの電車のなかでは頭が痛んでしかたなかった。今もまだ、その頭痛の名残りがある。

七時ごろに和也が水元に迎えに来たときには、本間は家のなかに小さな爆弾をひとつかかえていた。智《さとる》である。父親が夜家を空けるつもりでいることを知って、怒っていたのだ。

無論、心配してくれているのだということはわかっている。同時に、智は怖がっているのだ。母親を交通事故で亡《な》くして以来、ずっとそうだった。残った父親までいなくなってしまったら——と思うと、恐ろしくてたまらないのだ。だから本間に、少しの無理、少しの危険でも冒してほしくはないのだろう。短い時間にできるだけのことをしてなだめてきたつもりだが、智はたぶん、今夜はずっと腹を立てているだろう。本間が家を出るときには、自室にこもってしまっていた。

本間が車に乗りこむと、和也はすぐに、「すみません」と言い出した。「住民票、とれなかったんです」

瞬間、安堵《あんど》の思いが顔に出てしまった。

「そうか、とれなかったか。じゃ、方南町に住民登録してるなんていうのは、きみの勘違いだったんだな？」

「違いますよ。断られたんです。婚約者だと言っても、それを証明するものがないって。委任状がないとダメだそうです」

がくっときた。

「なんだ——そういう意味か」

「そうですよ。なんだと思ったんです？」

厳しい窓口係にぶつかってしまったのだろう。それは仕方ないにしても……

「彼女にルームメイトはいなかったか？」

ハンドルをとりながら、和也は珍奇な動物でも見るように本間を振り返った。

「誰かと一緒に暮らしてたかってことですか？　冗談じゃないですよ」

「君は、アパートの家主に会ったことはある？」

「挨拶《あいさつ》ぐらいなら。近所に住んでる人ですからね。彰子は、ときどき立ち話なんかしてたけど」

では、途中で入れ替わったという可能性も消える。「関根彰子」は最初から関根彰子として方南町のアパートに住み、大家と仲良くし、住民登録もし、選挙にも行っていた。

偽者《にせもの》なのに大手を振ってそんなことができたのは、自分が何をしようと、本物の関根彰子が文句を言ってこないことを承知していたからではないのか。

戸籍の売買かと、まず考えた。自己破産ののちも、すぐには生活を立てなおすことのできなかった関根彰子が、同年代の、戸籍をほしがっている女性にそれを売ったのか。

あるいは、もっと悪い想像をするのなら、本物の関根彰子はすでに死んでいるのかもしれない。死亡届けが出されず、遺体も発見されない状況で。

どちらも、なまなかに口に出すことのできる説ではないが、そう考えずにはいられない。だから、残りの道中を、本間は黙って車に揺られていた。和也はますますむくれ、やたらにスピードをあげた。

そして今、本間は和也と二人、彼と婚約していたという女性の住んでいた部屋に足を踏み入れている。その部屋の空気は、本間の気分と同様に冷え切っていた。

短い廊下の左手がトイレとユニットバス。右手が狭いキッチンだった。壁ぎわに冷蔵庫と食器棚《だな》とレンジワゴンを据《す》えてあり、辛《かろ》うじて人間一人が動き回ることができる程度のスペースしか空いてない。どこもきちんと片づけてある。ステンレス製のシンクは曇りひとつなく磨《みが》き上げられており、指で触れるとつるつる滑った。三角コーナーのなかに、無造作にビールの空き缶《かん》が放りこんであるが、これは前回ここへ来たときの和也の仕業だろう。それ以外には、生ゴミの臭《にお》いもせず、全体にきわめて清潔な感じだった。

表の風にあおられたのか、換気扇がゆっくりと二回ほど回って、止まった。羽根が光っている。本間はキッチンを出た。

居間の方も、同じようにこざっぱりと片づけてあった。八畳間ぐらいの広さだろうか。横長の長方形の部屋で、右手の奥にベッドが据えてある。枕《まくら》の上まできちんとカバーを引き上げ、ベッドメイクしてある。ベッドのヘッドボードの部分が小さな棚のような造りになっており、そこに丸い笠《かさ》のスタンドと、文庫本が二冊置かれていた。『北米ひとり旅』と『最新欧州買物事情』。二冊とも紀行物だが、内容は対照的な感じがする。表紙が反るほどに読み込まれているのは、『北米ひとり旅』の方だった。

ベッドのすぐ脇《わき》に、筒型のごみ箱が、窓際《まどぎわ》に寄せて置かれている。これも、中身はきれいに空けてあった。

部屋につくりつけのクロゼットのほかには、やや大きめの衣類用整理簞笥《だんす》がひとつと、組み立て式の書棚。キャスターのついたワゴン式の小引き出しがひとつ。その上にコードレス電話機が載せてある。床にはカーペットを——感触からして、素材は綿混——敷き、白木の丸テーブルを据え、それと対《つい》になった椅子《いす》が二脚。テーブルの足元に、トウモロコシの皮を編んだ大きなバケツ型のバスケットがあり、そのなかに編みかけのセーターと毛糸の玉が数個と、編み針が突っ込んであった。本間がそれを手にとってみると、和也が小声で言った。

「僕のために編んでるんだと言ってました。来月、スキーに行くはずだったんで」

「彼女はスキーを持ってた？」

和也はうなずいた。「ベランダの物入れの中にあります」

掃きだし窓を開けてベランダへ出てみると、本来なら物を置いてはいけない隣室との境目に、通信販売のカタログなどでよく見かけるロッカー型の物置が据えてあった。開けてみると、真新しいスキー板と、スキーブーツの入った大型バッグが入っていた。両方とも、埃《ほこり》よけのビニールカバーをかぶせて、セロハンテープで留めてある。

「スキーを始めたのはいつごろだい？」

肩ごしに尋ねると、和也はすぐに答えた。

「彰子は、一昨年からです。僕と知り合ってからスキーを始めたんですから。僕は学生時代からやってたけど」

「彼女が道具を揃《そろ》えたのは？」

「それも一昨年からです。最初はウエアだけ買って、去年の夏と冬のボーナスで、板とブーツを買いそろえました。一緒に買いに行ったんです。よく覚えてますよ」

そして、それがとても重要なことだったのだというような顔で、小さく付け加えた。

「彼女はいつも現金で払ってた。店では分割払いを勧められたのに」

本間は何も言わなかった。自己破産したのは君の知っていた「関根彰子」ではない、と言ってやるのは易《やさ》しいが、今はまだその時期ではないと思っていたからだ。

スキーの板はロシニョール。ブーツの方は「サロモン」というブランド名が見える。

「これ、スキー用品としては高価《たか》い方かい？」

和也はブーツのバッグに軽く触れ、

「それほど高級なものじゃないですよ。特に、ちょっと前のモデルだったりすると。ニューモデルでも、いっぺんにそろえるのは大変だけど、一品ずつならね。初心者としては妥当なブランドです。ウエアは確か、『クレソン』だったかな」

彼女は不当な贅沢《ぜいたく》をしてはいなかった、ということだ。

ブーツのバッグを動かしてみると、隅《すみ》の方に、蓋《ふた》に「家庭大工キット」と印刷された箱が立てかけてあり、その脇にきっちりと封をされた小さなビンが一本、ボロ雑巾《ぞうきん》にくるんで置いてあるのが見えた。手にとっただけで、鼻先にツンと刺激臭がした。

「なんでしょう？」

のぞきこんできて、和也が訊《き》いた。

「ガソリンだよ」と、本間は答え、ビンを元どおりの場所に戻した。

五分も表にいると、指先が冷たくなる。ベランダは隣接するマンションの壁に面しており、プライバシー保護のためにだろうが、仕切りの上に目隠し用のフェンスが立ててあった。どう見ても日当たりは最悪だった。

「彼女、洗濯《せんたく》はどうやってたんだろう」

ベランダには小物干しひとつ見当たらない。

「コインランドリーへ行ってました」と、和也が答えた。「この部屋、洗濯機用のスペースがないんです。それに、乾かす場所もないし、どっちみち、一階だから、下着を干すのは嫌《いや》だと言ってた」

室内に戻ると、本間は椅子を引いて腰をおろした。あらためて周囲を見回した。家具もカーテンも、とりたてて上等というわけではない。ただ、整理簞笥だけは、おそらく椋《むく》材だろう、かなりの値の張るものだと思った。長く使うものだから、多少はいいものをと思い切って買ったのかもしれない。

「ここの家賃、いくらぐらいだか聞いてるかい？」

編みかけのセーターを広げて——胴の部分は完成していた——見つめていた和也は、ぼやっとした顔をあげた。本間は質問を繰り返した。

「ああ——たしか、六万とちょっとだって言ってました」

「安いね」

狭いし、日当たりは良くないし、マンションではないが、とにかく都内だし、まだ築浅の建物だ。

「地主さんが相続税対策で建てたアパートらしいんですよ。儲《もう》けが出ちゃまずいんです。彰子、そういう物件を探すのがうまいんだって、ちょっと自慢してたことがある」

そう言ってから、和也は不審そうな目を向けた。

「そんなこと、聞いてどうするんですか」

本間はあの整理箪笥に気をとられていた。さっきは気づかなかったが、ちょっと脇から見ると、正面の把手《とって》のそばに、色むらというか、大きなしみがあるのがわかるのだ。おそらく、それが原因で値引きされていたものだろう。

この部屋の主は、なかなか合理的な買物精神を持っていたらしい。

「彼女、どんなものを持ってここを出ていったかわかるかい？」

和也はベッドの上に腰をおろしていたが、のろのろと顔を動かしてクロゼットの方を見た。

「衣類が少しと、いつも旅行のときに使っていたボストンバッグが失《な》くなってますよ。あと、通帳と印鑑も」

「間違いない？」

「ええ。彰子はそういう貴重品を、クッキーの空箱のなかに入れて、ベッドの下に隠していたんです」

和也はベッドをおり、その下に手を入れて、二十センチ四方ぐらいの大きさの箱を引っ張りだした。銀座の高級洋菓子店の箱だった。

蓋を開けると、なかはほぼ空っぽだった。「ほぼ」というのは、三文判がひとつ、コロンと転がっていたからだ。「関根」の判だった。

ここでも、「関根」の姓が捨てられている——と思った。

「探してほしいものが三つあるんだ」

「なんですか」

「まず、彼女のアルバム」

「それなら書棚にあります」

「次に、学生時代の卒業アルバム」

和也はまばたきした。「なんでそんなものを？」

「見せてもらったことはあるかい？」

鼻の頭にゴミがついてるぞ、と言われたかのように、和也は急にひるんだ。

「あるかい？」

ゆっくりかぶりを振った。「ありません。故郷のことなんか思いだしたくもないって言ってたから、そのせいじゃないですか」

「でも、普通なら持っているはずだ。それとも彼女、ほかにトランクルームか何か借りているような様子はあったか？」

「ないですよ。だいいち、そんな必要ないでしょう。一人暮らしなんだし、彰子はけっして金持ちじゃなかった。今井事務機に行ったでしょう？　あそこの給料だけで暮らしてたんだ。無駄遣《むだづか》いのできる身分じゃなかったですよ」

「わかったよ。とにかく、卒業アルバムか、それに類するもの」

「三つ目は？」

和也は不安そうだった。目をつぶって歩いている人のように、壁に手を触れている。本間の目的がわからないので、どこへ連れていかれるか心配だ——と、用心しているようだった。

「彼女は、かつて破産したときに、溝口弁護士や裁判所から、あれこれ書類を受け取っているはずだと思う。それが残っていないかどうか探してくれないか」

何か言いたそうに口の端を動かしたが、結局は黙ったまま、和也は仕事にかかった。

三十分間ほど、二人で黙々と作業をした。部屋は小さいし、収納スペースもごく限られている。彼女は几帳面《きちょうめん》な女性だったようで、クロゼットの中も整頓《せいとん》されており、たしかに和也の言うとおり、衣類を抜き出した隙間《すきま》が空いていた。

結局、和也が見つけたのは、最初から在処《ありか》がわかっていたアルバムだけだった。本間の方は、本棚の空いたスペースに押し込んであった、小さな香水の壜《びん》を見つけた。蓋をとると、濃い芳香が漂った。今井事務機にこんな匂《にお》いをさせていったなら、社長とみっちゃんがさぞ驚いたことだろう。

「彼女が使ってたのはこの香水かい？」

壜を差し出して訊いてみると、和也は顔をしかめた。

「こんな強いのをつけてませんでしたよ。もっと軽いコロンだったと思うな。小さいスプレー式の壜のを、いつもバッグに入れて持ち歩いてました」

本間は香水の壜を書棚に戻し、収納されている本をひとわたり見渡した。文庫本が多い。大半は、女性作家の手になる小説ばかりだった。なるほど、こういう本のなかになら、香水の壜を置いておいてもいいかもしれない。女子学生が下着の引き出しに化粧石けんを入れておくようなものだ。

清潔で、居心地がいい。このままここに住みたいという女性が現れたら、そっくり居抜きで貸してやることさえできる。

前住者の匂いは残っていない。

彼女は消えたんだ、と、あらためて思った。ふと、きれいに巣を壊し痕跡《こんせき》を消してから移動してゆく蜘蛛《くも》を連想した。嫌な連想だった。

「引き上げよう」と、和也に声をかけた。「彼女のアルバムだけ貸してくれないか。用が済んだらすぐに返すから」

「何に使うんですか？」

「いちいち使い道を説明しないとまずいかな？」

和也はアルバムを小脇に、目をそらした。

「僕の婚約者の写真ですよ」

「現在行方不明の婚約者だ。それを探そうとしてるんじゃないか」

腹立たしそうに吐息をついて、和也はアルバムを渡して寄越した。

「そうそう、今井社長に聞いたよ。彼女、きみのプレゼントした指輪は持っていったようだね」

和也はむっつりとうなずいた。そして、部屋を出るとき、我慢しかねるという口調で訊いた。

「本間さん、さっきから、どうして彰子のことを名前で呼ばないんですか？　なんで、『彼女、彼女』って言うんです？」

「そうだったかな」

「いったい、何が目的でこの部屋を調べたんですか？」

本間は答えなかった。黙ってドアを閉めた。だから、和也のその問いは、明かりを消した部屋のなかにとり残され、置き去りにされたテーブルが、椅子が、ベッドが、書棚の本が、それらの主人だった女性に代わって、その問いを聞いた。

それらもまた、本間の答えを知りたがっていたかもしれない。何が目的でこの部屋を調べたのか、と。

だが、あるいは、それらはもう答えを知っているかもしれない。本間が本当に知りたい方の答えを。

この部屋に住んでいた女性が、いったいどこの誰だったのか、ということを。

7

アルバムを手に帰宅したのは、十時ごろのことだった。車で移動したので、傘《かさ》は持っていない。昼間の疲れが出てきて、一歩一歩が難儀だった。ロビーで一度、三階の共同廊下の途中で一度、立ち止まって足を休めた。

意外なことに、玄関の鍵《かぎ》が開いていた。そうとは知らずキーを差し入れ、開けたっもりで鍵をかけてしまって、初めて気がついた。やりなおしで鍵を開けていると、足音が聞こえた。井坂が玄関まで出てきて、内側からドアを開いてくれた。

「いてくれたんですか」

「久恵《ひさえ》が新年会で帰りが遅いんですよ。私も一人で留守番はつまらなかったので、智《さとる》くんと一緒にテレビを観《み》てました」

照れたような顔でそう言ったが、本当は、智がふくれているか泣いているか荒れているかどれかで、一人にしておけなかったのだろう。

「すみません」頭をさげてから、声を低くして尋ねた。「智のやつ、わからないことを言って、井坂さんに迷惑をかけませんでしたか」

井坂は首を振った。そして、そっと智の部屋の方に顎《あご》をしゃくると、

「もう寝ています。お父さんが帰ってきても、絶対に起こさないでって言っといてねと頼まれました」

「そりゃ、怒ってるわけだ」

本間は苦笑した。井坂も一緒に笑顔になったが、声はたてなかった。二人で足音を忍ばせ、テレビの音のもれている居間へと歩いた。本間が遅れて部屋に入っていくと、井坂はテレビを消し、明かりを大きくした。仕立屋が客の体型を吟味するような顔で、

つくづくと本間を見た。

「だいぶお疲れのようですな」

「一度に動き回りすぎたんでしょう。ちょっと厄介《やっかい》なことになってきまして」

本間がアルバムをテーブルに置くと、井坂は軽く頭をかしげてそれを見た。そして、

「ビールでも？」と訊いた。

井坂はまったくの下戸である。本間は、退院後ずっと禁酒禁煙の状態だったが、最近になってぽつぽつと始めた。夜眠れないとき、睡眠薬を飲むよりは、軽いアルコールの方がいいと思ったからだ。

ただ、今夜は、このうえにアルコールが入ると、明日一日寝込んでしまう羽目になりそうな気がした。だから首を振った。

「じゃあ、コーヒーでもいれましょう」と、井坂はキッチンへ立ってゆく。今はエプロンをしていないが、ガスコンロや食器棚《だな》に向かっている後ろ姿が、すっかり様になっている。小柄《こがら》でぽっちゃりした体型だから、最初から違和感が少なかったけれど、それにしても見事なものだと思ってしまう。

井坂は一階の東端の2LDKの住まいに、夫婦二人で暮らしている。今年ちょうど五十歳になるが、見た目にはもっと老《ふ》けて見える。久恵という彼の妻君は、本間より

ひとつ年上の四十三歳だが、こちらの方はまだ三十半ばに見える。インテリア・デザイナーで、友人二人と、南青山に事務所を持っており、年末年始にしか休暇をとることができないほど、多忙な毎日を過ごしている女性だった。二人のあいだに子供はいない。

井坂の方は、もとは、彼女の事務所と取引をしている内装専門の建築会社の社員だった。社長の片腕であり、片足であり、頭脳の半分でもある信頼篤《あつ》いスタッフだったのだ。

ところが、この社長が急逝《きゅうせい》し、二代目のぼんぼんが跡を継ぐと、すぐに経営がおかしくなってきた。若社長は、顧客と天気の話さえろくにすることもできない若者だったが、気持ちだけは一人前だったらしい。結果的には、壁紙一枚貼《は》ることのできないこの若社長のおかげで、会社は倒産した。家業を嫌《きら》い、目先の派手さに惹《ひ》かれて株や先物取引に手を出したのが悪かったらしい。

熟練の技術者であり、たたきあげの井坂は、次の就職先に困ることはなかった。ところが、そこに邪魔が入った。若社長が、実質上の経営責任者であった井坂を、なんの根拠もないのに、背任横領で訴えたのである。それがもう五年ほど前のことだ。

もともと何もないところにでっちあげられた罪名だから、調べはすぐについた。井坂は無罪放免になった。会社の負債のほとんどすべては、若社長が勝手にこしらえたものだったから、これは当然だ。ただ、「失敗のすべては他人のせいにしろ」という教訓を母乳代わりに飲んで育ってきている若社長は、なかなかこの事実を認めることができないようで、手をかえ品をかえ、井坂を悩ました。自然、井坂の次の就職先にも影響が出てきた。彼の素行や人柄を疑われたわけではないが、警察に出頭したり、弁護士に相談に行ったりで、時間をとられることが多かったからである。

久恵の仕事は順調だし、二人それぞれに貯《たくわ》えもある。どれ、面倒が片づくまで、しばらく家にいることにするか――久恵と相談し、井坂は、最初、そのくらいの気持ちで仕事を辞め、主夫業を始めたのだと言っていた。結婚当初から、できるかぎり公平に家事を分担してきたので、戸惑ったり困ったりすることもなかったという。だが、二、三ヵ月そんな状態を続けてみると、自分には家事が向いているようだという再発見をした。だから、彼はそれを仕事にしたのだ。井坂は家政夫業を営んでいるのである。

現在では、本間の家の他にあと二件、掃除と洗濯だけという契約を結んでいるところがある。無論、自宅での家事は、昔彼が内装業をやっていた当時と同じように、久恵と公平に分担している。

「あたりまえでしょ?」と、井坂久恵は言っていた。

本間がこの夫婦と親しくなったのは、ちょうど、井坂の背任横領の濡《ぬ》れ衣騒《ぎぬ》ぎがピークに達していたころだった。ピークと言っても、それは最後のひと山だった。警察に相手にされず、自分の雇った弁護士にもさじを投げられて、さして数があるわけでもない頭の回路を何本か切ってしまった若社長が、金属バット片手に井坂の家を襲ったのである。

週日の、夜九時ごろのことだった。本間はめずらしくその時刻に家にいた。またすぐ出なおさなければならない用があって、着替えに帰ってきていたのだ。

あとになって、そのときのことを話し合ったとき、千鶴子は「どこかで爆発でもあったのかと思った」と言っていた。若社長が金属バットを振り回し、井坂家のドアの脇《わき》にある窓を一撃で叩《たた》き割った音のことである。

ガラスの飛散する音にかぶって、久恵の悲鳴と、男のわめき声が続いた。

「階下《した》の奥さんだわ」と、千鶴子が言い終えないうちに、本間は玄関に向かっていた。ついてこようとして出てきた智の尻《しり》を叩いて追い返し、爪先《つまさき》を靴《くつ》に突っ込んだとき、次の一撃がドアを打つ音が聞こえた。どらの中心を叩き損ねたような音だった。

「ぶぅうぅっ殺してやるぅ!」

わめき声が続いた。べろべろに酔っている。声まで臭いそうなほどだった。

「おい、一一〇番」

と千鶴子に言い置いて、本間は階段へ走った。

割れた窓から半身を部屋のなかに入れ、井坂の胸ぐらをつかまえてもみあっている若社長をとり押さえるのは、造作もないことだった。あまりぎゃあぎゃあうるさいので、首ねっこをつかまえ、一度だけガスメーターに鼻をぶつけてやると、すぐ静かになってしまったし、あとで訴えられることもなかった。おそらく、誰にやられたかも定かでなかったのだろう。

ところが、久恵は手強《てごわ》かった。彼女は若社長に応戦していたのだ。手にはフライパン。本間も危うくぶん殴られるところだった。

久恵はたいへんな美形だが、今でもときどき、本間は、「うちの人に何すんのよ！」と叫びながら、若社長の横っ面《つら》を張ろうとフライパンをかざして飛んでくる彼女の、歯をむき出した顔を思い出す。そして、あの時の彼女が、盛装して微笑《ほほえ》んでいるときの彼女よりも美形に見えたことも思い出す。

「智くんは、栗坂のお兄さんがヘンなことを頼みにきたからだ、と怒っていました」

コーヒーをいれながら、こちらに背中を向けたまま、井坂が言った。椅子《いす》にもたれて両手で顔をこすりながら、本間は笑った。

「本当にヘンなことを頼まれました。こっちの頭もおかしくなりそうですよ。もうすっかり錆《さび》ついてるんだから」

千鶴子が急死し、本間が仕事を休むわけにはいかず、智が物理的にも心理的にもひとりぼっちになってしまったとき、彼の面倒をみたいと真っ先に名乗りをあげてくれたのが、井坂夫妻だった。彼らは、智の心身の状態が落ち着くまで、学校の送り迎えからおねしょの始末まで、すべてをやってくれたのだ。本間と智がなんとか生活を立てなおし、現在の状態にまで持ってくることができたのは、井坂夫妻のおかげである。だからこれまで、細かいことでもひとつひとつ相談し、話し合って進めてきた。今回の本間の入院でも、重ねて世話になってしまったし、この夫婦には、なまなかに返せないほどの借りを負い、また信頼もしている。

「なんですか、人探しのようですね」

スプーン二杯の砂糖を入れたコーヒーをかきまぜながら、井坂が訊《き》いた。本間はうなずいた。

「婚約者に逃げられた——まあ、あれはやっぱり逃げられたんだろうなあ」

「気の毒に。しかし、それを探しだすんじゃ大仕事でしょう」

「最初はそうは思わなかったんですがね」

「若い女の子じゃ――砂糖を入れた方がいいですよ」

本間はコーヒーカップを持ちあげかけた手を止めた。井坂が続けた。

「疲れているときは、砂糖を入れた方がいい。私は久恵にも言ってるんですよ。ダイエットなんて言っちゃあ砂糖を抜いて、疲れたって言っちゃあドリンク剤を飲む。それで始終イライラしている。あれほど不自然なことはありゃせんです。疲れたら、砂糖。これがいちばんです」

お薦めに従って甘いコーヒーを一杯飲み干すと、すぐに疲れがとれたわけではなかったが、気分の角はとれた。なるほど。

「なんだか、妙なゲームみたいな成り行きになってまして」

本間が切りだすと、井坂はテーブルに手を載せて「謹聴」の姿勢になった。

「ゲームといいますと」

「ほら、目隠しして、品物に触って、それが何だか言い当てるゲームがあるでしょう。品物の方を箱や布なんかで覆《おお》っておく場合もあるかな」

ちょっと首をかしげてから、井坂は大きくうなずいた。「はあ、はあ、わかるわかる。ありますねえ。茹《ゆ》でたタコとか、こんにゃくとか、ペットの動物とかを触って当てるやつでしょう？」

「そうそう、そうですよ。あれ、目隠しされている人間は、何を触っても気味悪く感じるんでしょうね。大騒ぎしてるでしょう」

「久恵が忘年会の余興で一度やらされたことがありますよ。何に触ったと思います？　そ、そろばんですよ。それなのに、宇宙人に襲われたみたいな声を出しまして――」

頭を振って笑いながら、井坂は目尻をぬぐった。思い出すと、よほどおかしいのだろう。

「しかし、それが？」と、先を促したときも、まだ目尻が笑っていた。

本間も笑みを浮かべて、続けた。

「僕が今、妙だと感じているのもね、目隠ししているせいかもしれないんですよ。つまり、まだ状況がよくわかってませんのでね。騒ぎたてるのは禁物だと思うんです。蓋《ふた》を開けてみたらそろばんが出てくるのかもしれない。ただ、今の段階の感触が――どうも気分のよくないものでして」

自分の頭を整理するつもりで、本間はゆっくり話した。井坂は時折うなずきながら聞いていた。

「しかし……他人の名前を名乗ってるなんてねえ」

感嘆したようにそう言って、丸いうなじを撫《な》でている。

「名前だけじゃないんですよ。身分をそっくり借りているわけです。そういう例は、過去にもなかったわけじゃない。ずいぶん昔——昭和三十年頃《ごろ》だったかな。他人の戸籍を借用して暮らしていた男が、氏名権の侵害で訴えられたことがありました」

ただし、その男は元の戸籍や住民票をいじってはいなかった。

いや、できなかったのだ。そんなことをすれば、いつ露見してしまうかわからないから。名前をかたられた本人が、自分の知らない間に勝手に住民登録を移動されたりしていたら、すぐに騒ぎたてるに決まっている。だから、息をひそめて何もしなかった。ただ身分を借りていただけ——

そこが「関根彰子《しょうこ》」とは違う。

「昨今のことですから、戸籍の売買ということはあり得るんじゃありませんか」井坂が言って、空《くう》に向かって顔をしかめた。「東南アジアから来た女性が、日本で働きたいばっかりに日本の男と偽装結婚するご時勢ですからなあ」

なるほど……と思った。

井坂は、本間の顔を見て、自分でも思いがけないほどいい線のことを言ったと気がついたのだろう。笑顔になった。

「しかしね、こうしてあらためて考えてみると、戸籍なんてなんのためにあるものなのか、よくわからないですなあ」

「欧米にはありませんからね」

「そうでしょう？　日本だけか」

「ただ、まったく役に立ってないわけじゃありませんよ。戸籍は、刑法で定められている、ある犯罪を防いでいますからね」

井坂はまばたきした。「なんですか？」

「重婚ですよ」本間は笑った。「外国の映画や小説では、結構テーマにされてるでしょう？　向こうでは、出生証明と結婚証明書だけしかないし、とにかく国が広いから、重婚が起こりやすいというか、やりやすいんですよ。でも、日本では、戸籍を調べればすぐに婚姻の事実がわかっちまう」

「相手の女性をだませないわけだ」

「そう。せいぜいやっても、転籍して昔の離婚の事実を隠す程度のことかな」

「ははあ。しかし、その程度のものなんですな。だったら、あんなしち面倒臭い制度、やめちまえばいいのに」

井坂に言われて、あらためてそう思った。もっと簡便で、プライバシーをきちんと保護することのできる制度があればな……。

「そうですね……養子縁組の事実を載せる、載せないでも、問題があるし。特別養子制度が導入されたのだって、つい四、五年前のことだったでしょう」

うなずきながら、井坂の顔がちょっと強《こわ》ばった。なんでもないようなふりをしているが、やはり気にはしてくれているのだろう。

智は本間と千鶴子の実子ではない。まだ乳飲み子のときに、養子にもらった子供だ。特別養子制度という、子供の産みの親の姓名を戸籍上に記載しない制度が認められる前のことだった。

人間は本来残酷なものだから、少しでも違ったところのある者を見つけると、つついていじめたがる。智が保育園のとき、どういうルートで漏れたのかわからないが（おそらく、入園時に提出させられた戸籍謄本《とうほん》からだろう）、智が養子であるということが噂《うわさ》になった。まだ四歳のときだから、子供たちのなかでは問題にもならなかったのだが、母親たちのあいだではやはり話題になったらしく、一時期、千鶴子はかなり腹を立てたり落ち込んだりしていたものだ。

そのときに、二人で話し合って、ゆくゆくどうせわかることなのだし、他人の口から聞かされたのでは可哀相《かわいそう》だから、智が十二歳になったら打ち明けることにしようと決めた。ところが、そんな話をして三年ほどで千鶴子があんなことになり、結局、本間がひとりで事情を話して聞かせることになってしまった。期限まで、あと二年だ。

うなじを撫でる手を止めて、井坂がこちらを見た。

「和也さんの婚約者だった女性は、この関根彰子という女性が自己破産していたことを知らなかったんでしょうか」

本間はふっと我に返った。

「おそらく、そうでしょう。彼女がいちばん驚いたんじゃないですか」

大誤算だったに違いない。だから、すうっと青ざめたのだ。

「そして、破産の件を調べられると、自分が身分を偽っていること、本当は関根彰子ではないことがバレてしまうから、すぐに逃げだしたというわけですね」

「大慌《おおあわ》てでね」

「その慌てぶりを、本間さんは、嫌《いや》あな感触だと思っておられるわけだ」

確認するように、井坂はゆっくりと訊いた。少し真顔になっている。

「非常に気味の悪い状況だと思いますね。それにしても、住民票をどうするかな」

「和也さんは真面目《まじめ》なんでしょうな」と、井坂は言った。「窓口で、気が咎《とが》めたんでしょう」

ことの重大さを知らないから、必死になっていないのだ。打ち明けられないでいるのは本間の方なのだから、責めるわけにもいかないし。

「捜査課の誰かに頼んで、とってもらう手はあるんですよ。文書照会の申請書なんて、課長もいちいち点検してから判をついてるわけじゃないから、それは簡単なんですが……」

「そういう手は使いたくないと」

「ええ。まあ私的な調査に関《かか》わることですからね。それに、まだ都内のことだし。地方なら、面倒ですから頼んじまうんだけど」

「本間さんが窓口に行って事情を説明しても、とれませんか？」

「駄目《だめ》ですよ。そういうところは、お役所は厳格だから。また、そうでないと困りますが」

井坂は子供のように頬杖《ほおづえ》をついて考えている。

「関根彰子さんと同じぐらいの年格好の女の子が窓口に行って、『本人です』と言ったらどうです？　身分を証明するものを見せろとか、言われませんか？」

本間はかぶりを振った。

「そこまでしつこく確認するということはないでしょうが……いや、わからないな」

「じゃ、決まりだ」井坂はにこにこした。「久恵の事務所の女の子に頼んで行ってもらいましょう。南青山から方南町なら、それほど遠いわけじゃないし」

「いや、それはいけませんよ。本来、してはいけないことなんだし……」

「非常の場合なんだし、ダメでもともと。私から久恵に話してみます」


そろそろ久恵が帰ってくるから、と、井坂は十一時頃に引き上げていった。一人になった本間は、まだ横になる気になれず、あのアルバムを取り出して、ゆっくりページを繰ってみた。

和也も彼の婚約者も、あまり写真が好きな方ではなかったようだ。印象からして、二人が親しく交際するようになってから撮ったもののようだから、一年半ほどの期間にわたる写真を保存したものであるはずなのに、アルバムは半分ぐらいしか埋まっていない。

あるいは――と、ページをめくる手を止めて、本間は考えた。

和也の婚約者には、他人の身分、他人の名前を詐称《さしょう》していることから生まれる、本能的な警戒感があったのかもしれない。写真を残すな。足跡を残すな。

彼女は、和也に問いつめられてから、わずか一日のあいだに、きれいさっぱりアパートのなかを片づけて、姿を消している。常に、ある程度、そういう事態を予期していたから、だからあれほど見事に消えることができたのではなかったか。そんなことがあってほしくはない、考えたくもない、でも、万が一自分が本物の「関根彰子」でないことが露見したら、そのときはすぐに行方をくらますことができるように――と。彼女の交友関係が狭かったようであることも、それを思えば納得がゆく。彼女は、いつでもすぐに前線から引き上げることができるような体勢を整えた上で、戦っていたのだ。

方南町の彼女の部屋の物置に残されていた、ガソリンの入った小瓶《こびん》を思い出した。家事を母親任せにしている和也には、あれが何のためのものかわからなかったようだが、本間にはすぐピンときた。千鶴子が昔、やっていたことがあったからだ。

あのガソリンは、換気扇についた頑固《がんこ》な油汚れを落とすためのものだ。だから、羽根がきれいに光っていた。

あの部屋を逃げだすとき、換気扇まで掃除している暇があったはずはない。和也の婚約者は、日常的に細かく掃除をしていたのだろう。部屋の様子からも、それをうかがうことができる。

それは、単にきれい好きだったから――それだけだろうか。

痕跡を残すな。

しかし、あのまま何事もなく、和也と結婚して家庭を構えていたら、その場合にはどうだったろう？　がっちりと根をおろしてしまってから過去が露見したら、彼女はどうするつもりだったのだろう？　それでも逃げだしただろうか。

それでも逃げださねばならない事情があるのだろうか？

アルバムに残されているいちばん最後の写真は、偶然にも、彼女の顔の大写しだった。左耳のすぐ脇に、ちらりと、ライトアップされたシンデレラ城の尖塔《せんとう》が見える。二人で東京ディズニーランドへ行ったときに写したものだろう。夜間のようだから、ひょっとすると去年のクリスマスか、年越しの夜のものかもしれない。

彼女は笑っている。きれいな歯並びを見せて。八重歯はない。

自分の身を飾ることと同じくらいの熱意を持って、部屋のなかを片づけ整頓《せいとん》していた若い女性。その姿を、本間は思い浮かべた。彼女が床に掃除機をかけているところを。家庭大工キットのなかのドライバーを使って、組み立て式の家具をこしらえているところを。ボロ布にしみ込ませたガソリンで、換気扇の羽根を拭いているところを。

洗剤でもいいんだけど、短い時間にサッと落とすには、やっぱりガソリンがいちばんなのよ――千鶴子もそう言っていた。そして、あとになって、手が荒れるからと、盛んにハンドクリームを塗っていた。

本間のなかに、まだどこか(これは仕事ではない)という感覚があるのだろう。だから、甘くなっているのだろう。千鶴子と同じような方法で家事をしていた女が、後ろ暗い過去を持っていると考えたくはないと思う。あのガソリンの小瓶と、ぴかぴかに光っていた換気扇の羽根。ああいうことをしていた女が、逃げださねばならない過去に追われていたと認めたくはなかった。

背後で小さな物音がしたので、アルバムから目をあげて振り返った。智が顔をのぞかせていた。

「なんだ、起きてたのか」

智は黙っている。十歳前後の子供にだけできる、足をよじるような器用な立ち方をして、少しむくれ、少し寒そうに首をすくめて床をにらんでいた。

「起きてくるなら、何か着てきなさい。トイレか?」

まだ黙っている。本間はちょっと声を落とした。

「不満があるなら、口に出して言ってごらん。ふくれてるだけじゃわからん」

ずいぶん長いこと、智の呼吸音だけが聞こえていた。おや、また鼻風邪をひいたな、と思った。

「右の鼻がつまってるだろう？」

訊いてみると、智はそれがとんでもない言いがかりだというような顔をした。

「つまってないもん」

「裸足《はだし》でそんなところに立ってると、十分もしないうちにつまってくるぞ」

「いい？」

と、顎《あご》で椅子《いす》をさす。本間が顔をしかめると、「座ってもいい？」と言いなおし、手で椅子を示した。

「いいよ」

手をのばし、ストーブの向きをかえて、智の方に暖気が吹きつけるようにした。智は椅子によじ登ると、はしこい栗鼠《りす》のような顔を向けてきた。

「どこ行ってきたの？」

「いろいろ」

「これ、何？」と、アルバムをさした。

「和也くんからの預かりものだ」

「栗坂のお兄さんに何を頼まれたの？　怪我《けが》が良くなってないのに出歩かなきゃいけないほど大切なことなの？　良くなるまでずっとうちにいるしどこへも行かないって

言ったのに約束破ったじゃんか」

だんだん早口になり、最後の方は癇癪《かんしゃく》を起こしたようになっていた。智は今まで、寝床のなかで、父親が帰ってきたらああ言ってやろうこう言ってやろうと一所懸命考えていたに違いない。だが、いざ口を切ってみるとそれを全部忘れてしまい、当たり前のような非難の言葉しか出てこなかったのだ。

「ごめんな」と、本間は素直に謝った。「おまえとの約束を破ったのは確かだ。それは父さんが悪いな」

智は目をしばたたいた。

「ただ、和也くんは今すごく困っててね。それをなんとかするために、父さんが手を貸してあげなきゃならないんだよ」

「栗坂のお兄さんなんか、うちのためになにもしてくれたことないじゃん。なのに、お父さんはしてあげるの？　ヘンだよ」

まことにもっともな言い分である。

「本当にそう思うか？」

「うん」

「だったら、困っている人を救《たす》けてあげることはできなくなるよなあ」

智は黙った。二、三度鼻をするようなふりをして、

「だけどさ、そんなこと、お父さんがしなくてもいいじゃんか。栗坂のお兄さんは別の人に頼むことだってできるんじゃない？」

「どこに？　たとえば」

智は考え込んだ。「警察へ行けば？」

「警察は、今の段階じゃ、何もしてくれないよ。父さんが言うんだから、確かだ」

智は不満げに足をぶらぶらさせた。

「誰か人を探してるんでしょ？」

「うん」

「その人が、そのアルバムに載ってるの？」

語法としては不正確な問いだが、本間はうなずいた。

「見てもいい？」

うちにいると約束していた父親をして自分を裏切らしめた相手の顔を見たいというわけだ。本間はアルバムのいちばん最後の写真を示してやった。

「この女の人だよ」

しばらくしげしげと写真を見つめて、智は言った。

「これ、ディズニーランドだね」

「たぶんな」

「この人、美人じゃん」

「おまえもそう思う?」

「お父さんは?」

「まあ、な」

「栗坂のお兄さんは美人だと思ってたんだろうね」

「そりゃ、絶対だ」

「お兄さん、恋人に逃げられたんだね?」

本間はちょっと黙った。それから言った。

「思いやりのない人は、そういう言い方をするだろうな」

智は目を伏せた。そうして、また足をぶらぶらさせた。目に見えない「不機嫌《ふきげん》」というスリッパを、そうやって脱ぎ捨てようとしているようだった。

「今日ね」と、ぽつりと言い出した。

「なんだい」

「カッちゃんとこの、ボケがいなくなっちゃったんだ」

ホチキスで連続して書類を綴《と》じているとき、針がなくなると、空打ちする。ちょうどそんな感じで、本間の頭が空振りした。

「なんだって？」

「ボケがいなくなっちゃったんだ。夕方から帰ってこないの。保健所に連れてかれちゃったのかな？」

智のすべすべした頬に、不安が凍りついていた。

ボケというのは、カッちゃんの家で飼っている雑種の犬の名前である。三ヵ月ほど前に、公園に捨てられていたところを、智と二人で拾ってきたのだ。

智も飼いたがったのだが、本間は許さなかった。本来、この団地ではペットを飼うことが禁止されているし、家で飼えば、井坂に余計な手間をかけさせることになるからだ。

カッちゃんの家では、鍵《かぎ》っ子の彼の願いを、両親が聞き届けたものであるらしい。以来、ボケという名前をもらったその犬は、彼の家に居着いたが、智もちょくちょく散歩に連れ出したりしていた。

「ボケもうだいぶ大きくなったから、一晩や二晩家に帰ってこないこともあるよ」

と、言ってみた。

先祖の遠いところで柴犬《しばいぬ》の血が混じっているという感じの、小さな犬だった。もう成犬と言っていいのだろうが、それでも、大人の男なら片手で抱きあげることができる程度の大きさだ。ひどく人なつこくて無警戒で、見ず知らずの他人でも、名前を呼ばれれば飛んでいって顔や手をペロペロ舐《な》める。そのくせ、どれほど辛抱強く教えても、「お手」も「お座り」も覚えられない。だから「ボケ」だ。

そういう犬だから、通りがかりの誰かにあっさりと連れ去られてしまうこともあるかもしれない。まさか、保健所の野犬狩りにひっかかることはあるまいが——

「あんまり心配しないで、少し待ってみなさい。明日の朝になったら帰ってるかもしれないよ」

智は、このことを話したかったのだ、と気がついた。もちろん、まだ完全に膝《ひざ》が回復していない本間が出歩くことに不安を感じていることもあるだろうが、それと同じぐらい強く、いなくなってしまったボケのことを打ち明けて、心配ないと慰めてもらいたいと思っていたのだろう。

「帰ってこなかったら、探してみてもいい?」

「いいとも」

ちょっとためらってから、智は続けた。

「お父さんも、栗坂のお兄さんのいなくなった恋人のことが心配？」

「心配だよ」と答えた。ボケとは全然違う意味の心配だけどな。

「わかった」小さくうなずきながら、智は言った。「わかったよ。だけど、無理しないでね。調べごとで疲れちゃってリハビリに行かないと、また、電話がかかってくるよ」

リハビリがあまりに厳しいので、一度さぼってしまったことがある。そのとき、本間の担当の理学療法士の女性に、まず電話で、次にはうちまで出向いてきて（まずいことに、彼女の自宅はひとつ手前の亀有駅のそばなのだ）説教された。父親としては面目丸潰《まるつぶ》れというところだ。

「よく注意するよ」

えへへ、と笑いながら、智は椅子をすべりおりた。そのとき、肘《ひじ》があのアルバムに当たり、どさりとテーブルの下に落ちてしまった。

「わ！　ごめんなさい」

智があわてて拾いあげた。そのとき、アルバムの端の方から、一枚の写真が滑り出て床に落ちた。本間はそれを拾った。

カラーのポラロイド写真だった。日付は入っていない。八センチ四方くらいの大きさの枠《わく》いっぱいに一軒の家が写っている。

「これ、何？」

のぞきこんできて、智が尋ねた。

洒落《しゃれ》た洋風の家だ。チョコレート色の外壁に、窓枠やドアの枠は白く、玄関に通じる二段のステップの両脇《わき》にフラワーボックスが置いてある。貴婦人の帽子のように、慎重に計算された角度で傾けてある屋根に、小さな天窓。

手前には、画面を右から左に通りすぎようとしている、女性の二人連れが写っていた。二人とも、ほんの今、この家の正面にさしかかり、カメラが向けられているのに気がついた、という様子だ。一人は進行方向を向いているが、もう一人はカメラの方へ——つまり写真のこちら側に顔を向け、軽く手をあげるような仕草をしようとしている。写し手に気がついて、手を振ろうとでもしたのかもしれない。

二人の女性は、明るいブルーのベストスーツを着て、長袖《ながそで》の白いブラウスの胸もとに、えんじ色のリボンを結んでいた。これはおそらく、制服だろう。

家と、二人の女性。ほかには、画面の左隅《すみ》に切れっぱしのような青空と、鉄塔のようなものが見える。ごく一部分しか写っていないが、少しのあいだ眺《なが》めていると、野球場の照明灯ではないか、と気がついた。智にもそう訊《き》いてみた。

「そうだね……野球場にあるやつだね」

アルバムをあらためてみると、この写真は、表紙の裏側にあるポケットに入れてあったのだとわかった。ネガを入れるための紙製のポケットで、透けて見えないから気がつかなかったのだ。

智が自室に戻ったあと、あらためて、本間はこのポラロイド写真を見つめた。

家を一軒、アップで写しただけのものだ。端に写っている二人の女性は、偶然入ってしまっただけで、メインはあくまでこの家だろう。人物を撮るのなら、もう少し被写体がいい位置にくるまで待ちそうなものだ。

和也の婚約者は、なぜこんな写真を保存しておいたのだろう？

彼女の生家だろうか。だとすれば、多少は手がかりになるかもしれないが、しかし、自分の家族ではなく、家の写真を持ち歩くとは、かなりめずらしい趣味だ。

ぼんやりと写っている、この照明灯。

(どこだろうな)

野球場のすぐそばにある家、ということか。しかし、場所を特定するにも、これだけではどうしようもない。日本全国には野球場がどれぐらいあるものか、見当もつかない。

それでも、本間は、和也の婚約者の顔のアップの写真と一緒に、このポラロイド写真だけはアルバムから抜き出し、預かることにした。二枚の写真を手帳にはさんだとき、智の部屋で、鳩《はと》時計が午前零時を報《しら》せるのが聞こえた。

8

井坂久恵が住民票と戸籍謄本《とうほん》を持って訪ねてきたのは、翌日の午前十時ごろのことだった。

戸口を掃いていた井坂が先に気がつき、言葉を交わす声が聞こえてきたので、本間は立ち上がって玄関へ出ていった。今朝は冷え込みがきついのか、久恵は頬《ほお》を真っ赤にしてやってきた。吐く息と同じくらい白い、真新しいスニーカーをはいていた。

このスタイルで、赤のアウディをぶっ飛ばして駆け回り、彼女は、秘書一人とデザイナー三人を養うだけのあがりを稼《かせ》いでいるのである。

「うちの理恵ちゃんが、すぐ行ってくれて。ホント、『本人』ですって言えば、簡単にとれるのねえ」

元気のいい声を出してそう言いながら、マスタードイエローのジャケットを脱いだ。

「なんだか、どこかから救助されてきたばっかりの捕虜みたいに見えるわね」

キッチンで、つくづくと本間の顔を見て、彼女はそんなことを言う。

「そんなにやつれてますか？」

たしかに、少し疲れは残っているが、今朝起きたときの気分は悪くなかった。髭《ひげ》でも剃《そ》り残したかな、と思いながら顎に手をやってみると、久恵は笑っている。

「そうじゃないの。逆ですよ。やっと自由になったっていう顔をしてるから。やっぱり、家にじっとしているのがつまらなかったんでしょ？」

「出歩く大義名分ができたからねえ」と、井坂が玄関でほうきを振りながら付け加えた。

「たしかに、ノーチラス・マシーンばっかり相手にするのはもう飽きましたね」

「ノーチラス？」

「筋力トレーニング用の機械ですよ。リハビリでやらされてるんです。フィットネス・マシーンとでも言うのかな」

「へえ……」久恵はおかしそうに目をくるりと見張った。「そんな怪獣みたいな名前がついてるの。知らなかったわぁ」

大型のバッグから、役所の名入り封筒に入った住民票と、それに入り切らない戸籍謄本と附票とをそろえて取り出し、テーブルの上に置く。

「お確かめください」

本間はすぐには手を出さなかった。久恵が小さくうなずいた。確認するように指を折りながら、

「本籍地記入の住民票と、戸籍謄本と、戸籍の附票。頼まれたもの全部、すぐにとれました。同じ役所で用が足りたって。この人、住民登録してある住所と本籍地が同じだったのね」

きつくパーマをかけた髪を肩先からはねあげて、ちょっと微笑《ほほえ》んだ。楽しい笑みではなく、雰囲気《ふんいき》を和らげるための笑みだ。

「井坂から昨夜聞いたお話からすると、嫌《いや》な感じがするわね」

洗った手をエプロンの端で拭《ふ》きながら、井坂がキッチンに戻ってきた。書類をのぞきこみながら、久恵に訊いた。

「手間はかからなかったって？」

「全然」

「はあぁ。盲点だねえ」

井坂の言うとおりだ。正当な理由がないかぎり、勝手な閲覧や写しの持ち出しを法

律で規制されているはずのものなのに、同年輩の人間が窓口で「本人だ」と詐称《さしょう》すれば、簡単に手に入れることができるとは。

もっとも、窓口で、本人確認のために、免許証などの書類の提示を求めるという、内々の決まりはあるのかもしれない。だが、実際の運用のうえで、それが徹底していないのだ。また、市民の方にも、そんなことを知らない――知らされていない人間の方が多いから、いざ必要が生じて役所へ行ったとき、あんまり厳しいことを言われると、文句のひとつも言い返したくなる。トラブルも増えるだろう。そうなると、よほど慎重な窓口係でないかぎり、忙しい時間帯に、とりたてて怪しい様子も見えない市民に対して、あれこれ要求することは、人情としてしにくい。とくに、窓口係が男性で、謄本を取りにきたのが若い女性であったりすれば、なおさらだ。出なおして来いと追い払うような不親切なことをして憎まれたくないと思うのは、仕方ないだろう。

金と時間をかけて、窓口係に精神的な負担を感じさせず、市民に対してことさらに不親切な感じも抱かせずに、きちんとプライバシー管理のできるシステムや法律を整備しておかないから、こういうことになるのだ。今さらのように、智《さとる》の保育園時代に起こった騒動を思い出しながら、本間は考えた。

井坂もそばに腰をおろし、昨夜の話を思い出したのか、少しばかり緊張した顔になった。

　久恵が訊いた。「方南町に移転したのは、平成二年の四月で、昨日の話だと、同じ時期に新しい職についていましたよね」

　戸籍謄本を読みながら、本間はうなずいた。

「今井事務機ですよ」

　方南町の住民票には、むろん、関根彰子《しょうこ》ひとりの名前しかあがっていない。

世帯主　関根彰子
住所　杉並区方南町三丁目4の5

　そして、「1」の欄に、

氏名　関根彰子
生年月日　昭和39年9月14日
性別　女
続柄　世帯主

住民となった年月日　平成2年4月1日
本籍　東京都杉並区方南町三丁目4番
平成2年4月1日　埼玉県川口市南町二丁目5の2から転居

これは、二年前の一月二十五日に溝口弁護士を訪ねた当時の川口市の住所から、じかにここへ移っているという意味だ。これで、少なくとも、「関根彰子」の名前と身分をかたっていたあの女性が、いつからそれを始めたのかということだけはわかったと言っていい。

平成二年、一九九〇年四月。

戸籍謄本の方を手に取るとすぐに、本間は、自分が考え違いをしていたことに気がついた。

「転籍じゃないな。分籍してるんだ」

「なんですか？」と、井坂が乗り出す。

「宇都宮生まれの関根彰子の本籍が履歴書では『東京都』になっていたので、転籍したんだろうと思ってたんですよ。ところが、これを見るとそうじゃない。分籍して、彼女ひとりの戸籍を方南町につくってるんです」

本籍欄　東京都杉並区方南町三丁目4番
筆頭者氏名欄　関根彰子
戸籍事項欄　平成弐年四月壱日編成㊞
身分事項欄　昭和参拾九年九月拾四日栃木県宇都宮市銀杏坂《いちょうざか》町で出生同月弐拾日父
　届出入籍㊞
平成弐年四月壱日分籍届出栃木県宇都宮市銀杏坂町弐千壱番地関根庄
司戸籍から入籍㊞
父母欄　父　亡　関根庄司
　　　　母　亡　　　淑子
父母との続柄欄　長女
名欄　　彰子
出生年月日欄　昭和参拾九年九月拾四日

転籍ではなく分籍してしまっているので附票の方にも、

住所欄　東京都杉並区方南町三丁目四番五号
住所を定めた年月日　平成二年四月一日
名　　彰子

これしか記載されていない。

戸籍の附票とは、その戸籍に載せられている人物の現住所を確認するためにつけられているものなので、分籍前の宇都宮の戸籍――現在は除籍になっている「関根庄司」を筆頭者とする戸籍を調べてみれば、その附票には、彰子がこれまで住民票を移転してきた住所地がすべて記載されているはずだ。

そして、その最後の記載地は、「川口市南町二丁目五番二号」になっているはずだ。それは、本物の関根彰子が、スナック「ラハイナ」に勤めており、母親の保険金が入ったがもらっていいのだろうか――という相談をするために、溝口弁護士を訪ねた当時に暮らしていた場所だ。

漢字の羅列《られつ》の上に視線を往復させているうちに、本間は、二の腕に鳥肌《とりはだ》が浮いてくるのを感じた。

ここへ引っ越してきたばかりのころ、赤ん坊の智を抱いて水元公園を散歩していて、道端に長い紐《ひも》が落ちているのを見つけたことがある。跨《また》いで通りすぎたが、なんとなく妙な印象を受けたので振り向いてみると、その紐がずるずる動いて、病葉《わくらば》のなかに消えてゆくところだった。痩《や》せた蛇《へび》だったのか、巨大な蚯蚓《みみず》だったのか、未《いま》だに定かでない。

そういうことはあるものだ。ぼんやりと見過ごしつつ、なにか妙だなと思っていたものの正体が、とんでもない代物《しろもの》だったということが。焦点が合った途端に、それがわかる。

「あたしの穿《うが》ちすぎかもしれないんだけど……」と、久恵が小さく言い出した。

「なんですか」

「思ったのよ。この謄本を見たとき。栗坂和也さんの婚約者は、ただ『関根彰子』という人の戸籍を利用するだけじゃなくて、それをとことん自分のものにしたかったんじゃないかって」

「わざわざ分籍しているからですね？」

同じことを、本間も感じていた。そこに薄ら寒いものがあるのだ。

「ええ、それに、父母欄の頭についている、この『亡』の字ね。これ、希望しないとつけてもらえないんですよ」

井坂が「はあ、そうかね」と言った。

「あたしも早くに母を亡《な》くしてますから、これは実体験で知ってるのよ。死亡届けを出すと、係の人にきかれるんですよ。戸籍の父母欄に『亡』の字をつけますか、つけませんかって」

本間はちらっと井坂を見やった。気味悪そうに眉《まゆ》を寄せて、膳本に目を落としている。

「それをわざわざくっつけてね……なんだか、自己主張してるように見えません？　この戸籍にいるのは自分だけだって。あるいはね、他人の両親の名前を、たとえ書類上のことでも一緒に載せるのは嫌だから、せめてこの二人が死んでいることだけははっきりさせておきたいと思ってるとか……。考えすぎかもしれないけど。あなた、感じない？」と、井坂を見る。彼は首をひねっている。

本間は、あらためてふたつ並んだ「亡」の字を見つめた。久恵の言わんとしていることが——決して彼女の考えすぎではなく——感じとれるような気がした。

他人の戸籍。他人の両親。他人の身分。

金で買い取ったか。それとも——

(なんらかの方法で乗っ取ったか)

どちらにしろ、あの「関根彰子」は、周到な手を打って本物とすり変わったのだ。

「しかし、ひとりの人間が、まったくの赤の他人に成り済ますことなんて、そう簡単にできますかねえ」

寒そうに丸い肩をすぼめながら、井坂が言った。本当に寒いわけではない。部屋のなかは適当に暖房がきいて、寒気で真っ赤になっていた久恵の頬も、普通の肌の色に戻っている。

井坂は薄気味悪くなってきたのだ。

「たしかに簡単じゃありません。でも、ツボさえ押さえれば不可能ではない」と、本間は言った。

「しかし……戸籍はともかくとして、勤めていれば、健康保険だって、厚生年金だって入るでしょう?」

「健康保険はね、まず、事業所単位の社会保険の場合は、採用の際の履歴書に書かれた氏名、住所が基になりますから、そこに問題がない以上、ひっかかることはないんですよ。社会保険事務所というのは、市区町村単位で管轄《かんかつ》が分かれてますが、前の会社を退職すれば、その時点で自動的に保険組合から脱退になって、保険証も返却しなければならないので、たとえばの話、だぶってしまうというような問題が起こりにくいんです。だから、厳密なクロスチェックなどする必要がないわけです」

　井坂が問いかけるように久恵を見た。彼女はうなずいた。

「うちでは理恵ちゃんがそういう事務をやってくれてるけど、そんなに厳しいものじゃないわよ」

「個人で加入する国民健康保険も、基本となるのは住民登録ですし、移転先で新しく加入する場合には、前のところの保険を——国保、健保に限らず——脱退したという証明さえあればいいんですよ。年金も、基本的には同じ仕組みですし、こちらはもっとチェックが甘い。たとえば、国民年金に入らなければならないのに、入っていない人がずいぶんいるでしょう。どうせ自分たちが年寄になるころにはもらえやしないんだからって」

　あらためてしげしげと、井坂は謄本を見ている。

「本物の関根彰子は、川口市南町に住んでいた当時には、スナック勤めをしていた。そうすると、たぶん国保に入っていたと思います。この場合、彼女の身分をかたろうとした偽《にせ》の彰子は、今井事務機に就職して自動的に社会保険に加入したら、その保険証を持って、川口市役所の国保の係に行って、『就職したから国保をやめたい』と言えば、それでいいんですよ。掛け金の端数《はすう》を清算する程度のことはあるでしょうけど、ご苦労様でしたと言って、すぐ手続きしてくれますよ」

「はは あ……」

「で、肝心なことは、どの場合でも、Aという役所にやってきて『会社に勤めたから国保をやめたい』と申し出た女性が、本当にその国保に加入していたのと同じ女性であるかどうかチェックするために、顔写真を使いはしない、ということです。三文判と、健康保険証さえ持っていけばいい。別人が行ったってわかりゃしない。謄本をとるなんていう程度のことだけでなく、移動や改廃についてでさえ、別人が行って申し出ても、明らかに年齢や性別が食い違ってなくて、証書をちゃんと持っていれば、『本人です』と言って通ってしまうんですよ」

これは国民健康保険だけに限ったことではない。戸籍の分籍だろうと、住民票の移転だろうと、すべて同じだ。書類で身元を確認することはあっても、顔までは照会しない。

本籍と現住所という、おおもとのところを押さえてしまえば、あとは何をどうしようと、ほとんど露見する気遣いはないのだ。

ただし、条件はある。当の本人に騒がれない——という絶対条件が。

井坂は黙り込んでしまった。どうやら、少しでも隙《すき》がないかと一所懸命考えているようだ。

「その人が、民間の生命保険に入っていたらどうします？　調べられたら、契約者の顔が違うことがわかるんじゃないですか。ああいうところの外務員は、お客の顔をよく覚えているもんでしょう」

少し考えてから、本間は首を振った。「最近の保険は、ほとんどが銀行口座から掛け金を振替えてるでしょう。その場合は、引落し口座さえ掌握して、金がちゃんと落ちるようにしておけば、怪しまれませんよ。満期が来ても自動更新されるものなら、それで大丈夫だ。担当の外務員に会うことなんてない。逆に、十年十五年で満期がくる簡易保険みたいなものだとすれば、さすがの外務員も、十年前の顧客と同じ顔かどうかまで覚えていないでしょうし」

ふんふんとうなずきながら、久恵が言った。

「危ないと思うなら、解約すればいいわけじゃない。簡単よ。担当者は、もちろん、やめさせたくないからゴチャゴチャ言うけど、証書を持って保険会社の窓口へ行けば、すぐやってくれて、身元確認なんかしないもの」

久恵に言われて、井坂は深いため息をついた。

「なんだか、恐ろしくなってきましたなあ」

「だからといって、これが危ない綱渡りであることに間違いはない」本間は久恵を見た。

「実際、この件でも、ひとつひっかかってるのが、雇用保険なんですよ」

今井事務機のみっちゃんの話では、「関根彰子」は一九九〇年四月に初めて雇用保険に加入した、それまではアルバイトばかりだった、と言ったという。だから、雇用保険証の発行日も一九九〇年の四月になっているのだ。だが、溝口弁護士は、本物の関根彰子は、高校を出て上京したとき、葛西通商という会社に就職した、と言っている。

「本物の関根彰子が葛西通商に就職したのは一九八三年です。もう、雇用保険のオンライン化は始まっていた。七年後、偽の関根彰子が今井事務機に就職して、職安の得喪係に行ったとき、窓口でチェックされなかったのか、それがひっかかるんですよ」

久恵は首をかしげた。「うちの従業員たちに訊《き》いてみればはっきりするんだろうけど……名前と、被保険者番号で照会するんでしょうけどね。でも、本人が『初めて就職する』と言えば、それで通っちゃうんじゃないかしら」

しかしそれは、逆に言えば、職安のデータを丹念に洗って、昭和三十九年九月十四日生まれの関根彰子の名前がだぶって登録されているかどうか調べてもらえば、人間が入れ替わっていることの裏付けになるということだ。いくら忘れっぽい人間でも、自分の昔の就職先の名称や、昔就職したことがあるという事実そのものを忘れてしまうということはあり得ない。本間がそれを言うと、久恵はうなずいて、

「本物の彰子さんが葛西通商を辞めたのはいつかしら？」

「たぶん、自己破産の直前でしょう。厳しい取り立てのために、居づらくなって辞めたんですから」

「そうすると、早くても一九八六年内でしょうね。それなら大丈夫。職安のデータは、七年間保存されるの。税理士に聞いたことがあるのよ。雇用の記録って、要するに人件費の記録でしょ。だから、税金の関係で、帳簿や伝票や領収書と同じ期間、とっておかなきゃならないんですってさ」

本間がそれをメモしていると、井坂が「やった！」というふうにぽんと手を打った。

「パスポートと運転免許証はどうです？」と大きな声で言った。「顔写真がついてるでしょう？　入れ替わったら、バレますな？」

本間がすぐに返事をしないと、久恵が訊いてきた。「栗坂和也さんには、そのことを確かめてみたんですか？」

「いえ、まだですよ」

井坂の言うとおりなのだ。だから、もし本物の関根彰子が運転免許証を持っていたのなら、和也の婚約者は「わたしは免許を持っていない」と言っていただろう。どれほど勧められても、決して「免許をとる」とは言わなかったろう。

パスポートにしても同じことだ。もし、本物の関根彰子がパスポートをすでに持っていたならば、和也の「彰子」はパスポートをとることができない。新婚旅行で海外へ行くこともできない。

そこについている一枚の顔写真を照会されれば、すべてが露見するからだ。

「まず、川口市南町の、本物の関根彰子が住んでいた場所へ行ってみようと思ってるんです」

住民票の、その住所を記した部分を軽く指先で叩《たた》きながら、本間は言った。

「彼女がどういう方法でそこを出ていったのか、それがわかれば、いろいろつながってくるかもしれない」

井坂の顔を見ながら、ぽつりと小さく、久恵が言った。

「あたし、昨夜あなたから話を聞いてから、すっごく嫌《いや》なことを考えてた……」

井坂が彼女の顔をのぞきこんだ。「嫌なこと？」

「二年前のことでしょう？」と、本間は言った。久恵は白い額にかすかにしわを刻んでうなずいた。

「関根彰子さんのお母さんが死んでるでしょう？」

井坂が息を呑《の》んだような音をたてた。「まさか、そんな……」

「でも、保険金が入ったんでしょう？」

「じゃ、金があてで――」

「いや、それだけじゃないな。金だけの問題じゃない」

書類をそろえ、椅子《いす》から立ち上がりながら、本間は言った。

「関根彰子は母ひとり娘ひとりの家庭だった。つまり、母親が死んでしまえば、娘である彰子の生活を細かく気にする人間が、近くにいなくなるということだ」

戸籍を乗っ取り、入れ替わるには、実に都合のいい状況ではないか。

偶然にしてはできすぎだ。本間も昨夜、ずっとそれを考えていた。

まず家族を、そして次に、おもむろに本人を――消す。

「あなた、掃除を済ませちゃいなさいよ。あとで一緒にお昼にしましょ。あたし、本間さんを駅まで送っていくわ」と、久恵が立ち上がった。ひどく真剣な顔をしていた。

9

川口市南町二の五の二には、四階建ての古びたマンションがあった。「コーポ川口」といい、一階には、おそらく新装開店したばかりなのだろう、ぴかぴかのコンビニエンス・ストアと、対照的にくすんだ窓を街路に向けている「バッカス」という喫茶店が、看板を並べて入っていた。

ざっと見渡してみたかぎりでは、コーポ川口には常駐の管理人はいなさそうだった。コンビニのレジにははきはきした感じの若者がいたが、本間はバッカスの入り口の方へ足を向けた。コンビニエンス・ストアの店員たちは、回転が早いし、そうでなくても地元のことには疎《うと》いものだ。孤独な人間、もしくは孤独を気楽だと思う人間が立ち寄る場所だから、そこには情報が落ちていない。また、落ちていたとしても拾う者がいない。以前、ある強盗事件の捜査のとき、集中的にコンビニエンス・ストアばかりを聞き込んで歩いたことがあるのだが、そのとき、店員たちがお客の顔をほとんど記憶していないことを知って驚かされたものだ。

バッカスの入り口には「準備中」の札がさがっていたが、ドアは開いていた。声をかけながら入っていくと、カウンターの向こうで、若い娘と大声で笑いながらじゃれていた中年の男が顔をあげた。二人とも、両手が肘《ひじ》まで泡《あわ》だらけだった。

「すんません、まだ開けてないんですが」

男は意外なほど甲高い声でそう言って、手首で鼻の下をちょいと拭《ぬぐ》った。きれいに生えそろった髭《ひげ》に、泡がくっついた。

入り口のドアのすぐ内側で、本間は用向きを説明した。昔ここに住んでいた知人の消息を探しているのだが、家主さんか、ここの管理をしている不動産会社を教えてもらえないだろうか――

と、男は言った。「家主はうちですよ」

両手の泡を拭《ふ》きながらカウンターを回って出てきた。若い娘の方は洗い物を続けている。ただ、視線は本間の方を向いていた。

「昔住んでた人って、いつごろのことですか？」

「一九九〇年ですから、一昨年ですね、一昨年の一月にはこちらにいたことがはっきりしてるんですよ。401号室なんです。名前は関根彰子《しょうこ》。スナックに勤めていた」

「へえ」と声をあげて、男はまじまじと本間を見た。「ずいぶんと詳しいけど……おたくさん、その関根さんの身内なんですか？」

本間は、また例のごとく、用意の口上を述べた。男はうなずきながら聞いていたが、洗い物をしている娘の方を振り向くと、

「明美、おかあちゃんを呼んできな」と言った。「マンションのファイルを持ってきてくれって。急いでな」

「はあい」と答え、娘はカウンターから出てきた。びっくりするようなミニスカートをはいていたが、その足がまた驚くほどすんなりとして美しかった。この二人、父娘《おやこ》だったのかと思っても、しばらくは妙な印象が残った。

「まあ、どうぞ」と、男は手近の席を本間に勧めた。先に自分が腰をおろした。

喫茶店に「バッカス」とはまた矛盾した店名だが、内装は名前に沿ってなされているようで、備品も壁紙も、漆黒に塗られたカウンターも、一見してバーを思わせるものだった。

「しかし、たいへんですねえ」

ポケットをあちこち探り、やっと取り出した煙草《たばこ》に火をつけながら、男は言った。

本間が名刺を差し出すと、くわえ煙草をして、また大騒ぎしてポケットを叩き、だが今度は見つからなかったらしく、

「あたしの名刺は切れてるみたいだ。紺野といいます」と言って、ひょいと頭をさげ

た。

「お手間をとらせて申し訳ありません。そろそろ開店時刻じゃないんですか？」

十一時になるところだ。ランチタイムは稼《かせ》ぎ時だろう。が、紺野は笑いながら首を振った。

「うちは、夕方から店を開けるんですよ。半分はパブみたいなもんで。カラオケも置いてるから」

狭い店の隅《すみ》に、カーテンで仕切られた一角がある。あれがカラオケ装置かもしれない。

「関根彰子という女性を覚えておられますか？」

「さあね……あたしは、マンションの方はあんまり手をつけてないんです。女房任せでね。今、来ますから、話を聞いてみてください」

紺野の言葉に合わせたように、さっきの明美という娘が戻ってきた。店と奥との仕切りになっているドアから身を乗り出し、

「お父ちゃん、一緒に来てって。お客さんを連れて。お母ちゃん、関根さんの身内が来たって言ったら、飛び上がったよ」

紺野信子は、「バッカス」の店舗の裏にある小さな事務室で、帳簿に囲まれていた。聞いてみると、紺野夫妻はこのほかにもあと二棟のマンションを所有しており、その管理を信子一人でやっているのだという。

取次を終えてしまうと、夫の紺野は早々に店の方へ引き返してしまった。最初に会ったときは気のいい社交的な男という印象をうけたが、妻君と並ぶと、気弱な亭主というふうに見えてしまう。面白い遠近法だった。

話が通るとすぐに、信子は段ボール箱をひとつ持ってきた。みかん箱ぐらいの大きさで、蓋《ふた》のところに「ローズライン」という社名と、その会社のロゴなのだろう、バラの花を簡略化したような形のマークが入っている。どちらもピンク色だった。

「ずっと倉庫に保管してたんだけど、気になってね」

信子は段ボール箱の蓋をぽんと叩いた。

「これ、関根さんの私物なんですよ。あの人がここを出ていったとき、残していったものなんです。いくらなんでも、こういうものは勝手に処分できないもの」

「と言いますと？」

信子は意外そうに両方の眉毛《まゆげ》をあげた。抜いたり描《か》いたりしていない自然な眉だった。

「関根さん、401号室を出ていくとき、家財道具から何から一切合財残していっちゃったんですよ。ご存じないの？」

信子の勧めてくれた回転椅子をきしらせて、本間は乗り出した。

「つまり、彼女は、あなた方に黙ってここを出ていったんですか？」

信子は強くうなずいた。「書き置きがありましてね。辛《つら》いことばっかりあるから、東京を離れて、新しい土地で一からやりなおしたい。だから、古いものはみんな置いていくので、よろしく処分してください――そんなようなことが書いてあったわね。あたしのうちもこういう商売をして長いけど、店子《たなこ》にあんなことをされたのは初めてよ」

「じゃ、彼女はせいぜいカバンひとつぐらいでここを出ていった？」

「そうでしょうねえ」

「会わなかったんですか」

「ええ。そういう意味では夜逃げでしたもの。夜中にこっそりいなくなってたの。あたしたち、住まいはここじゃありませんから、わからないものね。彼女が出ていったことだって、朝こっちへ出てきて、バッカスの新聞受けのなかに、401号室の部屋の鍵《かぎ》と、彼女の手紙が入った封筒が突っ込んであったんで、初めてわかったんだもの」

「いつのことですか？」

信子はファイルを取り上げた。ファイルの背表紙には「コーポ川口賃貸」と書いてあり、書類でふくらんでいる。

「平成二年だから――一昨年ね。あら、もうそんなになるんだわ」

本物の関根彰子が溝口弁護士を訪ねたのが、その年の一月二十五日。偽者の彰子が今井事務機に現れ、方南町に部屋を借りたのが四月。戸籍の分籍は四月一日付けで行われている。だから、二人が入れ替わったのは――つまり、本物の関根彰子がここから姿を消したのは、

「三月ごろじゃないですか？」

信子はファイルの内容を目で追いながらうなずいた。「そうですよ。三月の十八日。日曜日だったわ。その日の朝に、さっきも言ったように、手紙を見つけたんです」

すると、彼女は前日の土曜日にここから立ち去ったわけだ。

家具も荷物もすべて置き去りに、身ひとつで、家主に挨拶《あいさつ》もせずに……

「その書き置きは？」

「ごめんなさい、捨てちゃったわ」

まあ、それは仕方がない。

「関根さんという女性は、そういうことをやりそうな店子でしたか？　つまり、店子としてだらしないというか――」

少し記憶をたどるように首をかしげてから、信子は答えた。

「特にそういうことは……だから驚いたんですよ。まあ、夜中にゴミを出すとかね、夜遅く、階段をあがる足音がうるさいとか、その程度のことはあったけど」

「家賃は遅れずに入れていましたか？」

「ええ。毎月ちゃんと」

「彼女はスナック勤めでしたよね？　そのことで、入居の際にもめたとかいうことは」

信子は笑った。笑いじわができると魅力的に見える。そういうタイプの女性だった。

「そんなことでガタガタ言ってると、逆にいい借り手がつかないんですよ。うちは敷金を三つ入れてもらうし、契約書をがっちり書かせますからね。傍《はた》迷惑なことがないかぎり、店子の仕事や生活のことにまで条件はつけませんよ」

紺野信子という女性は、徹底したビジネス人間なのだろう。化粧っ気もなく髪も無造作にまとめているが、内側からにじみ出てくる快い緊張感のようなものが、彼女を若く見せていた。

「おとなしくて、わりといい店子さんだったんですけどね、関根さん。会えばちゃんと挨拶するし」

信子の言葉に、本間はゆっくりうなずいた。そうだろう。溝口弁護士も、二年前に会ったとき、彼女がすっかり落ち着いた感じになっていた、と話していた。

それなのに、前触れもなく、家財道具をそっくり残して姿を消した――

予想していたなかでも、最悪の事態になってきた、と思った。

もし、本物の関根彰子が偽《にせ》の彰子に戸籍を売っていたのだとしたら、夜逃げ同様の出て行き方をする必要はあるまい。引っ越ししたいと思ったら、普通の手続きを踏んでしたはずだ。百歩譲って、彼女が家具や家財をすべて新しくしてやりなおしたいと思ったとしても、もう少し常識的な方法をとったろう。その旨《むね》を、大家に話もしただろう。

本物の関根彰子は、二年前の三月十七日を最後に、ここから消えた。誰にも何も言わず、ぷつりと消息を絶った。そして、翌月の頭には、まったく別の女性が彼女の身分を名乗って方南町で暮らし始めている。

ゆっくりと、胃がよじれるような感じがした。

目隠しゲームの箱のなかにあったのは、そろばんではなかった。奇怪《きっかい》な形の、うっかり触ると手を切る、危険な刃物だった。

紺野信子がいぶかしそうにこちらを見ている。本間は段ボール箱をさして訊《き》いた。

「中身を見てもいいですか？」

「ええ、どうぞ」

来客用のテーブルの上で、箱の蓋を開けた。

「家具とかは、売ったり粗大ゴミに出したりしましたけどね、こういうものはね」

量的には、大したことはなかった。カセットテープが三本と、安っぽいイヤリングが五組。ケースに入った真珠のブローチもある。最初のページにしか記入のない家計簿（ページの端が黄ばんできている）と、期限の切れた国民健康保険証が一通。平成元年三月三十一日までのもので、住所はこのマンションになっていた。

よれよれになった、美容院のメンバーズカード。文庫本が二冊。二冊とも時代小説だった。軽い捕物帳だが、意外な趣味だった。

「カセットテープは？」

「音楽を録音したみたい。一度、娘が聴いてみたけど、ラジオから録《と》ったんじゃないかって言ってたわ」

あとは書類が数枚——これは、都内の病院の「患者の皆さんへ」というパンフレットだった。外来の受け付け時間とか、各科の場所を示した地図、予約の仕方、薬のもらい方など、患者への注意書きを並べてある。

パンフレットにはさんで、精算書があった。一九八八年七月七日付けで、彰子は内科で外来診療を受けている。それだけならなんということはないが、余白に、ボールペンで電話番号を書き留めてあった。

「これは——」その番号を示しながら、信子に訊いた。「ここへかけてみたことはありますか？」

信子はうなずいた。「ええ、電話してみましたよ。関根さんの友達の番号かもしれないと思って」

「どうでした？」

信子は箱をぽんと叩《たた》いた。「ここにかかったの」

「え？」

「ローズラインですよ。カタログ通信販売の会社の電話番号だったの。関根さん、病院の待合室で、雑誌かなんかに載っていたこの番号を見かけて、メモしておいたんじゃない？ で、あとからここに電話して、カタログを送ってもらったんでしょう」

本間は段ボール箱の蓋を見なおした。「これは通信販売の会社名なんですか」

「ええ。男の人にはあんまり関係ないけどね。女性のインナーや靴下《くつした》みたいなものを専門に扱ってるところだから」

「インナー？」

「下着ですよ」と、信子は笑った。

「そうすると、この箱も彼女の部屋にあったものですか？」

「そうですよ。で、ちょっと捨てにくいものをここへ入れておいたの。アクセサリーとかは売りにくいし、本を捨てるのは嫌だし」

病院のパンフレットの下には、もう一枚、別のパンフレットがあった。カラー写真入りの、墓地の広告だ。宇都宮市内の「みどり霊園」である。

母親が亡《な》くなったとき、墓地を買うことを考えたのだろうか？

「お母さんのお墓を買おうとしてたのかしらね」と、信子も言った。

「関根さんの母親が亡くなったことはご存じだったんですか」

「知ってましたよ。ほら、入居のときの保証人がお母さんだったから。亡くなったとき、関根さんの方から報告してきたの」

「事故死だったそうですね」

信子が顔をしかめた。「酔っ払って、家の近所の石段から落ちたんですってよ」

「宇都宮で？」

「ええ。お母さんはあっちで一人暮らししてたから。お勤めもしてて、元気だったようですよ」

「関根さんは、母親を亡くして悲しんでいるようでしたか？」

「そら、ショックを受けてたみたい。仲は悪くなかったようだから」

それはそうだったろうな、と本間は思った。本物の関根彰子が、母親と仲が悪く、本当に二度と故郷に帰りたくないと思っていたのなら、JR線一本で宇都宮につながる、この川口市に暮らすわけがない。人情として、そういうものだ。

和也は、彼の「彰子」が、故郷の話をするのも嫌《いや》だと言っていた、と話した。だがそれは、入れ替わってからの「彰子」だ。そして偽者の「彰子」としては、宇都宮に近寄ることなどもってのほかだったに違いない。話題にすることさえ嫌だったろう。当然だ。

箱の中身をもとに戻しながら、本間は言った。「これ、もうしばらく預かっていていただけませんか」

「いいですよ。関根さんが見つかったら連絡してくれればいいんだから」

「必ずそうします」

「全部ね？」

中身を確認するように手で示した信子に、ちょっと考えてから、本間は言った。

「カセットテープだけ借りていってもいいかな」

「ご自由に。聴いてみるといいわ」

残りのものを箱に戻し、ローズラインの名前の入った蓋を閉めて、念のため、本間は尋ねた。

「関根さんの部屋には、昔の写真や、学生時代のアルバムみたいなものは残されていなかったですか？」

信子は首を振った。「そんなものがあったら、ちゃんと保管しておきますよ。だけど、こっそり引っ越すにしても、そういう記念品みたいなものは、持って出ていくんじゃないかしら」

「そうでしょうね」

信子に頼んで、ファイルに残されている、関根彰子の入居契約書の保証人欄に書かれた彼女の母親の生前の住所を書きとらせてもらった。

「こちらには、関根彰子さんの写真などないでしょうね？」

「ないわねえ。店子さんと個人的に付き合うことはないから」

「彼女と特に親しくしていた入居者はいますか？」

「さあ……」信子は考え込んだ。「どっちにしろ、今うちにいる人たちは、関根さんがいたころの人じゃないから。うちは入れ替わりが早いんですよ」

入居者の回転を早くするのも、信子の手腕のうちなのだろう。それだけ、敷金が入ってくる。

「彼女が姿を消したあと、彼女の勤め先に連絡してみたことはありますか？ 新橋にある『ラハイナ』というスナックなんですが」

信子は先ほどのファイルに目を落とし、やがてうなずいた。

「ええ、かけてみましたよ。お店の方もびっくりしてたわ。え？ じゃあ、うちの方も辞めるつもりかなって」

「で、本当に辞めていた――」

「ええ。月曜日になっても出てこないって、うちに電話がありましたよ。精算していないお給料があったらしいけど、それも放ったらかしだって」

また、胃が反転するような感覚に襲われた。もう間違いない。本物の関根彰子は、自分の意思で姿を消したのではない。

消されたのだ。

「彼女の部屋に男性が出入りしていたということはありますか?」

親しい男でもいたなら、彼女の行方を案じているかもしれない。

信子は首を振った。「いたとしても、あたしたちは気がつきませんでしたね。お店の方に訊いてみたらいいんじゃないかしら」

信子が先にたって、事務室を出た。店に通じるドアを押さえて待ってくれながら、彼女は訊いた。

「だいぶお辛そうですけど、関節炎?」

「いえ、事故ですよ」

「あら。それなのに、無理して調べ回ることもないじゃない。警察に届けたら? 失《しっ》踪人《そうにん》ということで探してくれるんじゃない?」

本間は苦笑した。「届け出は受け付けてくれるでしょうが、探してはくれませんよ」

「冷たいのねえ」

店のなかでは、紺野がカウンターのなかでコーヒーをいれ、明美は窓ガラスを拭《ふ》いていた。三人そろったところで、本間は最後の質問をした。

「あとひとつだけ」

和也の婚約者の「彰子」の写真を取り出し、

「この女性を見かけたことはありませんか？　関根さんがここに暮らしていた頃《ころ》に」

まず信子が、次に明美が、最後に紺野が写真を手にとり、じっくりと見た。それから、そろってかぶりを振った。この、一見したところでは似ても似つかない三人が、確かに家族であることを裏付けるかのように、首を振る仕草はそっくりだった。

「そうですか。ありがとう」

そう簡単にことが運べば苦労はない。

別れ際《ぎわ》に、ふと思いついて、訊いてみた。関根彰子が残していった家財や衣類などは、全部きれいに売れたのか、と。

「ええ。ガレージセールみたいなものをやりましてね」と、信子が答えた。「だいたい、はけたわね。値段をうんと安くしたから。彼女の書き置きには、そういうものを処分してできた金は、迷惑料としてとってくれって書いてあったけど、そこで儲《もう》けるつもりはなかったから」

「そういえば、これ、そうよ」と、明美が自分の着ているセーターを引っ張りながら言った。「これ、そのときあたしがもらったやつじゃない。お母ちゃん、覚えてない？」

黒地に、花柄《はながら》のセーターだった。明美の胸の、ちょうど心臓の真上に、なんともしれない真っ赤な花が口をあけていた。

午後、自宅に戻る途中で、駅前の写真屋に寄った。ポラロイド写真の引き伸ばしを頼むためである。

店にいたのは若い男で、まだ学生のようななりをしていた。アルバイトではなく、この家の息子のようだった。例の、チョコレート色の家をアップにした写真を見ると、

「なんすか、これ」と言った。

「それを知りたいんで引き伸ばすんだ」

「へえ。これ、現物はすぐ返した方がいいですか？　だったら、そうだな、三十分待ってもらえば、すぐにお返ししますよ。引き伸ばしの方は明後日になるけど」

「頼むよ。待ってるから」

店内の椅子は小さく、足ががたついていた。待っているあいだ、ほかの客は一人も来なかった。隙間《すきま》風で、ひどく寒い。

思いついて、一度店を出、すぐ目の前の公衆電話から、溝口弁護士の事務所にかけてみた。女性の声が出た。あの、澤木という事務員のようだった。

弁護士は不在だった。数日間、地方に出張しているという。

「明後日なら事務所におります」

「お目にかかりたいんですが、ご予定はどうですか？」

しばらく間があいて、

「スケジュール、いっぱいですね」

「じゃ、無理かな」

相手はくすっと笑った。「溝口先生、お昼を食べる店が決まってるんです。事務所の近くのうどん屋さんですけど、そこへいらしてみたらどうですか？　三十分ぐらいは話せますよ」

店の名前は「長瀞《ながとろ》」という。場所を教えてもらってメモをとり、ありがとう、と言って受話器を置くと、さっきの若い店員が、写真屋の外に出てきて、逐電《ちくてん》したお客を探すべく、あたりを見回しているところだった。

自宅に戻って時計を見ると、午後三時をすぎていた。井坂はいなかった。ほかの家へ回っているのか、買物だろう。湯をわかし、インスタントコーヒーをいれて、キッチンの椅子に腰を据《す》え、しばらくあれこれ考えてから、一本電話をかけた。

捜査課の直通電話である。

相手がすぐにつかまるとは思っていなかった。案の定、外に出ていた。取次をしてくれた別の班の刑事と、しばらく近況報告をし合い、いったんは受話器を置いた。それからコーヒーを飲んだ。

先方から電話があったのは、二十分ほどのちのことだった。呼び出し音が一度鳴り終えないうちに出ると、大声が聞こえてきた。

「お、早いな。まだくたばってねえわけだな？」

碇貞夫《いかりさだお》という、本間の同僚の刑事だった。警察学校の同級生でもあるが、その後の進路はまったく別々だった。碇が本庁の捜査課に配属され、あろうことか本間と同じ強行班になったのは、まだ二年前のことだ。

「なんだ、結局同じところへアガッたか」と、碇は笑っていた。

「電話があったと聞いたんで、わざわざ外へ出てかけなおしたんだ。係長に耳をそばだてられちゃしゃべれないからな。どうかしたのか？」

碇は、小柄だが、投げ飛ばされれば壁にぶつかって跳ね返り、かすり傷ひとつ負わずにそのままけろっと立ち上がりそうな、筋肉質のきびきびとした男である。早口で、地声が大きい。実家は稲荷《いなり》町の仏壇屋である。

「忙しいのに申し訳ないとは思うんだが、実は頼みがある」

碇はからからと笑った。「いいとも。お代はツケといてやる。戻ってきたら、その分働いてもらうからな」

「文書照会の申請をしてもらいたいんだ。課長の目をごまかせるか？」

「簡単だ。あのご仁は何も見てないからな。相手はどこだ。銀行か？」

「いや、職安なんだ。それと、市役所の住民課」

今井事務機の「関根彰子」の雇用保険被保険者番号と、生年月日、それと、管轄《かんかつ》の職業安定所の場所を告げ、

「この人物の雇用記録がほしいんだ。こっちの考えが間違っていなければ、同一人物が二つの会社で新規に雇用保険に加入してるはずなんだよ」

「よしきた。その二つの会社名は？」

今井事務機と葛西通商。それぞれの所在地。碇は問い返すこともなく、てきぱきと書き取った。

「あとの方の、市役所ってのは？」

「同じ人間の除籍謄本《とうほん》なんだ。附票もほしい」

関根彰子の、分籍前の宇都宮の本籍を告げる。碇は書き取り、今度は復唱した。

「お安い御用だが――」彼の声が、ちょっと低くなった。「おまえ、何をやってるん

だ？　リハビリのおねえちゃんとデートしてるんじゃなかったのかよ」

「それが、身内の頼まれごとでね。ちょっと人を探してる。本当なら、あんたの手をわずらわすようなことじゃないんだが、雲行きが怪しくなってきたんだ」

「ということは――」碇の鼻息が聞こえた。「事件になりそうだってことかい？」

「うん」

「じゃ、戻ってこいや。公務にしちまえば、面倒がない。一人じゃたいへんだ」

「それが、まだそこまでの確信はないんだ。いや、確信はあるんだが、どういう流れになるかわからないとでもいうかな」

「面倒くせえな」

「とにかく、もうしばらくはこのままやってみようと思ってる。すまないが、頼むよ」

　ごそごそと音をたてながら――頭をかいているのだ、きっと――碇は承知した。

「わかったよ。しかし、身内のことって、まさか智《さとる》に関係があることじゃねえだろうな？」

　碇は智のファンなのだ。他人だから、無責任に甘やかすことができると言っている。

「智は関《かか》わりない。遠縁の話さ。千鶴子の従兄《いとこ》の息子なんだ。なんて呼べばいいかわかるか？」

「知るか、そんなもん」

碇は笑って電話を切ろうとした。それを追いかけて、本間は訊《き》いた。

「おい、最近、また見合いしたか？」

碇は齢《よわい》四十二にして独り身なのである。彼は爆笑した。

「した、した。つい先週の日曜だ。なんと、後家さんだぞ。二十歳の息子がいる」

「気に入ったんだろう？」

「なんでわかる？」

「声が元気だ」

「嘘《うそ》つきめ。俺《おれ》はそれほど単純じゃねえよ」

笑いながらそう言って、碇は不意に真面目《まじめ》な口調に戻った。

「おい、おまえ、人探しをしてるって言ったな？」

「言った」

「女だろう？」

ズバリとくる。

「うん。よくわかるな」

「その女、生きてるのか?」

苦笑して、本間は言葉を呑《の》んだ。鋭い奴《やつ》だ。なんとなくキナ臭いものを感じとっているのだろう。

本物の関根彰子は、十中八、九の確率で、すでに死亡しているだろう。それが殺しなのか、あるいはなんらかの事情で派生した死なのか、今の段階では特定できないが……

しかし、彼女の名前をかたっていた女は、どこかで生きている。自分に言い聞かせるようなつもりで、ゆっくりと言った。

「生きて見つけなきゃいけない女なんだ。絶対に、生きてピンピンしてるはずの女だ」

しばらく何も言わず、やがて「気をつけろよ」と言って、碇は電話を切った。本間も受話器を戻した。

少しのあいだ、そうやってテーブルに肘《ひじ》をついたまま、じっとしていた。そのあと、苦労して立ちあがり、智の部屋から小さなテレコを持ち出してきて、関根彰子が残していったカセットテープを聴いてみた。

歌謡曲ばかりだった。明るいラブソングが多かった。みな、頭のなかを通りすぎていってしまう。ただ、紺野明美が着ていたセーター、関根彰子のものだったセーター、そして、偽《にせ》の彰子が置き去りにしていったセーター、あの真っ赤な柄が、閉じた目の裏側でちらちらした。

10

今度も、栗坂和也は夜九時をすぎてからやってきた。本当に仕事が忙しいのか、暇なときでも上役が帰らないうちは席を離れることができないのか、不機嫌《ふきげん》そうな表情からは、どちらとも判断がつかない。

夕方、彼の職場に電話して、「報告することと、君の意向をきかなければならないことがある」と、予告しておいた。それが頭にあるからだろう。和也はコートもとらずにいきなり切りだした。

「僕の意見が必要だって、どういうことなんですか？」

悪い報《しら》せには前ふりが必要なものだ。顔を合わせてすぐに、和也にとっては天地がひっくりかえるような事実を突きつけたら、彼はかえって本気にしないかもしれない。真面目に受け取らないかもしれない。

「とにかく座りなさい。長い説明になるから」

「彰子《しょうこ》、見つかったんですか?」

本間は首を振った。「最初に言っておくけど、いい話じゃない。覚悟して聞いてもらわなきゃいけない。大丈夫か?」

和也は眉根《まゆね》を寄せた。「オーバーだな。なんです?」

「笑い事じゃないんだ」

「わかってますよ。いいから話してください。僕だって、暇な身体《からだ》じゃないんだ」

智《さとる》には、自分の部屋でおとなしくしているように言ってある。どうやらファミコンをやっているらしく、ピーとかプルルとか、独特の電子音が、ときどき漏れてくる。キッチンでは冷蔵庫のモーターが辛抱強くうなっている。その二種類の物音をバックに、本間は、最初から順を追って、ここまでの経過を説明した。

「関根彰子」の履歴書。戸籍謄本。住民票。それをテーブルに並べて見せるころには、和也の顔から、表情らしいものがすべて消えてなくなってしまっていた。彼の顔そっくりの仮面をつけ、そのうしろで目だけを動かしているかのようだった。

「冗談でしょう?」

話を聞き終えると、和也は真っ先にそう言った。その言葉を口にするために、ずっと呼吸を止めて待っていたというように、かすかに息を切らしていた。

「残念ながら、冗談でも嘘でもない。事実だよ」

「だって……」

案の定、ここで和也は笑いだした。両手を軽く広げ、かぎ型に曲げた指を、空《くう》をつかむように動かしながら、

「馬鹿《ばか》げてる。彰子が彰子じゃないなんて、そんな話があるもんか」

本間は黙って彼の顔を見ていた。今何か言っても、和也の耳には届くまい。

「僕は彼女と結婚しようとしてたんですよ？　僕が彼女を選んだんだ」

かりそめにも栗坂和也という男が妻にしようと決めた女性に、そんなケチをつけないでくれ、と言わんばかりの口調だった。俺は完璧《かんぺき》だ。だから俺の選択も完璧だ。

「だが、彼女は関根彰子という女性じゃなかったんだよ」

半ば口を開け、あさっての方向を茫然《ぼうぜん》と見つめている和也に向かって、ゆっくりと、嚙《か》んで含めるように言ってみた。

「別人だった。だから、五年前の自己破産のことも、彼女にはあずかり知らぬことだった。それで、君にあの通知書の写しを突きつけられたとき、彼女はすうっと青ざめたんだ。あれは、彼女にとってもまったくの青天の霹靂《へきれき》だったんだ」

もし、和也の「彰子」が、関根彰子の自己破産について知っていたならば、どれほど強く勧められても、カードをつくろうとはしなかったはずだ。

「今日訪ねてみた川口市のマンションには、本物の関根彰子という女性が過去に破産宣告を受けたことがあるのを裏付けるような書類は残されていなかった。これは、最初からなかったんだと思う。どういう形であるにしろ、彼女がそれを目につく方法で持っていたならば、君の婚約者が彼女の身分を借りたとき、それを見て、破産の事実を知っていたはずだからね」

本物の関根彰子は、一件の書類を、嫌《いや》な思い出につながるものだとして、処分してしまったのかもしれない。そうなれば、本人が口に出さない以上、破産の事実は他人にはわからない。

「君にはショックなことだと思う。だが、俺もここまでの事実がわかった以上、もう放っておくわけにはいかない。だから、君がもうこんなことに関わりたくないと手を引いても、俺は調査を続けるつもりだ」

言葉を切って、和也の目を見た。彼はまだ現実を見ていなかった。目を開いているが、意識は他所《よそ》に飛んでいた。

「君はどうする？　おりるかい？　それとも、続ける？　できるなら、君に手伝ってもらいたいんだ。君の婚約者のことは、君がいちばんよく知ってる。彼女についての情報を、君がいちばんたくさんつかんでいる。それが必要なんだ。彼女がどこで本物の関根彰子という女性に会ったのか、なぜ、関根彰子の身分を借りていたのか、それを調べるために、どんな小さな手がかりでもいいからほしいんだよ」

かなり長い間をあけて、和也はやっと答えた。「僕は……何も知らない」

静まりかえった空気のなかに、智が興じているゲームの効果音だけが聞こえてくる。

和也はゆっくり頭をあげた。道端に寝ている浮浪者が通行人に向かって投げるような、どんよりとよどんだ視線を、初めて本間の顔にあてた。

「わかった――」

「わかった？」

「あんた、彰子に頼まれたんだな？」

くすぶっていた炎が一度に燃え上がった。和也の目が大きく見開かれた。

「わかったよ。あんた、彰子を見つけたけど、彼女に黙っていてくれって頼まれたんだろう？　そうだろ？　彰子は僕と別れたいんだ。だから、あんたにそんな作り話をするように頼んだんだ。彰子には別の男がいるのか？　そうなのかい？　え？　だからそんなデタラメを言ってるのかよ？」

立ち上がり、身を乗り出すようにして詰め寄ってくる。その勢いで、テーブルが大きくがたんと動いた。灰皿が落ちて派手な音をたてた。和也のくちびるから跳ねた唾《つば》が飛んできた。

「どうなんだよ!」

ファミコンゲームの音が止まり、智の部屋のドアが開いた。すぐに小さな顔がのぞき、いっぱいに見開かれたふたつの目が、本間を見た。

智の方を見ないように気をつけて、本間はゆっくり身体を起こし、和也の腕を押さえた。

「本気でそんなことを思ってるのか?」

積み木の塔が崩れるように、和也は椅子のなかにへたりこんだ。そのまま頭を抱え、うずくまってしまった。

智がそっとドアを滑り出て、廊下の途中で足を止めた。ちょっと考え、それから回れ右して玄関へ向かった。走ってゆく。

しばらくすると、和也の後頭部が震え始めた。泣いているのかと思ったが、そうではないようだった。やがて、彼は頭をあげた。

「こんな話はもうたくさんだ」

投げ出すようにそう言い捨てると、震える手で口のあたりを拭《ぬぐ》った。

「あんたなんかあてにしたのが間違いだった。別の人間に頼むよ。こんなデタラメを聞かされて、まだじっと座ってるほど、僕は馬鹿じゃない」

立ち上がり、乱暴にコートをハンガーからはぎとると、袖《そで》も通さず、わしづかみにして部屋から出ていく。本間は座ったままでいた。和也がこのまま帰るはずはない、と思った。まだ何か言わずにはいられないだろう。

予想は当たり、和也は居間の出口で足を止めた。こちらを振り向くと、まといついてくるものを振り払うような勢いで、両肩をいからせ、上着の内ポケットから財布を取り出すと、がむしゃらな感じで札を数枚抜き出した。

「今までの経費だよ。これだけあれば充分だろ？」

本間に向かって、つかんだ札を放った。数枚の一万円札が、ひらひらと、きわめて威厳に欠ける舞い降り方で、床に着地した。

ほう、金のことを考えたか、と本間は思った。どれだけ罵《ののし》っても罵り足りないというように、彼の婚約者の上に投げ掛けられた疑惑への怒りを捨て台詞《ぜりふ》にすると思ったら、あにはからんや、金ときたか。さすがは銀行屋だ。

プライドをへし折られたと感じているのだ。栗坂和也のような優秀な人間が選んだ女性に、うだつのあがらない刑事なんかがいちゃもんをつけてきた。許せない、というわけか。

「君、彼女からポラロイド写真を見せられたことがあるか？」

仁王立《におうだ》ちになったまま、和也は荒い呼気を吐いている。

「家の写真だ。チョコレート色の外壁の、しゃれた洋風建築の。見せられたことはあるかい？」

「そんなもの――」和也の声が割れていた。「あるわけない」

それを最後に、彼は背中を向けて出ていった。

玄関のドアが乱暴に開け閉めされる。そのすぐあとに、乱れた足音がして、智が井坂を連れて駆け込んできた。

「大丈夫、お父さん？」

二人とも、顔中目だらけというくらい、大きく目を見開いている。本間は中腰で立ち上がり、床に落ちた札を拾いあげていた。

「大丈夫だよ」

「本当に？　怪我《けが》はないですか？」

井坂は心持ち青ざめている。

「驚きましたな。智くんが、お父さんが危ないっていうもんで、エレベーターであがってきたら、あの青年が飛び出してくるところでした――そりゃ、なんです？」

札に目をとめて、井坂が訊いた。

「手数料だそうですよ」

「投げてったの？　ひどいや」

智は憤慨したが、井坂はすぐに笑いだした。

「でも、その割りにはがっちりしてますな。財布のなかにあるだけぶん投げたというわけじゃない。三万円だ」

「ご心配かけて、すみません」本間も彼と一緒に笑った。「これだと、もらいすぎだな。残りは供託しておかないと、あとで訴えられるかもしれない」

「なんてヤツだ」と、智はまだ一人で怒っている。本間は息子の頭をぽんぽんと叩《たた》いた。

「そう怒るんじゃないよ。彼もショックを受けて、何がなんだかわからなくなってるんだ」

ちょっと眉をあげて、

「それより、おまえ、いやに熱心にファミコンをやってるみたいだけど、今週の持ち時間はあとどのくらいだ？」

ファミコンで遊ぶのは、週に七時間だけ。十分でもオーバーしたら、次の一週間はゲームソフトを没収。これが本間家の鉄則その二である。

「あと二時間あるよ」智は口をとがらせた。「そういうことはちゃんと押さえてんだね？」

「当然だ」

ぷんと口をとがらせたまま、智はゲーム機を片づけにいった。二人になると、井坂が訊いた。

「あの様子だと、交渉決裂のようですな。これからどうするんです？」

「調べますよ。放っておけない」

「消えた女性を探すんですな？」

「ええ」

本間は窓の外に目をやった。団地全体を、すっぽりと夜が包んでいる。

この同じ夜の下に、消えた「関根彰子」がいる。今この瞬間にも、彼女の呼気が闇《やみ》を白く染め、彼女の声が、どこかで響いている。

「どうやって探すんです？」

同じように窓の外に目をやりながら、井坂が訊いた。

「本物の関根彰子の生活をたどってみようと思っています。彼女がどういう暮らしをしていたのか、どういう境遇にいたのか、それがわかれば、自然に、彼女と入れ替わろうとした女性の存在が浮かび上がってくるんじゃないかと思う」

「破産するような女性ですよ。暮らしも荒れていたんじゃないですか。調べきれますかね？」

不安げな井坂に、本間は微笑してみせた。

「そうですね……でも、彼女がどんな人間だったかを知ることが、彼女に成り代わろうとしていた女を知ることにもつながると思うんですよ。とりあえず、そこから始めるしかありませんしね」

関根彰子は、他人の身分をほしがっていた女性に目をつけられるような、何を持っていたのだろう。

ふと、節をつけて歌うような口調で、井坂が呟《つぶや》いた。

「火車の――」

「かしゃ？」

振り向いて首をかしげた本間に、井坂はゆっくりと続けて言った。

「火車の、今日は我が門《かど》を、遣《や》り過ぎて、哀れ何処《いずち》へ、巡りゆくらむ」

丸い笑顔をつくって、

「昨夜、久恵とね、自己破産の話なんかしているときに、ふっと思い出したんです。古歌ですよ。『拾玉集』でしたかなあ」

巡り来る火の車――

それは運命の車だったのかもしれない。関根彰子はそこから降りようとした。そして、一度は降りた。

しかし、彼女に成り代わった女は、それと知らずにまたその車を呼び寄せたのだ。

今、どこにいる？　夜の闇の向こうに、心の内で、本間は問いかけた。彼女はどこにいる？

そして、何者だったのだ？

11

「長瀞《ながとろ》」ののれんをくぐると、湯気が吹きつけてきた。白木のカウンターの向こう側で、目にしみるほど白い割烹着《かっぽうぎ》姿の店主が、釜《かま》の蓋《ふた》を開けたところだった。

溝口《みぞぐち》弁護士は、いちばん奥の二人がけのテーブルに向かって、ちんまりと座っていた。暖気で眼鏡が曇っている。それでも、本間が狭い通路をつたって近づいてゆくと、気配でわかったのか、顔をあげた。

「やあ、来ましたか」と言って、気さくな感じで向かいの椅子《いす》を手で示した。

「お食事中にお邪魔して申し訳ありません」

「かまいませんよ。澤木君から、あなたがみえるだろうと聞いておりました」

眼鏡をはずしてハンカチでぬぐいながら、「てんぷらうどんがうまいですよ」と言った。お冷やを手にやってきた女子店員に、本間はそれを頼んだ。

昼食時のピークをすぎても、店内は込みあっていた。ざわついている。が、会話にさしつかえるというほどではなかった。今、抱え込んでいるような話をするには、ちょうどいい程度の喧騒《けんそう》だと思った。

「あれから何か進展があったのでしょうな」

眼鏡を鼻筋に載せ、弁護士は訊《き》いた。老弁護士は、眼鏡がないほうが若やいで見えた。

「複雑な進展がありました」

眼鏡の奥で、弁護士の目がちょっと見開かれた。

「あなたの人違いというのではなく？」

本間はうなずいた。事情を聞かせてくださるんでしょうな、と、弁護士は言った。

「長くなりますよ」と前置きして、本間は話しだした。

どんなことにも慣れというのはあるもので、一昨夜和也に話してきかせたばかりだから、要領よくまとめることができた。捜査会議で発言しなければならないときよりも、もっと巧《うま》くしゃべっているような気がした。

あいだに、注文したうどんが運ばれてきた。弁護士は箸《はし》をとり、本間の方にも促すような仕草をしたが、口はきかなかった。終始平静な顔つきで、ぎょっとしたような様子も、一度も見せなかった。もっとも、おばけ屋敷に入った子供のように、角を曲がるたびに飛び出してくる事柄《ことがら》にいちいち驚いていたら、弁護士のような商売は務まらないのかもしれない。

本間が話し終えたときには、弁護士はうどんを食べ終えていた。ひとつうなずいて、こう言った。

「事情はよくわかりました。今度はあなたが食事なさい。私が少し話しましょう」

本間が時計を気にすると、溝口弁護士は首を振った。

「私の予定のことならご心配なく」

また眼鏡をはずしてハンカチを使いながら、ちょっと頭のなかを整理するかのように口をつぐみ、それから淡々とした声で言った。

「あなたは、関根彰子《しょうこ》さんがどういう生活をしていた女性だったか、それを知りたいとおっしゃる。私が知っているかぎりのことなら、お教えすることもできましょう。それに、いくつか誤解をといてさしあげることもできると思いますよ」

「誤解？」

「そうです。どうやらあなたはこうお考えのようだ。関根彰子は、自己破産するような人間だ。しかも、ずっと水商売をしている。よほど金遣いの荒い、だらしのない女なのだろうと。暮らしも荒れているに決まってるから、人間関係をたどるのも面倒だろう、と。違いますかな？」

ちょっと箸をあげて、本間は肯定の意を示した。確かにそうだ。それはまた、井坂が案じていたことでもある。彼らだけでなく、普通の人間なら、関根彰子についてのデータを見せられ、そこに「自己破産」という言葉を見つけたら、大半がそう考えるのではあるまいか。

弁護士は微笑した。年齢《とし》の割りにはきれいにそろった小さな歯がちらりとのぞいた。

「それが誤解だというのです。現代のこの世の中で、クレジットやローンのために破産に追い込まれるような人たちは、むしろ非常に生真面目《きまじめ》で臆病《おくびょう》で気の弱い人たちが多いんですよ。そのへんのことをわかっていただくには、まず、この業界の仕組みから説明していかねばなりません」

背広の内ポケットから角のすり切れた黒革の手帳を取り出すと、手元に置き、

「本間さん、あなたは何年のお生まれです？」

「一九五〇年、昭和二十五年ですよ」

「すると今、四十二歳ですか。ほう、もうちょっとお若いかと思ったが」

と、笑って、

「そうすると——あなたが十歳のときですよ。わが国に、初めて『クレジット』という言葉が登場したのは。赤いカードの丸井ですな、あの店が、『割賦《かっぷ》』に代わって『クレジット』という言葉を使い始めたんです。昭和三十五年、一九六〇年、安保の年ですな。この年に、ダイナースカードも誕生している。ダイナースは、審査が厳しく会員のステイタスが高いということで、日本でもっとも信頼されているカードのうちのひとつですが、生まれたのも早かったというわけだ」

するると、もう三十二年になる。

「一九六〇年。これは、わが国の高度成長元年でもありますな。それだけ国が豊かに

なろうとしている時代だった。クレジット産業が誕生するのは、時代の必然であったわけです」と、弁護士は続けた。「また、これから先も、こうした民間金融業界の存在なくしては、わが国の経済も国民の暮らしも成り立ってはいかないでしょう。もう後戻りはきかんのです」

手帳のなかほどを開いて、中身をちらっと見た。

「さて、私は今、民間金融と言いましたが、正確には、『消費者信用』というのです。これは、まず大きくふたつに分かれます。ひとつが『販売信用』。カードを使った買物などですな。もうひとつが『消費者金融』。これは、定期預金や郵便貯金を担保にした貸し付け――銀行口座の貸し越しなどですな――それと、消費者ローン、つまりサラ金やクレジットカードによるキャッシングが含まれます。よろしいかな？」

本間はもう食事を終えていたので、メモをとっていた。

「ひとつめの『販売信用』は、さらに『割賦方式』と『非割賦方式』に分かれます。ほら、銀行系のクレジットカードだと分割払いがきかないが、信販系のなら分割払いできますね？ あれを指しているのです。それから、カードをつくらず、その品物についてのみの割賦支払い契約を結ぶことがあるでしょう？ ですから、この『割賦方式』『非割賦方式』それぞれが、また『個品』と『カード』とに分かれるわけです」

さて、と、小柄な弁護士は座りなおした。「平成元年の統計で、まず『販売信用』のうちの『割賦方式』、この新規信用供与額――平たく言えば、この年の売り上げですな、これが十一兆四千とんで八十二億円。『非割賦方式』が十一兆八千五百七十二億円。次に『消費者金融』が同じ平成元年の統計で三十三兆九千五百十一億円。このふたつを合計すると――」

もう暗記しているのだろうから、計算の必要はないのだろう。強調するために少し間をおいて、弁護士は言った。「平成元年の消費者信用新規供与額は、五十七兆二千百六十五億円ということになります。どうです？　国家予算規模の産業なんですよ」

「たしかに」と、本間は言った。

「約五十七兆円。これは、この年の国民総生産の一四パーセントに当たるんです。また、国民一人当たりの家計可処分所得の二〇パーセントになる。これはアメリカとほぼ同じです。まぎれもなく、消費者信用はわが国の経済活動を支える柱の一本になっているというわけです」

しかも、この成長ぶりがまた凄《すさ》まじい、と、弁護士は続けた。

「消費者信用新規供与額の伸びは、まさに驚異的なんですよ。昭和五十五年には、総合計で二十一兆とんで三百五十九億円でした。これを指数一〇〇とします。すると、五年後の昭和六十年には、指数にして一六五、総額三十四兆七千とんで六十億円になっている。そして平成元年のあの数字、これを指数にすると二七二だ。十年たたないうちに、三倍近くにまで膨らんでいるということです」

弁護士は、テーブルの上に指で線を引いてみせた。

「消費者信用の新規供与額の伸びと、国民総生産の伸びとをグラフにして比べてみますとね、国民総生産の方は、こんな具合」

と、角度三〇度ぐらいの斜線を引いた。

「消費者信用の方は――」

今度は四五度ぐらいの線になった。

「ねえ、スキーの直滑降のゲレンデみたいでしょう? 少し異常だと思いませんか。ほかのどの産業で、これだけの伸びが見られます?」

「まさにバブルということですかね」

弁護士はちょっと考え、それから首を振った。「あなたのおっしゃるバブルというのが、世間一般に、昨年はじけたと言われているあのバブルなら、それは違うと思いますな。金融市場なんてものは、もともと幻なんです。元来、実態のないものなんですよ。そもそも、貨幣にしてからが、そうでしょうが。ただの紙切れ、ただの平たく丸い金属の塊だ。そうじゃありませんか？」

溝口弁護士は、淡々とした口調で言った。

「しかし、現実には、一万円札にはそれだけの価値がある。百円硬貨は、一歩店を出れば使えなくなってしまうゲームセンターのコインとは違って、日本全国どこの自動販売機でも受け入れてくれる。これは、約束事があるからですよ。小学生だって、授業で教えられて知っているはずだ。貨幣経済のなんたるかをね。もとは幻だということを。金の実態は、国がつくった取り決めなのだということを。しかし、そのおかげで我々は、猪《いのしし》一頭を、家族の衣類とひとかかえの野菜と米に交換してもらうため、山をおりてゆく——という生活から解放されたわけです。社会の基盤に貨幣経済が存在しているからこそ、私は他人のもめごとを解決してあげることで生活をたててゆける。そうじゃありませんかな？」

本間はうなずいた。

「左様、金融市場は、もともとが幻です」と、弁護士はもう一度繰り返した。「だが、それは言わば、現実社会の『影』としての幻なんですよ。だから、そこにはおのずと限界がある。社会の許容する限界が。それを考えると、この消費者信用の異常な膨らみ方は、やはりおかしい。本来膨らむはずのないところを、無理のあるやり方で膨らまさないかぎり、これほど急激に成長するはずがないのです。この幻は、本来あるべきサイズよりも、はるかに大きく膨張している。たとえれば、本間さん、あなたはかなり背が高いが、それだって身長二メートルはないでしょう？ そのあなたの影が十メートルもの大きさになったら、これは妙だと思いませんか」

言い募るという口調ではないのに、溝口弁護士の言葉には、聞き手の注意をとらえて離さないものがあった。

「たとえば、クレジットカードの発行枚数をとってみても、こうです。昭和五十八年三月末の統計では、五千七百五万枚。それが昭和六十年には八千六百八十三万枚。平成二年三月末には、一億六千六百十二万枚にまで増えています。この成長率は、一六・五パーセントですよ。毎年毎年、これだけの数のカードが発行され、それを持っている消費者がいるということになるわけだ」

千鶴子はクレジットカードを持っていたかな？ と、本間は考えていた。彼女名義のものはなかったはずだが――

「私は今、ひとまとめにクレジットカードと言いましたが、これもいくつかに分かれます。主なものは三種類で、まず、銀行系カード。ＵＣグループ、ＤＣグループ、ＪＣＢグループ、ＶＩＳＡジャパンなどなど、十社を数えます。これがいちばん普及し

ています し、枚数も利用額も多いんです。昭和五十八年から平成二年までの伸び率は二〇・二パーセントですからね。次が信販系カード。日本信販、オリエントファイナンス、大信販——これも大手だけで八社。伸び率は一六・一パーセントですから、やはり目覚ましいですな。次が流通系カードと言われるものです。丸井ももちろんここに入りますが、ほら、デパートや大手スーパーで出しているでしょう？　セゾンとか、高島屋とかね。これは、利用範囲がその店の系列店舗だけに限られているので、その分不利なんですが、商品の割引や会費の免除をしたり、審査の枠《わく》を甘くしたり、売場で即カードをつくったり、いろいろほかの特典をつけて、前のふたつに対抗しています。近ごろじゃ、ちょっとしたステーション・ビルでもそこのカードを出してますからね。この伸び率が一九・二パーセント。大躍進ですよ。こんな具合ですから、道を歩けばカードの広告にぶつかる。ところで、あなたはクレジットカードをお持ちですか？」

急に質問されたので、ちょっと詰まってしまった。

「さあ……一枚は持ってますがね。ユニオンクレジットだったかな」

「たしかに、便利なものですからな。特に、あなたのように、時には夜中にでも飛び出さなければならない職業の方にとってはね」

にっこりして、弁護士は言った。

「私には娘が二人おるんですが、下の娘が、以前、ひったくりに遭いましてね。犯人はつかまりませんでした。以来、現金を持ち歩くのは怖いといって、もっぱらクレジットカードに頼っています。カードなら、万が一盗難にあったときも、被害を最小限に食い止めることができますからな」

「海外旅行のときもね」

「そうです。それに、身元保証にもなる。そういうメリットは、たしかにあります。私のように、クレジット破産を専門に扱ったり、被害者の救済活動をしたりしていますと、カードが諸悪の根源で、全廃するべきだと考えているかのように思われることがあるんですがね。もちろん、そんなことはないんです。それはわかっていただけますか」

「ええ、無論ですよ」

うなずいて、弁護士は続けた。「さて、消費者信用が、身長二メートルなのに十メートルもの影ができている、その大きな原因が、これから申し上げる無差別過剰与信と、高金利・高手数料なんですよ。ここからが本題です」

たとえば、と言って、少し考え、

「一年ほど前に私が自己破産の相談を受けたケースなんですがね、二十八歳のサラリーマンで、その時点で、クレジットカードを三十三枚持ち、負債総額はなんと三千万円にまで達していました。彼の給料は、月額手取りで二十万円です。ほかに資産はない。これをどう思います？」

三千万——一介の地方公務員である本間には、退職金でもお目にかかれない額である。

「手取り二十万の人間が、なぜ三千万円もの借金をつくることができたのか。誰がそこまで貸したのか。どうして借りることができたのか。これが過剰与信、過剰融資ということですよ」

お冷やのコップを手にとったが、空だったのでテーブルに戻すと、

「負債が膨らんでいく過程は、一般にはこうです。まず、クレジットカードをつくる。便利に使う。ショッピング、旅行。カード一枚で手軽にできる。そのうち数が増えてくる。一般の勤め人なら、まず審査でひっかかることなどないし、デパートでも銀行でもスーパーでも、どこでもカードをつくれと勧めてくる。カード会員になれば、割引とか優待とか、さまざまな特典がついてくる。で、彼はカードの数を増やしてゆく。先ほど申し上げたように、クレジットカードの『受皿』はそこらじゅうにあるんです

からな」

弁護士はぽっちゃりとした手をあげ、一枚、二枚と数えるように指を折った。

「そのうち、ショッピングだけでなく、キャッシングも利用するようになってくる。便利ですからな。つまり『販売信用』だけでなく、『消費者金融』の方にも手を広げたわけです。といって、別段すごい思い切りが必要なわけではない。銀行系のカードですと、銀行口座から金を引き出すためのCD機で、そのままキャッシングができるようになっています。信販系・流通系の場合は、銀行のCDコーナーのような外見のカラフルなキャッシング機が、店舗の内外に設置してある。クレジットカードを入れて、暗証番号を押せば、自分の口座の金を引き出すのと同じように、簡単に借金ができるというわけだ」

さっきの女子店員が器を下げ、お冷やを足してくれた。弁護士は軽く手をあげて礼を示した。

「これは象徴的な例なんですがね。やはり私の扱ったケースで、キャッシングを始めたきっかけは『間違い』からだった、という依頼者がいました」

「間違い？」

「はい。その依頼者は、最初、銀行の口座から自分の金を引き出すつもりだったんですな。ところが、自分では、CD機にキャッシュカードを入れたつもりだったのに、実際にはクレジットカードを入れていたんです。その人は、たまたま、ふたつのカードの暗証番号を同じものにしていたので、それで金が出てきてしまった。本人は、払出伝票が出てこないのはおかしいな、と思ったけれど、特に気にも留めなかった。で、その月のクレジットカードの請求書が来てみて初めて、間違いに気がついたというわけです」

「驚いたでしょうね。利子もとられるんだし」

「そうですな。しかし、『なんだ、キャッシングって簡単なんだな』と思ったそうです。利子も、そのときはそれほど高いとは感じなかった。十万円借りて、三千円ちょっとだったそうです。約一ヵ月でね。これをよく覚えていてくださいよ。そのときは、べつに高いとは思わなかったんです。だから、それからちょくちょく利用するようになったというわけです」

コップのお冷やを一息に半分ほど飲んで、「ショッピング。キャッシング。便利に使い続ける。一度にどかっと使うわけじゃなく、少しずつだから、浪費しているという感覚もない。ところが、借財は借財ですからね。期日がきたら払わなければならない。溜《た》まればだんだん財政が苦しくなってくる。たとえば、入社したてのサラリーマンで、仮に給料の手取りが十五万円だとしますと、支払い額が月二、三万なら払うことができます。四、五万だと苦しい。しかし、ちょっと油断をしていると、それぐらいにはすぐになってしまう。そこで、いきおい、キャッシングに頼るようになってくる。A社の支払いのために、B社のカードでキャッシングするわけです。これが始まると、あとはもう雪だるま式に借入れが増えてきて、そのうちもうキャッシングだけではどうにもならなくなってくる。さあ、どうすると思います？」

「サラ金ですか」

「そのとおり」弁護士はぴしゃりと言った。「そして、ここでもまた同じ経過の繰り返しだ。A社で借りた金の支払いが焦《こ》げつき始める。で、B社に行く。次はC、D、E社だ。サラ金によっては、自社の支払いをさせるために、顧客に他の会社を紹介するところもあるんですよ。もちろん、もっとランクの低い、資金力の少ない、だから審査の甘い会社だ。経営が苦しいからこそ、無制限にどんどん貸すのです。こうして利子を取り立てる。それが仕組みです」

客の方は、もう、明日の支払い、次の支払い期限のことしか考えることができない。貸してくれるならどこへでも行く――という心理状態に追い込まれてゆくのだろう。

「だから、生真面目《きまじめ》で気の小さい人――ということですか」

本間が尋ねると、弁護士は勢いよくうなずいた。

「そうです、そうです。こういう人たちは、逃げたり放り出したりすることが考えられない。なんとか返さなきゃ。ただそれだけしか考えられなくなってしまうんですよ。それで、どんどん深みに落ちてゆく。身体《からだ》をこわして、もっとまずいことになる」

「関根彰子も？」

「典型でしたよ」

一時は、会社勤めのほかに、夜のアルバイトまでしていた——

「こうしてどんどん悪いほうへ転がって、行きつく最悪の場所のひとつが、いわゆる『買取屋』のところです。本間さんは仕事柄《がら》ご存じかもしれませんな。客にクレジットカードをつくらせ、それで買物をさせて、七掛けぐらいで買取り、それを支払いに充《あ》てさせるのです。そうやって買わせる品物は、家電製品から装飾品までいろいろですが、多いのは新幹線のチケットでね。これが、金券屋に流れて格安チケットになる。そういうのを買って、私なんぞも出張にいくわけです。なにせ、安いですからな」

歪《ゆが》むような笑いが、弁護士の口元からこぼれた。

「こういうふうに、一度はまりこむと、容易には抜け出すことができない構造になっているんですよ。真面目人間ほど、ここに足をとられると身動きできなくなってしまう。そして追いつめられて、最後には、いちばん悪い形で結着をつけようとしてしまい、犯罪をおかしたりするんです」

ちょっと苦笑して、本間は言った。「警察官の不祥事に、ほとんどの場合サラ金問題がからんでいるのも、それですかね」

今度は、弁護士は笑わなかった。「そうです。社会的な体面を守らねばならないという職業ですからな。ほかにも、教師や自衛隊員、よろずの公務員」

たしかに、笑い事ではない。

「常識的に考えたなら、二十歳かそこらの若者に、一千万も二千万も貸す業者がいること自体がおかしいでしょう。しかし、現実にはいるんです。それは、この業界自体が、壮絶な自転車操業をしているからなんですよ。だから、貸して、貸して、貸しまくる。最後にババを引くのが自分のところでなければいい、という考え方だから、それができるんです。事実、銀行でも信販会社でもサラ金でも、大手はめったにババを引かない。今お話したような構造のなかでは、ピラミッドの上の方にいる業者はスカをつかまないでいいようにできているんです。そして、ツケは下へ下へと回されていく。そういう重しに、債務者が――転がり落ちるに連れて借金が重なってゆく多重債務者がくくりつけられて、二度と浮かび上がることのできないところまで沈んでゆく」

温和な弁護士の顔に、初めて、険しいしわが刻まれた。

「時計の針を何十年か昔に戻してみてください。昔懐《なつ》かしき質屋の時代にね。あの時代には、無制限に金を借りることなどできなかった。なんとか工面して質草を入れるか、せいぜい給料の前借りくらいです。巷《ちまた》には、一般人に無担保融資をしてくれる機関など、どこを探してもなかった。しかし、その方がよかったと言うこともできない。そのころに比べたら、現代の方が、はるかに暮らしやすい時代になっているのだから」

店内はすき始めていた。カウンターの向こうで、またひとかたまりの白い湯気があがった。

「誤解のないように重ねていいますが、私は、消費者信用などなかった昔に戻れと言っているわけじゃないんです。だって、五十七兆円ですよ。どうやったって、これだけの金が動く産業を失《な》くしてしまうことはできません。不可能だ。これはもう、わが国の経済を支える柱の一本なのだから。私が言いたいのは、この柱のために、毎年何万人もの人柱を立てるような馬鹿《ばか》な真似《まね》は、もういい加減にやめたらどうだということなんです。自殺したり、一家心中したり、夜逃げしたり、犯罪に走って他者を巻き込む悲劇を起こすところまで追い込まれる、多重債務者という人柱をね」

「それには、この構造を変えるべきだと？」

「そうです。それと、どう考えてもおかしい高金利を取り締まることだ。大手サラ金の金利は年利で二五パーセントから三五パーセントというところなんですが、これは、利息制限法と改正出資法のはざまに落ち込んで、『悪いことではあるんだがいちいち咎《とが》めていられない』という、いわゆるグレイ・ゾーンのなかにある金利なんです。しかし、これが個々の債務者にとっては大問題でね。たとえば──」

手をのばして、弁護士はまたテーブルの上に斜線を引いた。二〇度ぐらいの角度で始まり、緩やかに上昇して、最後は四五度ぐらいになる斜線だった。

「カードでキャッシングして、支払いに困り、サラ金にまで手を出す──このパターンで、借入が二百万円、年利三〇パーセントとしますと、七年目で千六百万円ぐらいにまで膨らむんですよ。それがこのカーブです」と、もう一度斜線をなぞった。

「私の依頼者のなかで、三十代の男性で千二百万円の負債を抱えていた人がいましたが、彼の場合、そのうちの九百万円ぐらいは金利分でした。夜店のカルメラ焼きですな。どんどん膨らんでいくんです。そういう金利の怖さに、借りるときには気がつかない。キャッシング機械は、カードを差し込んだとき、金利の説明までしてくれませんからな」

弁護士は、口元をしわしわと歪め、笑ったような顔をした。

「そう、そして、これが私の言う三つめのことにつながってきます。それは、教育を徹底すること。知識を広げること。先ほど、キャッシングした人が、最初はそれほど高いと思わなかったと言った、と申しましたな？」

「ええ。それを覚えていてくれと」

「そうなんです。最初はあまり感じない。金利というのはおんぶお化けみたいなものでね。先へゆくほど重くなる。それと、キャッシングという、この言葉の魔術です。サラ金にいくのはカッコ悪い。特に若者はね。だが、クレジットカードでキャッシングするのはスマートな感じがする。それに、サラ金に比べて金利も安いような気がする。ところが、これがとんでもない錯覚でしてね。クレジットカードでのキャッシングの金利は、年利に換算すると二五パーセントから三五パーセント。大手のサラ金の金利とどっこいどっこいなんです。ところが、それを知らないと、なんとなく、漠然《ばくぜん》と、クレジットカードのキャッシングなら安全だ、と思い込んでしまう。これが間違いの第一歩です」

溝口弁護士のお冷やのグラスは、また空になった。

「とりわけ、若い人たちがこのからくりにひっかかってしまう。消費者信用は、若年層の利用者の開拓に力を入れていますからね。企業はどの業界でもみんなそうだが、客には美味《おい》しいことしか言わんですよ。こっちが賢くなるしかないんです。それなのに、現状ではその部分がスポンと抜けている。大手都市銀行が最初に学生向けクレジットカードを出してから今年でちょうど二十年目になりますが、その二十年間に、どこの大学が、高校が、中学校が、このクレジット社会で正しくカードを使いこなしてゆくための指導をしましたか？ これこそ、今するべきことなのに。都立高校では、卒業前の女子生徒を集めて化粧の講習をするそうですが、そんな洒落《しゃれ》っ気があるのなら、クレジット社会に乗り出すための基礎知識を教える講習も、一緒に開くべきなんです」

腹立たしいのは、と、テーブルをぽんと叩《たた》いて、

「私はなんでもかんでもおかみのせいにするのは好きじゃないですが、それでもやっぱり腹が立つのは、この問題に関しても、お役所の縦割り行政にひっかかってしまうということなんです。消費者信用というこの業界全体を管轄《かんかつ》するお目付け役は、今、ないんですよ」

「ないって――」

「販売信用は通産省、消費者金融は大蔵省の管轄なんです。国家予算規模の産業に、ぴしりと睨《にら》みをきかせるべき役所がふたつに分かれていて、毎度のことながら連絡がうまくいってない。だから、よろずにつけ素早い対応ができないんですよ。現実には、ひとつの銀行が販売信用もやればキャッシングもする。一枚のカードでやっているというのにねえ」

よろしいか、と言って、溝口弁護士はぐいと身を乗り出した。カウンターの店主がちらっとこちらを見て、少し微笑したことに、本間は気がついた。こういう場面を見慣れているのかもしれない。

「あなたは関根彰子さんがどういう女性だか知りたいと思っておられる。調べるつもりでおられる。私は、私が知っている範囲内で協力するつもりです。だから、ここまで話してきました。これは長い前置きだと思っていただいて結構です」

「消費者信用の産業構造ですな」

「そうです。あなたは今、こう考えておられるかもしれない。なるほど、消費者信用の世界にいろいろ問題があることはよくわかった。構造上の問題、金利の問題、行政の不手際《ふてぎわ》、教育の不足。それはわかった。でもしかし、返すことができないとわかりきっている金を借りてにっちもさっちもいかなくなるのは、やっぱり個人の問題じゃないか。やっぱり、その個人に弱点があるから、世の中を甘く見ているところがあるから、だからそこまで落ち込んでしまうのだ。その証拠に、日本国民全員が多重債務者になるわけじゃない。現に、俺《おれ》だって、そんなふうにはなっていない。まともな、ちゃんとした人間なら大丈夫なはずだ。多重債務を抱えるのは、やっぱり本人に何らかの欠陥や欠点があるからなのだ、と。違いますかな？」

図星だった。ほかにどうしようもなかったので、本間はカウンターの店主の顔を見た。彼は笑っていた。

「当たりましたか」

「当たりました」

咳払《せきばら》いして、ちょっと間をおき、溝口弁護士はいきなり尋ねた。

「本間さん、あなた車の運転をなさいますか？」

「は？」

「運転です。免許はお持ちですか」

うなずいて、答えた。「ええ、持ってます。ただ、運転はしませんね」

「それはお仕事が忙しいので、そんな暇がないからですか」

「いえ――」

言い辛《づら》いのは、相手が驚くからだ。だが、ここは話しておこうと思った。

「実は、三年前に、家内が事故に遭いましてね。雨の日に、反対車線から飛び出してきたトラックにぶつかられて、大破したんです」

溝口弁護士は、大きく目を見開いた。「それで――」

「亡《な》くなりました。ほとんど即死だったようです。それ以来、私も運転はしてないんですよ。車もないし、やはり、気が重くてね。一応、時期がくれば更新はしてますが」

無言で、弁護士は身を引いた。それから、まるで小学生のようにぺこりと頭をさげた。「知らないとはいえ、辛いことをうかがってしまった」

「いえ、いいんですよ。気にしないでください」

実に真面目な人間なのだ、と思った。

「それより、車がなにか？」

先を促すと、姿勢を正して、弁護士は続けた。「申し訳ないことをうかがいましたが、それを聞いて、あなたなら、私の言おうとすることを理解してくださるかもしれないと思いましたよ」

「というと？」

「奥さんは安全運転のかたでしたか？」

「ええ。子供を乗せることも多かったので。慎重すぎるくらいでしたね」

「相手のトラックの運転手は？」

「居眠り運転だったそうです。ただ、過労で——それを聞くと、正直やりきれなくなりましたね。欠員があったとかで、まる二日、仮眠もとらずに、九州から東北まで駆け回った帰り道だったんです」

うなずいて、弁護士は訊《き》いた。「事故現場に中央分離帯はありましたか？　道幅はどうです？　とっさのときに、奥さんが対向車を避けることができるほどのゆとりがありましたか？」

ふたつの質問に、本間は黙って首を振ることで答えた。

「その場合、悪かったのは誰でしょうな？」と、弁護士は言った。「無論、居眠り運転のトラック野郎には過失があった。が、彼をそういう勤務状態においた雇い主にも問題はあった。大型トラックと普通乗用車が一緒に走行するような道路に、衝撃を受け止める中央分離帯をつくらなかった行政側も悪い。道幅が狭いことも悪い。道を広げたくても広げられないのは、自治体の都市計画が悪いからだし、地価が途方もなく高騰《こうとう》しているからでもある」

呟《つぶや》くようにそれだけ言い並べて、顔をあげた。

「そうやって考えてゆくと、事故には無数の要因があるし、理由がある。改善しなければならない点も多々ある。仮に、今ここで、私がそれを全部棚上《たなあ》げにして、『でも結局は、事故を起こすのは、そのドライバーが悪いからだ。被害者も加害者も同じことだ。まともな人間なら事故など起こさない。事故に遭うのは、そのドライバーに欠点があるからだ』と言ったら、あなたはどう思われますか」

それは修辞的な質問であるとわかっていたから、本間は答えなかった。弁護士の顔を見ていた。そして、前回初めて会ったとき、彼が「クレジット・ローン破産は公害のようなものだ」と言ったことを思い出していた。

「そうなんですよ」と、溝口弁護士はうなずいた。

「多重債務者たちを、ひとまとめにして『人間的に欠陥があるからそうなるのだ』と断罪するのは易《やさ》しいことです。だがそれは、自動車事故に遭ったドライバーを、前後の事情も何も一切斟酌《しんしゃく》せずに、『おまえたちの腕が悪いからそうなるのだ。そういう人間は免許なんかとらないほうがよかったんだ』と切って捨てるのと同じことだ。『それが証拠に、ほら、事故を起こしていない人間だっているじゃないか』とね。そういう人間を見習え、とね」

本間の頭のなかに、事故のあと病院を退院し、交通課の刑事に付き添われて焼香にやってきた、あの運転手の顔が浮かんできた。おかしなことに、顔立ちははっきり記憶していない。覚えているのは、彼が最後までこちらの目を見ようとしなかったことだ。そして、始終手を震わせていたことだ。あとになって、彼のぶるぶる震える指先からこぼれた焼香の灰を掃除しようと、彼の正座していた畳の上に膝《ひざ》をついたとき、そこに彼の体温が、異様に温かく残っているのを感じたことだった。

それで、ああ、あいつは生き残ったからな、と思った。そのとき初めて、しばらくのあいだ口もきけないほど腹が立って腹が立ってたまらなかった。

だが、その怒りは、千鶴子を殺したのはあの運転手だけではないとわかっていたから、だからわいてきたものだった。悪いのは運転手だけではないとわかっていたからこそ。

わかっていながらどうしようもないから、だから腹が立ったのだった。

小柄な弁護士は、言葉を切って本間の顔を見つめていた。ほんの数秒だが、放心していたらしい。

「先生のおっしゃることは、よくわかりますよ」と言ってみた。その自分の声で、やっと現実に戻ったような気がした。

ゆっくりと、弁護士は続けた。

「交通事故において、ドライバーの責任論だけを云々《うんぬん》して、おざなりな自動車行政や、安全性よりも見てくれと経済性ばかりにこだわって、次から次へとニューモデルを出してくる自動車業界の体質に目を向けないことは間違っている。そうでしょう？」

「ええ」

「たしかに、一部には問題のあるドライバーがいます。免許を取り上げた方が社会のためだ、という人間だ。しかし、そういうドライバーと、なんの過失もないのに事故で命を落とされたあなたの奥さんのようなドライバーを一緒にして、ただ『事故に遭ったのは本人が悪いからだ』と言い捨てることは、もっと間違っている。消費者信用についても、多重債務者についても、それとまったく同じなのですよ」

一部には、たしかに、本人に問題がある場合もある。そういうケースもある。だが、それだけではない。そこで切って捨て、あとは知らん顔していられるような問題ではないのだ。

少し口調を変え、ほんのわずかではあるけれど、個人的な感傷をにじませて、弁護士は言った。

「現行の破産法には、いろいろ改正するべき問題点があります。一部のマスコミなどで、『借金を踏み倒し放題の自己破産』とか、『無責任の風潮をあおる借り倒し』とか、派手に取り上げられているのもその部分でしてね。自己破産の手続きについてはご存じですか？」

「おおまかですが」

「手順としては簡単なんですよ」と、弁護士は言って、説明してくれた。

まず、管轄の地方裁判所に破産申立てをする。必要事項を記入した破産申立書に、戸籍謄本《とうほん》、住民票、財産目録、債権者一覧表を添え、債務を抱えるに至った事情を詳しく書いた文書と一緒に提出すればいい。そのあと、裁判所から呼び出しを受けたら出頭し、裁判官に面接して、口頭で事実の確認を受ける。これを「審尋」という。

裁判所の調査やこの審尋は、それほど時間がかかるものではない。個人破産の場合は、申立て後一ヵ月半から二ヵ月程度で破産宣告がおりることが多い。

「個人破産でも、持ち家などの資産があって、ある程度の配当を見込むことができる場合は、破産宣告がおりると、企業の破産のときと同じように、裁判所の委託を受けた破産管財人が、債権者の調査、整理、配当の手配にとりかかります。この間、破産者は、裁判所の許可なく引っ越したり旅行したりすることはできないし、郵便物も、破産管財人のもとに転送されたりするんですよ。それが普通の形です。ですが、破産者が二十代の若者だったりしますと、まず、こういう経過にはなりませんね。だって、換価して――つまり、売って配当の足しにできるような資産を持ってないでしょう？　衣料品や家具、オーディオ製品なんかは、売却しても二束三文ですからなあ。こういう類《たぐい》のものは、たいていの場合、本人の手元に残されることになります」

配当に充《あ》てるべき財源が――これを「破産財団」と呼ぶのだが――存在しなければ、当然、「破産」という状態を続けることにも意味がなくなる。そこで、こういう場合は、たいがい、「同時破産廃止」といって、宣告と同時に破産も廃止される。これならば、破産宣告即廃止だから、居住制限なども受けることはない。

しかし、これではまだ、債務がなくなったわけではない。同時破産廃止決定から一ヵ月以内に、今度は「免責」の申立てをしなければならない。これが認められて初めて、債務支払いの義務から解放されるのだ。この決定には、半年から七ヵ月ほどかかる。

個人破産の場合、免責がとれないというケースは、まずないと言っていい。条件はいくつかあるが、

「まず、その破産者が、過去十年以内に破産・免責の決定を受けていないこと。つまり、一人につき十年に一度だけというのが、最低限の決まりというわけです」

また、悪質な資産隠しをしたり、破産申立ての準備をしながら、債権者には嘘《うそ》をついて借金を重ねるなど、詐欺《さぎ》的行為をすると、これも免責不許可の原因となってしまう。だが、それさえなければ、たとえ破産の原因が遊興費の使いすぎや度の過ぎた浪費によるものであっても、その負債がある程度の年月にわたって蓄積されたものであり（短期間で急激にできた借財だと、作為的な破産ととられる場合がある）、破産者に「やりなおしたい」という意欲さえあれば大丈夫だ、という。

「これは、破産という手続きが、何よりもまず第一に債務者の救済を目的としているからなんですよ」と、弁護士は言った。「しかし、昨今、ここのところが誤解されてましてな。浪費でできた借金まで帳消しにするとは何事か、というわけです」

ため息をついた。そのときだけ、溝口弁護士が急に年老いて見えた。

「たしかに、高齢の年金生活者や生活力のない未成年者はともかく、働き盛りのサラリーマンや若者まで、宣告ひとつで借金がチャラになるというのはね。やはり、道義的にどうかな、と思われる点もあるでしょう。こういう債務者には、法外な金利分をのぞいて、元金の分だけでも、働きながら分割で返済させるような仕組みにしていった方が適切だろうとは、私も考えています」

しかしね、と笑って、

「今目の前で火の手があがって、大勢の人間が助けを求めているんですよ。それを目のあたりにして、梯子《はしご》車の駐車違反を云々していることはできません。まず救《たす》ける。それから、改正するべきところは正していったらいいんです」

本間はうなずいた。「おっしゃるとおりだと思いますよ」

「自己破産という法手続きについての知識がないばっかりに、借金を苦に自殺したり、一家離散したり、夜逃げをしたり……信じられないようですが、そういう悲劇が、今でもたくさん起こっているんです。最近は、少しは我々の努力の甲斐《かい》もあったのか、そんな事態になる前に相談しにくる依頼者が増えてはいますがね」

「どれぐらいいるものなんです？」

手帳をちらっと見てから、弁護士は答えた。「自己破産の申立て件数はうなぎ登りに増えていますよ。裁判所の破産部はてんてこまいです。昭和五十九年当時のサラ金パニックのころには、全国で年間二万件を超えましてね、そのあと緩やかに減っていたんですが、ここ数年でまた上昇傾向にあります。平成二年には一万二千件ほどでしたが、昨年は二万三千件でしたし、今年は確実にそれを超えるでしょう。ついこのあいだ、うちの事務所で、東京地区の『クレジット問題一一〇番』というようなことをやったんですがね。二日間にわたって、六台の電話が鳴りづめでした。二十代の若者が多かったんですが、子供が借金をこしらえて家出してしまったという親御さんからの電話も目立ちましたよ」

つまりは教育か、と本間は思った。なるほど、学校で教えてもよさそうなものだ。クレジットのCMや広告が、これだけ氾濫《はんらん》しているのだから。

「そういえば、もう十年近く前になるんですな、あの、サラ金パニックは。五十八年十一月にサラ金規制法ができて、貸し金業者が暴力的な取り立てをすることができなくなってから、うちの事務所に相談を持ち込んでくる人たちの雰囲気《ふんいき》も、だいぶ変わりました。ソフトになって、広く拡散したというのかな。悲壮な感じは少なくなったが、逆に、自覚症状が出てきたときにはもう手遅れだ、という感じですよ」

「かえって性質《たち》が悪いかもしれない」

弁護士は、はは、と笑った。

「私はね、講演などで、とにかく夜逃げの前に、死ぬ前に、人を殺す前に、破産という手続きがあることを思い出しなさい、と話すようにしています。聴衆は笑いますよ。しかし、これは笑いごとじゃない。破産についての知識がないばっかりに、家族がバラバラになって、職も失ってね。戸籍や住民票を動かすと取り立て屋にわかってしまうから、子供も学校に仮入学させることになる。息をひそめて暮らしている。たとえば、原発の掃除などの作業をする労働者のなかにも、こういう人たちが混じっているという話を聞いたこともあります。過去を隠しているから、危険な仕事につかざるをえなくなるんですよ。こういう『棄民』が、二、三十万人もいると言われているんですよ。放っておけんでしょう」

生きている幽霊だ、と思った。富の川を流されてゆく棄民の群れ。

店内には、もう溝口弁護士と本間の二人だけしかいなくなっていた。よいこらしょと声をあげて立ち上がりながら、弁護士は店主に声をかけた。

「いつもすまないね」

店主はにっこり笑って応じた。やはり、心得ているようだった。

店を出ると、銀座の裏通りの、華やかな夜の姿とはまた違った顔が出迎えてくれた。妙に自転車が目につき、ゴミの山がそこここに積まれている。夜、この街の無数の店が懸命に吸い込んだ金が、昼の今頃《いまごろ》には銀行に落ち着いてしまい、だからそのせいなのだろう、昼間の銀座は、気やすい街になる。身が軽そうに見える。

金の軛《くびき》は、街の足首にさえ巻きつくことができる。ましてや人のそれには、どれほどに強く絡《から》みつくことか。とらえられた人間が、そのまま干涸《ひから》びて死んでゆくまでか。それとも、必死の刃《やいば》をふるって足首を切り落とし、逃げてゆくまでか。

コートのポケットに手を突っ込んで、溝口弁護士が振り返った。

「五年前、自己破産の手続きを始めて、負債の増えてゆく経過を文書にして書いてもらったときに、関根さんが、私にこんなふうに言ったことがありますよ」

——先生、どうしてこんなに借金をつくることになったのか、あたしにもよくわかんないのよね。あたし、ただ、幸せになりたかっただけなんだけど。

「幸せになりたかっただけ」

本間がそうつぶやくと、弁護士は微笑した。

「そう言っていました。たいした参考にはならないかもしれないが」

歩きだしながら、

「彼女の勤め先の住所など、うちでわかるかぎりのことはお教えします。いつでもどうぞ。澤木君に頼んで、わかるようにしておきますよ」

「ありがたい。助かります」

「その代わりといったらなんですが、経過を教えてください。気になります」

「ええ、必ず」

「関根さんは——無事ですかな?」

その問いは、表向きは、なんの思い入れもなく口に出されたもののように聞こえた。

そういう形でないと、問えなかったのかもしれない。

本間は答えなかった。弁護士も、それ以上尋ねはしなかった。

銀座四丁目の交差点のところで別れた。挨拶《あいさつ》を交わしたあと、もう一度念を押すように、弁護士は言った。

「私の言ったことを、どうか忘れんでください。関根彰子さんは、何も特別にだらしのない女性ではなかった。彼女なりに、一所懸命に生活していました。彼女の身に起こったことは、ちょっと風向きが変われば、あなたや私の身にも起こり得ることだった。彼女を取り込んでいた状況を、いつも頭に入れておいてください。そうでないと、木を見て森を見ないことになる。それでは、彼女も、彼女に成り代わっていた女性を探すこともできないですよ」

「わかりました。肝に銘じておきますよ」

手をあげて、弁護士は背中を向けた。ちょうど信号が変わり、小柄《こがら》な背中は、すぐに人込みのなかにまぎれてしまった。

無数の木のなかに。森のなかに。

見えない流れに乗せられて流れゆく、疑うことを知らぬ民の群れのなかに。

12

早くも茜《あかね》色がかってきた陽《ひ》の下で、子供たちがざっと七、八人、群れている。団地内の児童公園の出入口で、柵《さく》によじ登ったり、しゃがんだり、器用に手をうしろに回して背中をかいたり、足踏みしたりしながら。その輪の中心に、小柄な男が一人いて、両手を腰にあて、何やら大声で演説している。まだ距離があるので内容までは聞き取れなかったが、威勢のいい話し方だった。

子供たちはそれなりに謹聴しているようだし、公園内に居合わせたほかの人々も、注意を引かれているようだ。すぐそばのブランコに並んで腰掛け、それぞれ幼な児《ご》を膝に乗せている若い母親が二人、口元に笑いを浮かべながら、演説する小男を見つめている。

「という手順でいこうじゃないか、諸君」と、小男は子供たちに問いかけた。すると、端の方でしゃがんでいた男の子が、立ち上がりながら、

「いいけどさあ、でもさあ、おじさんさあ、だあれぇ?」と、質問した。

小男は元気に答えた。「俺《おれ》か? 俺は明智《あけち》小五郎《こごろう》だ」

子供たちは顔を見合わせた。

最初にうしろ姿を見たときからわかってはいたのだが、この声を聞いて、小男が誰だかはっきりした。本間は足を早め、公園の柵の脇《わき》を素通りしようと思った。

「アケチコゴロウって？」

案の定、子供たちが訊《き》いている。

「名探偵《めいたんてい》だぞ。知らないのか？ 情けないヤツだ」

「知ってるけどさあ、おじさんじゃないよ」

子供たちの輪のなかから、そうだよね、というようなつぶやきと、もう少し皮肉味が利《き》くと「失笑」と呼んでもよくなるような、気弱な笑い声があがった。すると、それにつられて、まわりの大人たちも笑い声をもらした。さっきの若い母親二人は、口に手をあてて笑い転げている。

小男は、形勢不利と見て、再び声を張り上げた。

「そんなことは、この際どうでもいい。とにかく、今説明したような分担で捜索するんだ。いいかね？ では、かかれ！」

小男がぽんと手を打つと、およそ気合いの入らない感じで、子供たちはだらだらと散開した。

本間はあと数歩で九号棟への角を曲がるところだった。そこへ、声がかかった。

「おーい！」

本間は振り返らず足を緩めもしなかった。もっとも、左足を引きずっているから、どれほど急いでもたかが知れている。小男はどんどん追いかけてきた。

「なんだよ、知らん顔して行くこたあねえだろう」

本間はうしろに向かって手を振った。

「知らん、知らん。俺はあんたとは知り合いじゃないよ。赤の他人だ」

「またそういうことを」

碇貞夫《いかりさだお》は豪快に笑いながら追いついてくると、楽々と肩を並べた。本間の不自由な足取りに合わせながら、

「難儀しとるねえ、え？」

「大きなお世話だ」

「代われるものなら代わってやりたいよ、ホント」

「うるさい」

結局、笑いだしてしまった。「いったい何をやってたんだ？」

碇は胸を張った。「捜索の指揮だ。俺はプロだからな。少年探偵団を集めて訓示を

垂れてた」

「何を探して？」

「犬だよ、犬。迷子になってるらしい」

本間は足を止めた。「ボケのことか？」

碇は（なんだ、知ってたのか）という顔をした。

「そうだよ。情けねえ名前をつけたもんじゃねえか。だから迷子になんかなるんだ」

では、ボケはまだ帰ってきていなかったのだ。

「智《さとる》から聞いてたよ。人懐《ひとなつ》っこい犬でね。あんまり頭は良くない。誰かに拾われちまったかな」

「車にでもはねられてなきゃいいがな」と、碇はやや小さな声で言った。

この男は動物好きなのである。昔、アパートに住みついたドブネズミの一匹一匹に名前をつけていたことがあるのを、本間は知っている。そのうち、足音を聞くだけでどれがどれだかわかるようにまでなった。最初に、彼が万年床の上にあぐらをかいて天井裏を見あげ、「お、今のはクリスチーヌだぞ。あいつはアランとできていやがるんだ」などと言うのを耳にしたときには、いささか正気を疑ったものだが。

エレベーターホールまで来て、やっと一息ついた。

「ボケのことなんか、誰に聞いたんだ？」

「智だよ」と、碇は答えた。自分の子供のように、呼び捨てにしている。智も彼によくなついているので、気にはしていないが、「碇のおじさんに呼ばれると、いっつも怒られてるような気がする」と話していたことはあった。それほど、彼の声は威圧的なのだ。

「あんたを訪ねて三千里やってきたら、あんたは留守で、智が友達と顔突き合わせて犬を探す算段をしてたんだ。で、俺が知恵を貸してやったと」

「さっきの少年探偵団のなかには智はいなかったじゃないか」

碇は小鼻をふくらませた。「小林少年は特別扱いだ。あんたんとこの井坂さんと、カッちゃんと三人で、保健所へ行ってもらった。ボケが保護されてるかもしらんからな」

いつ見ても、碇は同じ背広を着ている。実際には、同じ生地《きじ》同じ仕立ての背広を三着持っていて、それを使い回しているのだそうだが、傍目《はため》には文字どおりのいっちょうらに見える。今も、お馴染《なじ》みのくすんだ茶色の上着の前を開けて、手品のように、大判のハトロン紙の封筒を取り出した。

「ほい。頼まれものだ」

自宅の居間には、まだストーブの暖気が残っていた。勝手知ったるという様子で廊下を横切り、碇が仏壇に線香をあげているあいだに、本間は封筒の中身をあらためた。関根彰子《しょうこ》の宇都宮の除籍謄本《とうほん》と、彼女の雇用記録だ。課長に見咎《みとが》められるかもしれないという気遣いは、やはり無用だったようだ。

「ありがとう、助かった」

碇はチンチンと鉦《かね》を鳴らしながら手をあげて応《こた》えた。仏壇に向かって、

「チイちゃん、あんたの亭主はまた妙なことやってるよ」と言っている。碇と千鶴子は幼なじみで、小学校から一緒だったのだ。本間が彼女と知り合ったのも、警察学校時代に碇に紹介されてのことだった。

あとになって本人も白状していたが、最初からその気で引き合わせたものであったらしい。

(俺にとっちゃ大事な妹みたいなもんだからさ。めったなところには嫁にやれねえから)と言っていた。

(じゃあ自分がもらえばよかったじゃないか)と言い返してやると、かなり真面目《まじめ》に考え込んでから、

(近すぎて駄目《だめ》なんだ)と答えた。(近すぎるんだよ)と。

彼も多忙なので、めったにここを訪れることはない。だが、たまにやってくると、しばらくは仏壇のそばを離れない。本間はいつも、碇の気が済むまでそっとしておくことにしている。

椅子《いす》を引いて腰をおろし、テーブルの上に封筒の中身を広げてみた。

除籍謄本は、きわめてわかりやすいものだった。本物の関根彰子は、偽《にせ》の「彰子」が方南町に分籍する以前は、一度も戸籍を動かしていない。本籍はずっと、父親が筆頭者である「宇都宮市銀杏坂《いちょうざか》町二〇〇一番地」にあった。そこの附票を見てみると、本物の彰子が引っ越した住所が、順番にきちんと記録されていた。最初に記載されているのは、東京都江戸川区葛西南町四丁目十番五号、住所を定めた年月日は、昭和五十八年四月一日だ。

これは、葛西通商に就職した当時の住所だろう。会社の所在地とは番地が違うが、近接している。

都内の地図と、電話と、どっちが手近にあるか。電話だ。手をのばせば届く。そこで、受話器を取りあげ、メモ帳を繰って葛西通商の代表番号を探し、かけてみた。

女性の声が出た。そちらに郵便物を送りたいのだが、住所はこちらでよろしいか、と前置きして、附票にある所番地を読み上げた。すると、相手は、それは会社ではなく、社員寮の住所だと答えた。

電話を切って顔をあげると、碇が和室との境に立ってこちらを見ていた。

「昆布茶《こぶちゃ》がいいな」と言う。

「いちばん下の開きの棚《たな》」と答えると、碇は食器棚に近づいて、言われたとおりの開きの扉《とびら》を開け、小さな缶を取り出した。次に、ヤカンに水を満たしてガスに火をつける。

「セルフサービスか」

「そう」

「動かんと、早くじいさんになる」

「もういい加減じじいになった気分だよ」

附票の、次に記載されていた住所は、関根彰子が破産申立ての当時に暮らしていた、例のキャッスルマンション錦糸町のものだった。おそらく、関根彰子は、葛西通商の社員寮を出て、このマンションに入居するとき、かなりの出費を強《し》いられたに違いない。案外、このあたりからつまずきが始まったのかもしれない、と思った。

若者が社員寮などで暮らしていると、門限も口うるさい寮母も意地悪な先輩の目もない自由な一人暮らしに憧《あこが》れるものだが、では、その自由を獲得するためにはどの程度の金がかかるか、という「現実」には、あまり目を向けることができなくなる。向けても、実感として感じることが難しい。寮にいて丸抱えにしてもらっていると、外の世界では、電気にもガスにも水洗トイレの水にも金がかかるのだということ、金を払わねばそれらの基本的なものさえ手に入れることはできないのだというシビアな事実が、やはりストレートに伝わってはこないからだ。

附票の最後に記載されているのが、彼女が破産後に引っ越し、一九九〇年の三月十七日にそこからふっつりと姿を消すことになる、コーポ川口だった。

母親が亡《な》くなったあと、関根彰子は弁護士を訪ね、保険金のことは訊いているが、それ以外の不動産のことなどは口に出していない。ということは、母親が一人暮らしをしていたという彼女の実家は、おそらく借家だったのだろう。早くに父親を亡くし、母娘《おやこ》二人の家庭だったのだ。これは充分にうなずくことができる。

母親は、除籍謄本と附票の上で見るかぎり、一九八九年十一月二十五日に死亡するまでに、三度引っ越しをしていた。すべて宇都宮市内だ。死亡当時に住民登録していたのは銀杏坂町二〇〇五番地で、ここには十年ほど住みついている。本籍地にも近い。

母親がずっと宇都宮を離れなかったのは、やはり、故郷への愛着があったからだろうか。それとも、一人で都会へ出ていった娘の身を案じ、彼女がいつでも帰ってくることのできる「巣」を守るという気持ちがあったからだろうか。

碇は斜向《はすむ》かいの椅子にどっかり落ち着いていた。本間が見終えた除籍謄本に手をのばして、ぱらりとめくった。それだけで、黙っている。

職安から文書で送ってきた彼女の雇用保険被保険者番号は、本間が考えていたとおりの内容だった。やはり、関根彰子の雇用記録のほうも、ダブって発行されていた。

ひとつは、本物の彰子が葛西通商に就職したときに発行された番号。もうひとつは、一九九〇年四月、偽の彰子が今井事務機に採用され、「今回初めて雇用保険に入る」と言ったときに発行された番号だ。

「書類をもらったあと、職安の担当者と電話で話してみたんだが」と、碇が口を開いた。「番号がダブっていることに、向こうもびっくりしてたな。ただ、過去の雇用記録を隠したがる人間というのはいないわけじゃない、とも話してたがね。そういう人間は、窓口で『初めて就職します』なんて言う。不正受給を防ぐために、しつこく確認する場合もあるが、まあ、相手が普通の勤め人でしかも若い女性なら、初めての就職というのは充分あり得るからな。たいていの場合、そのまま通すと、こういうわけだ。調べるのには手間もかかるし。あんたが言っていたとおり、普通は、記録は七年間だけしか保存されないから、この関根彰子という女性が葛西通商に就職したときの記録は残っていなかった。あったのは、彼女が辞めたときの記録だ。そのあとしばらく、給付を受けてるしな」

うなずいて、本間は考えた。

今井事務機に採用されたとき、偽の彰子は、本物の関根彰子の就職の記録をつかむことができず、彼女の雇用保険被保険者証を手に入れることもできなかったので、仕方なく、窓口では「初めて就職する」と言ったのだろうか。それとも、そのあたりのことは深く考えず、適当に言っておいても大丈夫だろうと思っていたのだろうか、と。

これまでの彼女の行動から推《お》すと、後者のような安直な考え方をするような女性ではなさそうだという気がした。やはり、前者だろう。本物の関根彰子の雇用保険被保険者証が無いので、仕方なく窓口では嘘《うそ》を言ったのだろう。葛西通商を辞めたあと、借金と取り立て屋に追われ、破産の手続きをとり、逃げるように川口へ引っ越し、スナック勤めが身についてゆく――そんな暮らしの激震のなかにあった本物の関根彰子が、薄っぺらい被保険者証を紛失してしまう可能性は、充分ある。それで、偽の彰子が、本物の彰子のコーポ川口の部屋をどれほど探しても、見つけることができなかったのだろう。

ヤカンがふいた。碇が急いで立ち上がり、慣れた手つきで昆布茶をいれ、湯呑《ゆの》みをふたつわしづかみにして戻ってきた。

「用は足りたか」と、湯気を吹きながら訊いた。

「うん。ありがとう」

書類をまとめ、ちらっと横目で盗み見ると、碇もこっちを見ていた。

「まだあるか」

「この女性が、パスポートと運転免許証をもっているかどうか、教えてもらえると助かるなあ、と」

碇は「ふうん」と言った。電話の方に目をやって、

「ここから照会してもいいんだが、パスポートの方はちょっと面倒だしな。嫌《いや》な奴《やっ》に出られても困るから、あとで電話するよ。夜までにわかれば上々だろう？」

「助かるよ」

碇は、いったい何を調べているのだと、尋ねてはこなかった。その心のうちは、よくわかった。今の段階では、これは本間家の身内のもめごとである。自分は、多少力を貸しているにすぎない。したがって、あまりうるさく詮索《せんさく》すべきではない。ことが大きくなるようであれば、本間の方から話すに違いない——と考えているのだ。

「えらい借りになっちまったな。必ず返すから」

すると、碇は言った。「今、返せ」

本間が見返すと、碇は下くちびるを突き出して渋い顔をしてみせた。

「参ってるんだ。知恵を貸してくれよ」

現在捜査中の殺人事件のことだ、という。

「現場は中野なんだ。駅からバスで十分ぐらいのところにある一軒家で、時刻は午前二時すぎ。押し込み強盗にあった。夫婦二人の家で、亭主が刺し殺され、女房は縛られ、賊は逃げた。逃げるところを、近所の人間に見られてる」

「なるほど」

「金持ちの家だ。亭主五十三歳、女房三十歳。後妻だよ」

「子供は？」

「今の女房とのあいだには、いない。だが金はうなるほどある。喫茶店を二軒とビデオショップを一軒、コンビニエンス・ストアを二軒、経営してる」

「豪勢なもんだ」

「で、亭主には一億円の生命保険がかけられている。二人は結婚して一年半。この結婚は、亭主の親戚《しんせき》からは悪評さくさくだった。女房は、財産目当てに男をたらしこんだと思われてる。まあ、常識的な見方かもしれん」

本間は苦笑した。「それで？」

「俺としては、これは狂言強盗だと思う。女房が亭主をやっつけるために仕組んだことだろう。女房にはほかに男がいる。そういう噂《うわさ》もたくさん流れてる。で、その男が彼女のためにひと肌脱《はだ》いだというわけだ」

「妥当な説だな」

「だろう？」と、碇はテーブルを叩《たた》いた。「ところがさ、ここからが問題よ。いねえんだ、容疑者が」

「え？」

「いねえんだよ。それこそレントゲンにかけるようにして私生活を洗っても、女房には愛人のアの字もない。男の影が全然見えない。まるっきりだ。呆《あき》れるほど清廉《せいれん》潔白よ」

「女房の外見は？」

「そりゃもう、ふるいつきたくなるようなというタイプだね。亭主もそれで惚《ほ》れ込んだんだ」

本人に知られたら怒鳴られてしまうだろうが、本間の頭に浮かんだのは、コーポ川口で会った紺野信子の顔だった。彼女も美人だった。そして、しっかり者だった。

「信じられねえ」と、碇が嘆いている。「どう考えたって、男がいるとしか思えない。それなのに、調べてみるといねえんだ。こんなバカな話があるか？　触れなば落ちんてな感じの色っぽい女なんだぞ？　しかも亭主より二十歳も年下だ——」

碇の声をBGMに、本間はぼんやり考えた。片肘《かたひじ》でファイルを支え、質問にてきぱきと答えてきた信子の顔が、頭に浮かぶ。そのあいだ、亭主は娘と皿洗いしながらはしゃいでいた——

（明美、お母ちゃんを呼んできな）

「なあ」と、本間は声を出した。嘆き節を中断されたので、碇は「あん？」と言った。

「今挙げた店の経営、な。主導権を持ってたのは亭主か？　それとも女房か？」

碇は、そば屋のカウンターに座ったのにフランス料理が出てきた、というような顔をした。

「どっちだ？」本間は重ねて訊《き》いた。

「……亭主だろう」

「だろう？　推測か」

「ああ。しかし、金は亭主ががっちり押さえてたからな。実は、税務署にも目をつけられていた。脱税の臭《にお》いもしてたんだそうだ」

「金は亭主が押さえてた」と、本間はゆっくり繰り返した。「でも、それだけじゃ『経営を仕切ってる』とは言えないな。たとえば店の内装とか、ビデオショップならどういうソフトを置くかとか、いろいろ考えなきゃならないことがある。それはどっちがやってたんだろう?」

碇はすぐに答えた。「ああ、そりゃ亭主の仕事だ。女房は、そういうことには口を突っ込まないようになってた。年上の優しい亭主が、『おまえはそんなことに頭を使わないでいいんだよ』と甘やかしてたわけだ」

「そのことで、二人のあいだにもめごとや口論があったという形跡は?」

碇は首を振った。「調べたかぎりでは、ない。だいたい、あの女房はそんなことをしたがるタイプに見えないよ。玉の輿狙《こしねら》いがぴたっと当たって、これで一生遊んで暮らせると喜んでた女だぜ」

「そうかな……」

「そうさ」と、碇は笑った。「ただ、店員たちは、わりと女房に好意的だった。そうそう、喫茶店の雇われ店長が、店内のBGMのことで、彼女に面白い意見を出してもらったことがあったと言ってたな。ほら、女房は今風のギャルだったわけだからな。若者向けの店を繁盛させるにはどういうところを押さえたらいいか、その勘所はつかんでたんじゃないか？　お客としての経験から、な」

本間は大きくうなずいた。「あとふたつ」

「なんだよ」

「女房の結婚前の職業は？」

「普通のＯＬだよ」

「事務か」

「うん。まあ、誰にでもできるような雑用仕事だろうな。専門職じゃなかった。本人は、簿記をやってたりして、そうバカではなさそうだがね」

また、紺野信子の顔が浮かんだ。

「ふたつめ。さっき、女房には愛人がいるという噂がある、と言ったよな。それは根拠があるのか？」

「近所の人間や、店の従業員たちの話でね。女房がときどき、妙にめかしこんで、こっそり出かけるところを見たというんだな」

「だが、相手の男は特定できない？」

「そうだよ。だから参ってる」

「そういうとき、女房はどういう格好をして出かけていったんだろうな」

「服装か？」

「うん。スーツか？　和服か？　ひらひらのワンピースか？　香水はつけてたか？　化粧は濃かったか？　それと、どういうハンドバッグを持ってたかも問題だ。化粧品とハンカチぐらいしか入らない、お飾りみたいなやつか。それとも、ノートや帳簿のたぐいまで入る、機能的な大きいやつか。靴も問題だな。キラキラか？　それとも実用的か」

途中から警察手帳を取り出し、メモをとっていた碇は、大きな目をぐりぐりさせた。

「どういうことだ、それは」

頭のうしろで両手を組み、椅子の背にもたれながら、本間は言った。

「男の影が見えないというから、あくまでも、それを大前提にして言うんだがね。もし、その女房が、他人の目を忍ぶようにして外出するとき、いつもきちんとした身形《みなり》をして、化粧も香水も抑えて、実用的なバッグにシンプルな靴《くつ》をはいていたなら、彼女が会ってた相手は限られてくると思う」

碇は身構えた。「誰だ？」

本間は目を細くした。「いちばん可能性が高いのは――」

「高いのは？」

「銀行だ」と、本間は言った。「亭主がメインバンクにしてたところとは別の銀行だ。新しいところだ。彼女と取り引きしてくれる銀行さ。だから、こっそり会いに行ってたんだよ。亭主にバレたら大変だろ？」

碇は小さいが肉づきのいい手を広げた。「そんなバカな。女房が銀行屋に会ってどうするんだよ」

「事業の話さ。融資の」

「なんで？」

「彼女が自分で店を仕切るつもりだったんじゃないのか？　自分で経営したかったんだよ。喫茶店やビデオショップを」

広げた手をおろしてしまった碇に、本間は笑いかけた。

「あんたも俺《おれ》も、長いことこの商売をやってて、先入観があるだろ？　女が犯罪をおかすときには、背後に必ず男がいる。つまりさ、女は男なしでは犯罪に走ったりしない。男のためにこそする。女の犯罪は、全部情痴がらみだ。万にひとつの例外もない、という思い込みだ。嬰児《えいじ》殺しだって、広い意味では情痴の犯罪だからな」

「……そうだな。現実にそうだった」

「そうだ。ところがさ、昨今は違ってきてるんだ。いや、昨今じゃない。現実は、とっくの昔に違い始めてたんじゃないか？　女のなかにも、男がらみでない動機で——たとえば事業をやりたい、だからそれを邪魔する人間を排除する——そういう考え方で動くのが出てきてるんだ」

碇は反論しかけたが、あやふやな感じに口を閉じてしまった。本間は続けた。

「もともと、この女房は、最初から、亭主の財産に惹《ひ》かれて結婚したんじゃなかったのかもしれない。亭主の事業に惹かれたのかもしれない。そして、結婚すれば、自分も彼を通してそういう事業に関《かか》わることができると思ってたんじゃないか」

OLも、二十代も後半になって、使い走り程度の事務仕事をしていると、それなりに惨《みじ》めで辛《つら》い思いをすることだろう。昔は、そこから抜け出す手段は「結婚」しかなかった。

今は違う。「留学」「独立」「事業」と、いろいろな道が開けている。だが、それだって金がかかる。半端《はんぱ》ではない金が。そこで、ステップとして、年上の羽振りのいい事業家との「結婚」を選択した——

ゆっくりまばたきして、碇が言った。「だが、いざ結婚してみると、そうはいかなかった？」

「うん。亭主は彼女に金をくれ、甘やかしてはくれるが、経営にはタッチさせてくれない。おまえの可愛《かわい》い頭をそんなことに使うな、という。それじゃ、職場の花であればよかったＯＬの時代と同じだ。何も変わらない」

「しかし、俺の目には、ああいうギャルちゃんたちはそれで満足してるというふうに見えるがね」

碇はしぶとく抵抗する。しかし、「ギャルちゃん」とは、またすごい。

「そりゃ、そういう女もいるだろうさ。でも、そうでない女もいる。本当なら、これは男女の性別に限らないんだろうけどな」

「そうかねえ」

「ある種の独立心と気概のある女にとって、男から『いいよいいよ、君の可愛い頭を、そんな君には理解できないような難しいことのために悩ますことはない。そんなことは僕に任せて、君は爪《つめ》でも磨《みが》いてなさい』と言われるのは、我慢できないほど腹の立つことじゃないかね」

「しかし、この女は亭主と喧嘩《けんか》はしてないぞ」

「喧嘩できなかったんだろうさ。亭主の方が本気で相手にならなかったんだ。可愛娘《かわいこ》ちゃん、なにをそんなにムキになってるんだよ、という調子で。だから彼女は怒った。プライドが傷ついたろうさ。なんとかしようと、あれこれ考えたろう。でも、そのままでにどうにも突破口が開けなかったんで、荒っぽい手を使った──」

言いさして、本間は言葉を選んだ。

「それに、彼女は、自分にも亭主と変わらないだけの能力も決断力もあることを実証したかったんじゃないか。亭主を巧《うま》く排除することで。だから、ひょっとしたら、彼女は、共犯者と二人で亭主を殺すとき、それまで腹の底にためて我慢してきた鬱憤《うっぷん》を、全部ぶちまけて彼を驚かせたかもしれない」

碇は、そば屋のレジでフランス料理のフルコース並みの代金を請求されたような顔をしていた。

「しかし、共犯者はいるんだろ？」と、撤退する小隊が最後のひとつのトーチカを死守するような面持《おもも》ちで訊いた。「それは愛人だな？　男だ。きっとな。愛人に協力を頼んだんだろう。やっぱり、フィクサーは男だよ」

「だって、男の影は出てこないんだろ？」

「俺らの捜査が足らないのかもしれん」

本間はあっさり言った。「そうとは思わんね。男の影が浮かんでこないなら、共犯者も女なんだ。ＯＬ時代に仲の良かった同僚とかさ。一緒に事業をやろう、そのためには邪魔な亭主を……と、話を持ちかけたのかもしれん。女が女に会ってたって、誰も怪しいとは思わないから目立たないし、二人がかりで寝込みを襲えば、男の一人ぐらい刺し殺せる。その辺を洗ってみたらどうだ？」

しばらくのあいだ、碇は無言だった。やがて、唖然《あぜん》としたような口調で、ぽつりと言った。

「その女房には、えらく仲のいい女友達がいる。葬式のとき、まめに世話を焼いてたよ」

「じゃ、それかもしれないな」

碇はじろっとにらんできた。そして言った。「俺もいっぺん撃たれてみるかな」

結構いいもんだぞ、と軽口を叩き返そうとして、本間はふと口をつぐんだ。

女だって、情痴のためだけに犯罪をおかすとは限らない。変わってきているのだ――。

それを考えたのは、やっぱり、「関根彰子」のせいかもしれない。

彼女は他人の戸籍を盗み、身分を偽り、それが露見しそうになると、目前の結婚を蹴《け》って逃げだしている。何が目的なのか、何があったのかはまだわからないが、その行動が、いわゆる恋愛のため、男のため、情欲のためでないことは確実だ。

順番からいって、彼女が関根彰子に成り済ましたのは、和也と結婚したかったからではない。和也との恋愛は、あとからついてきたものだった。彼女の偽《にせ》の名前と、その上に築いた偽の生活のなかに。

そして、そこにひとつ綻《ほころ》びができると、置き去りにされる和也の心情も、今井事務機のひとたちの驚きや迷惑も一切斟酌《しんしゃく》せず、姿を消した――

彼女は追われているのだと、本間は思う。それは、はっきり断言していい。彼女は逃げている。まだその正体はわからないが、執拗《しつよう》に彼女を追跡しているものから、必死で逃げている。知恵をしぼり、神経を尖《とが》らせて。

そして、彼女はそれを、まったく一人でやり抜いている。そう思った。彼女は単独だ。彼女は一人だ。誰の心情をはばかることもなければ、誰の指示に従うこともない。

明るい花柄《はながら》の壁紙を一枚めくってみれば、そこには鉄筋で支えられたコンクリートの壁が隠れている。誰にも容易に突破できず、崩すこともできない壁が。

その、鉄のような存在意志。

ただ、自分のためだけに。そういう女だ。そしてこういう女は、たしかに、十年前にはまだ社会のなかに存在していなかったかもしれない。

「俺ら、もう頭が古いのかなあ」と、碇がつぶやいた。

碇が帰るのと入れ違いに、井坂と智が戻ってきた。

「ボケ、見つからなかった」と、智はがっかりしている。

「どこかで死んじゃってるかな？　碇のおじさんは、もし死んでるなら、清掃局か保健所でちゃんと始末してるから、すぐわかるって言ってた」

「で、そっちは？」

「いいえ、ボケのような外見の犬を扱ったという記録はないそうですよ」と、井坂が答えた。智を気遣って、言葉を選んでいる。

「あれは気やすい犬だったからね。通りがかりのドライバーかなんかが、『あら可愛い』って連れていっちまったのかもしれないよ」

壁にもたれて、智は黙っている。本間と井坂は顔を見合わせた。

「ねえ、お父さん」

小さな声で、智が言った。

「なんだい」

「保健所に、犬、いっぱいいたよ」

本間は、（嫌《いや》だな）と思った。親として、大人として、非常に答えにくい質問をされるとわかったからだ。

「あの犬、みんな殺されちゃうの？　どうしてあんなに犬を捨てる人がいるの？　そういう人が、どうして犬を飼うのさ？」

お祭しますが、私も答えたくはない――という顔で、額を撫《な》でながら、井坂がそろそろとうつむいた。

「どうしてかね」と、本間は答えた。「父さんにも、そういう人たちがなぜそんなひどいことをするのかわからないな。わからないけど、うちではそういうことをしないし、そういうことをしている人を見たら、なにかできないかと考える。父さん一人にできることといったら、その程度のもんだ。残念だけどな」

ちょっと腰をかがめ、智の顔をのぞきこむようにしながら、井坂が言った。

「久恵おばさんが言ってたろう？　世の中にはくそったれのバカったれがいっぱいいるって。犬を飼っちゃあ無責任に捨てるような人は、そういうくそったれのバカったれなんだよ」

そして、そっと智をおしやると、

「手を洗ったほうがいいよ。すぐにお風呂《ふろ》をわかすから、入りなさい。くたびれたろう？」

智はのろのろと向きを変え、台所を出ていった。残された大人二人は、どちらからともなくため息をついた。

「保健所みたいなところは、私も気が滅入《めい》ります」と、井坂が小声で言った。

「申し訳ありませんでした」

「いやいや、それはいいんです。しかし、確かにたくさんの犬がいてね。辛いですわ、あれは」

流しの方へ行こうとして、足を止め、「そうそう、忘れちゃいけない」と言った。上着の内ポケットに手を入れると、写真屋のネーム入りの封筒を引っ張りだした。

「出がけに、電話がかかってきましてね。引き伸ばしができたというんです。どうしようかと思ったんですが、あの写真屋は保健所への通り道だし、本間さんがわざわざ出なおすようだと大変だと思って、受け取ってきてしまいました」

うっかりしていたのは本間の方だった。例のポラロイドだ。たいした手がかりにはなるまいと諦《あきら》めているので、ついつい注意が離れてしまっていた。

「助かりましたよ。いや、忘れてたんだ」

中身を取り出していると、井坂が続けた。「店員が言うことには、元の写真のピントが甘いので、やたらに大きく伸ばしても、かえって何が写っているかわからなくなってしまうとかでね。それが限度だそうです」

コピー用紙でいうB5判の、三分の二ぐらいの大きさだろうか。あのチョコレート色の外壁の家が、大写しになっていた。

引き伸ばしたことで、劇的な変化があったわけではない。店員が言うとおり、かえってボケたような印象もある。写っているのは、家と、二人の女性と、あのぼんやりとした照明灯だけ——

そこで、気づいた。

最初は目の錯覚かと思った。あわててそばの引き出しをさぐり、智がなにかの景品でもらった拡大レンズを取り出すと、写真にかざして見なおしてみた。

やはりそうだ。間違いない。

しかし、こんなことがあり得るんだろうか？

「どうしたんです？」

井坂さんの問いに顔をあげ、本間は写真を差し出した。

「井坂さんは、野球を見ますか」

「はあ」

「球場へは？」

「行きますよ。首都圏にある大きいところなら、だいたい全部行ってます」

それを聞いて、ちょっと興奮した。

「じゃ、井坂さんが知っているなかで、照明灯が逆向きに、つまり、球場の外に向かってついてるなんて、妙な野球場はありますか？」

井坂は目をしばたたいた。「はあ？　どういうことです？」

老眼鏡を取り出し、鼻に載せ、井坂は写真を手に取った。本間は、その照明灯の部分を指で示した。

「これ、野球場の照明灯でしょう？」

「そうですな。ええ」

「だから、この家は、野球場のすぐそばに建ってるんだ。そうですね？」

「そうなりますねえ」

「いいですか、よく見てください」

照明灯の、ひとつひとつのライトの部分を、指で叩《たた》いた。ほんのわずか、フレームの左上の隅《すみ》をかすめるようにして写っているだけのものだ。

「アップにして、初めてわかったんですよ。この照明灯のライト、ひとつひとつが、この家の方を向いているでしょう？　ということは、外を向いてるんだ。野球場のなかに家があるわけないんだから」

事実、そうだった。照明灯のライトは、こちらを向いている。チョコレート色の家の方を向いているのだった。

井坂は写真に鼻をくっつけるようにして見ている。

「そう……そうですなあ」

「そういう球場に、心当たりはないですか？」

写真を手にしたまま、井坂はしばらく首をひねっていた。それから、ゆっくり言い出した。

「本間さんは、野球は――」

「あんまり興味がないですね」

井坂はうなずいた。「でしょう？　球場で、本物の照明灯を見たことがあったら、あれの向きを変えるなんて大仕事だと、すぐにおわかりになるでしょうからなあ」

「はあ……そうか。そうですね」

「普通、照明灯は球場の中を照らしてるものだ。そうでないと、用をなさないですからね。それが外を向くとなると――」

「首振り式のやつですかね」と言って、本間は自分でもおかしくなった。

井坂も笑っている。「そういう凄《すご》い照明灯が導入されたら、すぐにニュースになりますよ。神宮外苑《がいえん》なんか暗いから、試合が終わったあと、照明灯を外に向けて、帰る観客の足元を照らしてくれたら、そりゃ助かるんですがねえ」

写真を脇《わき》に置いて、本間は頭をかいた。

しかし、この写真に妙な現象が写っているということは、間違いない事実だ。

「外向きの照明灯ねえ」

井坂はまだ考え込んでいた。

13

電話をして場所を尋ねると、応対に出てきた女性の声は、新橋駅前の機関車広場からの道順を教えてくれた。本物の蒸気機関車Ｃ１１が展示してある、新橋駅日比谷口前のこの広場は、渋谷のハチ公ほどではないが、それなりにポピュラーな待ち合わせ場所になっているのだ。

スナック「ラハイナ」は現在も営業していた。開店して十年、オーナーもママもずっと同じだと、電話口の女性はちょっと誇らしそうに言ったものだ。

これはついていると思った。水商売は動きが激しいから、たった二年前のこととはいえ、経営者や店名が変わっている可能性が高いと覚悟していたからだ。

溝口《みぞぐち》弁護士が話を通しておいてくれたのだろう。関根彰子《しょうこ》の職歴などの問い合わせに、あの澤木という女性事務員が親切に答えてくれた。それを整理して書き出すとこういう具合になる。

一九八三年三月　上京　葛西通商に就職

一九八四年　夏ごろからクレジット関係の借財がかさみ始めるが、寮を出てキャッスル錦糸町に移転

一九八五年　四月から新宿三丁目のスナック「ゴールド」でアルバイトを始める

一九八六年春　過労から風邪をこじらせ十日間の入院　経済状態さらに悪化

一九八七年一月　取り立てが激しくなり葛西通商を退職

一九八七年五月　破産申立て「キャッスルマンション」を出て「ゴールド」の同僚・宮城富美恵の家に寄宿

一九八八年二月　免責決定。「ゴールド」を辞め、新橋の「ラハイナ」に移る。二月には宮城宅からコーポ川口に転居

一九八九年十一月二十五日　母親が宇都宮で事故死

一九九〇年一月二十五日　保険金の件で溝口弁護士を訪ねる

そして三月十七日、失踪《しっそう》。

本間としては、とりあえずこの表を逆戻りしながらたどってゆくつもりだった。溝口弁護士のところは訪ねたから、次は「ラハイナ」だ。そのあと、宇都宮へ行くか、「ゴールド」や、そこの同僚で関根彰子を居候《いそうろう》させていたことのある「宮城富美恵」を訪ねるかは、「ラハイナ」での収穫次第で考えよう。

ボケ捜索の成果があがらなかったために、智《さとる》は夕食もあまり食べず、すっかりふさ

いでしまっている。出がけに部屋をのぞいてみると、友達の誰かと電話の最中だった。このところ放ったらかしにしているから、長電話ぐらいは大目に見てやらねばなるまい。

また、駅までタクシー、そこから電車という行程だが、今日は傘《かさ》の必要を感じなかった。まったく普通に歩くことはできないが、最初に今井事務機に行ったときのような、たよりないよちよち歩きではなくなっている。

栗坂和也がこの話を持ち込んできたのが月曜日。今日はまだ金曜日だから、四日目だ。そんな短期間に、負傷した膝《ひざ》が劇的に回復するわけもなし、これはやはり、気力の問題だろうかと考えてしまった。

リハビリは週に二回と決められている。原則として、月曜日と金曜日に通うことになっているから、今日はさぼったことになるのだが、足の調子のことを思うと、さして罪の意識はわいてこなかった。むしろ、あの空恐ろしいプログラムの下、理学療法士に鍛えられるより、こうしているほうがずっと早くよくなるかもしれない――などと思って、せっせと正当化している自分に苦笑した。

(ひょっとすると、またお叱《しか》りの電話を受けるかもしれないけどな)

リハビリと言っても、病院でしているわけではない。警察病院を退院したあと、機能回復のトレーニングを受けるために通ってみてはどうかと、知人が薦めてくれたスポーツクラブへ行っているのだ。そこはいくつかの私立病院とも提携を結んでおり、医者と連絡を取り合いながら、系統だったトレーニングをしてくれる、と言われた。

公立・私立を問わず、都内や近郊の医療機関はどこでも人手不足と資金不足、そして設備の不備に悩まされている。最後の悩みは、無論、地価の高騰《こうとう》が原因だ。敷地を広げて建物を増築し、新しい設備を導入するなどと言ったら、億単位の金が飛んでゆく。夢のまた夢である。だから、真っ先に諦めざるを得ないリハビリテーション施設などは、外の機関に委託したり、連携したりするという動きが出てきているのだそうだ。

本間を受け持ってくれているのは、今年三十五歳になる、大阪生まれ大阪育ちの女性トレーナーだった。三年前、全国規模の支店網を持つ外食産業に勤めている男と結婚し、夫の転勤のために東京へやってきた。さばさばして気持ちのいい人柄だが、こちらが大汗流してぜいぜいしているときに、カウンター片手に涼しい顔で、「あかん。これだから東京の男は根性ないわ」などと、つら憎いことをしゃらっと言ってくれる。

なんでも呑《の》み込み、たちまち同化させてしまう東京という街のなかに入っても、不思議と関西人だけは、持ち前の色合いを失わないものだ。関西弁も強靭《きょうじん》な生命力を持っている。言葉尻《じり》はいわゆる「標準語」になっても、イントネーションだけはけっして消えないから、すぐに関西出身だとわかる。また、それに一抹《いちまつ》の憧憬《どうけい》を感じることが、本間にはあった。自分が、東京で生まれてはいるが東京人ではなく、さりとて出自の拠《よ》り所とできるほど強い「故郷」の呼ぶ声を聞いたことがないからだろう。

本間の父は、東北の片田舎の、貧しい農家の三男坊である。二十歳のとき、終戦直後の東京に、職と食を求めて出てきて、警官になった。というより、東京に出てきたかったから警官として奉職したのだ。当時の東京は、厳しい食料事情のために、地方からの移住を制限していたのだが、警察に入ると希望すれば、無条件で移り住むことができたのだった。

父は、とりたてて強い目標を持っていたわけでも、社会正義につき動かされたわけでもない。食べること、明日の生活のことを思って警官になった。

無理もない、と本間は思う。当時の日本人は、それまで信じてきた大義を失って、操り手のいない木偶《でく》人形のように、ただ茫然《ぼうぜん》と周囲を見回すことしかできなかったのだ。そう簡単に、お代わりの皿をもらうような気軽さで、新しい大義など見つけることができるはずもなかった。

父は、スタート時点での思いをそのまま持ち越したかのように、ごく淡々と警官人生をおくった。それなのに、あたかも父の薫陶《くんとう》を受けて感化されたかのように本間もまた警官になったことを、母はずいぶんと不思議がっていたものだ。

「これも血筋かしらねえ」と、少しばかり不吉なものでも扱うような顔をして言っていたことがある。

自分が苦労をしてきたものだから、嫁の千鶴子には、最初から妙に同情的だった。

「別れたくなったら、遠慮しないでいいんだよ。千鶴子さんが智を育てながら暮らしていける程度の慰謝料は、あたしが俊介からぶんどってあげるから」などと堂々と公言され、これにはいささか憤慨したものだ。そんなとき、千鶴子はたいてい笑っていたが。

その父母も、千鶴子も、もうこの世にはいない。

この三人は三人とも、北の人間だった。母は父と同郷だし、千鶴子は新潟の豪雪地帯の生まれである。だから、両親の家を訪ねて無駄話《むだばなし》をしているときなど、本間は、ふと自分一人が浮き上がったような気がすることがあった。このなかで、「故郷」の記憶がない——根がないのは俺《おれ》だけだな、と。

千鶴子は「あなたは東京っ子じゃないの」と言っていたが、本間は未《いま》だかつて一度も、自分を東京の人間だと意識したことがない。自分が家を構えている地理上の東京と、「東京人」「東京っ子」という言葉についてくる「東京」とのあいだには、あまりに明白で定義する必要もない違いがあると思っていた。その差異は、たとえば「三代続けて住みついてなくちゃ、江戸っ子とは言えない」などという、浅薄な分け方から生まれるものでもないはずだ。

その人間が、「東京と血が繫《つな》がっている」と感じることができるかどうか——ひとえに、その一点にかかっているものだと思う。そして、そのときの「東京」は、「故郷としての東京」「人間を生み育てることのできた東京」だ。

だが現在の東京は、人間が根をおろして生きることのできる土地ではなくなってしまっている。地味も消え、雨も降らず、耕す鍬《くわ》もない荒れた畑だ。

ここにあるのは、大都会としての機能ばかりである。

それは、車とよく似ている。どれほど高級仕様の車でも、どれほど性能が素晴らしくても、そのなかだけで人間が生きることはできない。車はときどき乗りこみ、便利に使い、ときどき整備に出し、洗ってやって、寿命がきたり、飽きがきたりすれば買い替える。それだけのものだ。

東京も、それと同じだ。たまたま、この東京という車に匹敵するだけの性能の車がほかにはあまりないものだから——あっても、多少個性が強すぎるものだから——多くの人間に、ずっと使われているだけのことで、本来はとっ替えのきく備品みたいなものなのである。

買い替えのきくものに、人は根をおろさない。買い替えのきくものを、故郷とは呼ばない。

だから、今の東京にいる人間はみな一様に根無し草で、大部分は、親や、そのまた親が持っていた根っこの記憶をたよりに生きているのである。

だが、その根の多くはとっくに弱り果て、その呼ぶ声は、とうの昔に嗄《しゃが》れてしまった。だから、根無し草の人間が増える。本間は、俺もその一人だ、と思う。

だからだろう。仕事でこの大都会を歩き回り、大勢の人間に話を聞いているとき、相手の話のなかに、語尾に、イントネーションに、言葉の選び方のなかに、明らかにその人物の「故郷」を思わせるものを感じ取ったとき、ちょっと淋《さび》しいような気になる。群れて遊んでいるうちに夕暮になり、友達は一人、また一人と母親の呼ぶ声に惹《ひ》かれて家に帰ってゆくのに、誰も自分を呼んではくれず、気がついたらとり残されていた——そんな子供のような気分になる。

午後八時三十分。スナック「ラハイナ」のドアを押したとき、迎えてくれた二十歳ぐらいの女の子の言葉には、かすかに博多なまりが感じられた。そう、九州も吸引力の強い土地だ。そこで生まれた人間たちを、けっして手放すことがない。

ここで働いていたとき、関根彰子は故郷宇都宮の話をしただろうか、と思った。

「はずれたら悪いけど——あなた、刑事《デカ》さんね？」

ラハイナの雇われママは、本間の向かいに来て五分としないうちに、そう言った。

「ご名答」と、笑った。「なぜわかる？」

相手はむき出しの肩をすくめた。ワンショルダーのドレスを着ているので、むき出しの右肩の丸みと、鎖骨が半分浮き出て見える。首の根元のところに小さな黒子《ほくろ》がひとつあるが、これは衣装の延長線上にある、つけぼくろかもしれなかった。

十坪ほどの細長いフロアに、馬蹄《ばてい》型のカウンターと、ボックス席がふたつ。装飾はあっさりしており、壁にはポスター・サイズの写真が一枚かけてあるだけだ。巨大な樹木の写真だった。

おそらくアルバイトであろう若いボーイと、同じくアルバイトであろう若いホステスが二人。そのうちの一人があの博多なまりの娘で、もう一人はその姉さん格というところか。

本間はカウンター席のいちばん端に座っていた。カウンターのなかには、ママと、こちらからは横顔しか見ることのできないバーテンが一人いた。ちょっと井坂に似ているので、面白い。

スナックという看板をあげてはいるが、あまり騒々しい感じはしない。「バッカス」と違ってカラオケも置いてない。だが、バーと言い切れるほど造作《ぞうさく》や備品に金をかけていない。そういう店だった。カウンターの反対側の端に、どすんという感じで大きな花瓶《かびん》を載せ、そこに花を活《い》けてあるが、よく見ると造花だという具合だ。高級なバーなら、必ず生花を活ける。

大衆的とは言えないが、ふりのお客も来にくい店だ。企業の中間管理職が――それも、あまり高給とりではない――ひそかに自分一人のためにキープしておくような店。今、店内にいる四人の客も、ひとつのグループではなさそうだった。

少人数のための、気楽な場所。だからこの場所で十年もっているのだろう。

昔ここで働いていた女性を知ってたんだけどね、と切りだしただけで、おそらく、ママにはピンときたのだろう。最初の問いのあと、「誰か探してるわけね？」と、続けた。

「なんで刑事だとわかるのか、答えてもらってない」と、本間は言った。「ここで働いてた女性と付き合ってた男が、昔を懐《なつ》かしんで訪ねてきただけかもしれないよ」

あははと笑って、ママは言った。「うちあたりの店じゃ、そんな奇特なお客さんは来ないのよ。それにね、あたしは、うちの女の子たちの男関係はだいたい掌握してるから、知らない男が嘘《うそ》言ってきたって無駄ね」

「掌握か」こめかみをちょっと指でかいて、「まさか斡旋《あっせん》してるんじゃなかろうね」

「あらいやだ。そういうことを言うんだから、やっぱり刑事だわね」

カウンターの上から何かを払い落とすような仕草をしてみせた。

「手帳、見せないの？」

「ほかの客が驚くだろう」

「そうね。艶消《つやけ》しだわ」

ママは言って、パールの入った口紅をひいたくちびるを噛《か》み、少し考えた。

「桜田門の人？　それともこの辺の——そうね、丸の内署かなんか？」

「丸の内署の人間がこの辺まで飲みにくるの？」

「縄張《なわば》りの外だから、気楽でいいんじゃないかしらね。もちろん、刑事だなんて言ってこないわよ。だけど、わかっちゃうわね、こっちには」

「なんでだろう」

「匂《にお》いかな。みんな目つきがきついしね。お客さんはそうでもないけど」と、肘《ひじ》をつっぱって身体《からだ》を引き、観察するような顔をした。

「そりゃどうも」

「ねえ、桜田門？」

「うん」

「殺しの方？　まさかマル暴じゃないわね。あそこの人たちは、そんなサラリーマンみたいな格好してないから」

「殺しの方」

手帳なしでの行動は、まだまだ手探りである。内ポケットから肩書きのない名刺を取り出して、カウンターの上に置いた。ママはそれを両手でとって眺《なが》めた。

「本間さんか。で、何の御用？　うちで働いてた女の子に関係があるの？」

本間はスツールに座りなおした。

「二年前の三月まで、ここで働いてた関根彰子という女の子を覚えてないかな？」

ママはまず本間の顔を見つめ、それからバーテンの方を振り向いた。横顔だけだった彼も、さすがに耳ざとく話を聞いていたのだろう、こちらを向いた。

「菊地さん、聞いた？　彰子ちゃんだって」と、ママはバーテンに言った。菊地と呼ばれたバーテンは、グラスを磨《みが》く手を休めないままうなずいた。

「ええ、聞きましたよ」

「記憶に残ってる名前なんだな」と、本間は言った。

「給料も精算しないまま、ぷっつり消息がなくなったんだから」

「ええ、そうよ」

ママは身を乗り出してきた。カウンターに身体を強く押しつけたので、ドレスのストラップが左肩に食い込んだ。

「あんなこと、うちじゃ初めてだったわ。あたしは人を見る目がある方だって、自分じゃ思ってたから、ショックだったわね」

今でもそれが胸に残っているのか、ママは右手を心臓の上にあてた。思い出したように目をあげて、

「彰子ちゃんを探してるの？」

「そうなんだ」

「あの娘《こ》、何かやったの？」

「いや、そうじゃない。そうじゃないから、手帳も見せないんだよ」

ここは、和也に泥《どろ》をかぶってもらおう。

「彼女、うちの甥《おい》っ子と婚約したんだがね。土壇場《どたんば》で気が変わったらしくて、逃げだしたんだ。まあ、逃げられても仕方ないようなところのある甥っ子なんで、彼女を見つけだして責めるつもりはない。むしろ、甥っ子の方が彼女に金を借りてたりして、それを返す方が先決だから、それで探しているというわけだ。甥っ子は『そんなの踏み倒しちまえばいい』なんて勝手なことを言ってるが、俺としちゃ、そのままいけば二人の仲人《なこうど》をする立場だったんで、そうはいかない」

ママとバーテンは、また顔を見合わせた。正面から見ると、バーテンは井坂より男前だった。

「彰子ちゃん、婚約したの」

呟《つぶや》くように、ママが言った。

「甥ごさんも刑事？」

「いや、銀行員」

「そう……彰子ちゃんが銀行員の奥さんになるところだったのねえ」

「そういうタイプには見えなかった？」

「ううん、そうではないわよ。だけど……なんていうのかしらね。あんまり気配りのいい娘《こ》じゃなかったから、神経質な旦那《だんな》を持つと苦労するかもしれない」

「家庭的じゃなかった？」

「ちょっとね」と、ママは微笑した。「掃除とか洗い物とかは、あまり熱心にやらなかった」

それは、方南町のアパートから逃げだした「関根彰子」とは大いに違う。

ママは、そろそろ四十代に手が届く——という年齢のように見えた。やや太りじしで、角度によっては二重顎《あご》に見えるときがある。それでも、体重計をみるときよりもなお熱の入った視線で、しばらく本間を観察してから、こう言った。

「あたしは、彰子ちゃんの居所なんて知らないわよ。とにかく、二年前にあんなふうに辞めていったきり、年賀状ひとつ寄越さないんだもの」

その言葉は、額面どおりに受け取ることも、深読みすることもできた。

——一応あなたの身元ははっきりしているようだけど、話している事情が本当かどうかはわからない。だから、万が一、あたしが彰子ちゃんの居所を知ってたって、そう簡単にはしゃべらないわよ。

と言っているようにも聞こえる。本間は苦笑した。

「もちろん、それをあてにして来たわけじゃないんだ。ここに勤めていたころの彼女の様子や、もしできたら友達の名前なんかを教えてもらえれば助かると思っただけで」

ママが反応する前に、先回りして言い足した。

「甥っ子は、彼女がスナック勤めをしていたことも知ってるんだ。最近は、アルバイトをするOLも多いからね。気にしていなかった。それで話が壊れたわけじゃないんだ。うちの甥がわがままなんで、彼女に愛想をつかされたんだよ」

「それこそ、最近多いわね」と、ママはちょっと笑った。

「彰子さんは地味な人だったろう?」と、かまをかけてみた。「うちの甥より、よっぽどしっかりしてた。無駄使いもしないしさ」

破産後のことだ。生活を引き締めていたはずだ。思ったとおり、ママは深くうなずいた。

「少し締めすぎっていうくらい、お金にはつましい人だったわね」

「今この店にいる女性は、彼女がいたころから勤めている人?」

「マキちゃんはそうだわ」と、ママは姉さん格のホステスのほうを示した。本間が肩ごしに見てみると、彼女は、穏やかな初老のサラリーマンという感じの男性客と、さかんに耳打ちしたりされたりしながら、ささやきを交わしては笑い合っている。

「関根さんは、同僚とはうまくいっていたろうか」

ママはきれいにカーブした眉根《まゆね》をあげた。「いい娘だったわよ」と、あいまいな答え方をした。

「水割りが薄くなっちゃったわね」と言いながら、ママは別のグラスを取り上げた。そのなかに氷を落とし始める。

「男関係を把握《はあく》してるくらいなら、女友達も知ってたかな」

今度は、あのアルバムから抜いてきた、偽《にせ》の「関根彰子」の顔写真を取り出して、ママの方に向けた。

「関根さんの友達に、こういう女の子がいなかった？　彼女は今、この娘のところにいるらしいんだけどね」

ママは写真をじっと見た。それから、ちょっと首を向けてバーテンに合図し、彼にも見せた。次に、

「マキちゃん、これお出しして」と、あの姉さん格のホステスに声をかけて呼び寄せると、チョコレートポッキーを入れたグラスを手渡しながら、ひそめた声で、

「ねえ、関根彰子ちゃんて覚えてる？」

マキちゃんと呼ばれた娘は、びっくりするほど濃いマスカラをつけていた。

「覚えて……」

「ほら、あのドロンした娘よ」

「ああ、覚えてる」と言ったマキちゃんの口から、オレンジの匂いがした。彼女は本間の方にちらっと微笑を投げて寄越した。

「マキちゃん、彰子ちゃんにこういう友達がいたこと、覚えてる？」

「顔を見たことがないかな。あるいは、関根さんが女友達のことを話題にしたことがあったかどうか」と、本間は補足した。

マキちゃんも写真を見た。「わかんないなあ。もうずいぶん昔のことだもの」

「彼女の女友達にどんな人がいたか、覚えてないかい？」

マキちゃんは首を振った。今度は香水がにおった。髪につけているのかもしれない。

「覚えてないわあ。あの人、このお店にくる前のこととか、ほとんど話してくれなかったから」

「川口市のマンションに住んでたことは覚えてる？」

「川口？　そうだったかしら。とにかく埼玉よ。タクシー代が高いからって、いつも電車のあるうちにあがってたわ。そうよね、ママ？」

ママは黙ってうなずいた。本間は訊《き》いた。「ここへくる前はどこに勤めていたか、話していましたか？」

「普通の会社勤めだったって」

「葛西通商という会社だ」

「そう？　名前まではちょっと。そういえば、江戸川区の方だって言ってたかしらね」

なるほど。「ゴールド」での勤務経験については伏せていたのだ。

そこに勤めているとき破産をし、取り立て屋などの嫌《いや》な思い出がくっついている店のことだからだろう。本物の関根彰子も、破産後、新しい仕事につくときには、前歴に嘘や省略を交えていたのだ。

当然、自己破産したことがあるなどということも、ここの人たちには話していないだろう。

「彼女にボーイフレンドは？」

ママは笑ったが、堅い言い方をして答えた。「あたしが把握してるかぎりでは、いませんでしたよ」

「変り者だったもの、彼女」と、マキちゃんが口をはさんだ。「すごく引っ込み思案で、お客さんに誘われても、なかなかOKしないの。気のいいお客さんだから、ちゃっかりおごってもらっちゃうだけで大丈夫よって、こっちで保証してる人が相手でもね」

それまで黙っていたバーテンの菊地が、静かに言った。「憶測でものを言っちゃいけませんが、金で痛い目にあったことがありそうな感じがしましたよ」

本間はまともにバーテンの目を見あげた。相手はこちらを見ていなかった。カウンターの上の写真を見ていた。

「なぜそう思います？」と尋ねると、やっと顔を向けてくれた。

「さあ……ただの勘です」

「根拠はないと」

「ええ」

「男にだまされてお金とられたとか？」

マキちゃんが、興味津々《しんしん》という風情《ふぜい》で本間の顔をのぞきこんできた。

「そうではないよ」

「そうなの」

つまんないわという顔で、マキちゃんはポッキーとともにカウンターを離れた。

「関根さんは、あまり付き合いのいい方じゃなかったんだな」と、本間は確認するように言った。

「そうね。あたしたちと一緒に旅行なんかにも行ったことなかったわ」

出掛けに碇から電話があって、関根彰子は運転免許は持っているが、パスポートはとっていないという回答を寄越してきた。それを頭に置いて、本間は訊いた。

「海外旅行も行ってない？」

ママはすぐに答えた。「ええ。だけどそれは付き合いが悪いからじゃないわよ。あの娘、飛行機が嫌《きら》いだったの。国内線だって乗らなかったから」

「絶対？」

「ええ、絶対。ねえ、あの写真の木、なんだかわかる？」

ママは壁の写真を指差した。大きな樹木を写したものである。

「あれね、ハワイのマウイ島の、『ラハイナ』って町にある、町のシンボルマークみたいな木なのよ。あたしの妹が、アメリカ人と結婚してマウイに住んでましてね。毎年一度は訪ねることにしてるの。そのたびに、お店の女の子たちも誘って一緒に連れていくんだけど、彰子ちゃんだけは駄目《だめ》だったわね。どれだけ誘っても、とにかく飛行機が怖いから無理だって」

それでパスポートはなし、というわけか。偽の関根彰子は、それを知っていたのだろうか？

本物の彰子がパスポートをとっていなければ、偽の彰子は、和也といくらでも海外にゆくことができた。彼女はそれと知っていて、関根彰子の身分を狙《ねら》ったのだろうか。

そう――ここには、根本的な問題が含まれている。

偽の彰子は、本物の彰子の身分を乗っ取る以前に、彼女についてのパーソナル・データを調べる必要があったはずだ。あれだけ周到な女が、パスポートや運転免許のことを頭に入れずに行動したはずがない。必ず、必要なデータを手の内に入れた上で、これなら大丈夫だと判断し、関根彰子の身分を乗っ取った――

ということは、彼女は、そういうパーソナル・データを手に入れることができるほど、関根彰子の身近にいた人間だ、ということになる。

やはり、「ゴールド」や「葛西通商」にいたころの同僚だろうか、と思える。ところが、それでは駄目なのだ。

「ゴールド」や「葛西通商」にいた女性たちなら、関根彰子のパスポートや運転免許の有無、ひょっとしたら本籍地の住所まで簡単に知ることができた。だが、それと同時に、彼女が自己破産した経験があることも、知っていたはずだからである。

「ゴールド」の同僚なら、必ず知っているだろう。「葛西通商」の同僚だと、破産申立ての前に退職しているから、借金に苦しんでいたことは知っていても、自己破産のことまではわからないかもしれない。

だがしかし、彰子の身分に狙いをつけ、彼女に成り済まそうと考える側の立場に立てば、事前に、彼女の借金について聞き出すのが自然だろう。その後、あの借金の件は片がついたのか、と。

その時、彰子がどう答えたか。自己破産した、と答えれば、偽の彰子になろうとしている女もそれを知ることになる。母親に借りて払ったとか、スナックに勤めるうちにパトロンができて、その男に払ってもらったとか、彰子がでまかせを言ったなら――

それでもやはり、偽の彰子はその事実を確かめたのではないか。ことは大問題だ。身分を乗っ取ったはいいが、大きな借金が残っており、取り立て屋には追われるわ、本物の彰子でないことがバレるわでは、大失敗になってしまうのだから。

そして、多少気を入れて調べれば、関根彰子の自己破産の事実を突き止めることは、難しいことではなかったろう。巧《うま》く問いつめるだけで、本人に白状させることだってできたかもしれない。

だとすれば、それを知った上で彼女に成り代わった偽の彰子が、今になってその事実を突きつけられ、泡《あわ》を食って逃げだすという羽目になるわけがない。クレジットカードだって、いくら和也に勧められても、つくろうとはしなかったはずだ。パーソナル・データを手に入れられるほど近くに、だが、自己破産という過去については知らないままでいるほどの距離に。

そんな女友達が、果たしているだろうか。

もう一度、偽の彰子の顔写真をママの方に向けた。

「この女性を知らないですか。関根さんの友達としてだけじゃなく、客として来たことがあるとか、短期間でもここで働いていたとか」

ママはにべもなくかぶりを振った。「それなら、あたしが顔を忘れるわけがないですよ」

バーテンの菊地も、同じことを言った。

「こちらに関根彰子さんの写真はないですか」

ママは白い肩をすくめた。「写真を撮るような機会がなかったもの」

「じゃ、今度はこっちだ」

本間は、あのチョコレート色の家のポラロイド写真を取り出した。

「こういう家を知ってないですか。さもなきゃ、ここに写っている女性の着ている制服に見覚えは？」

また同じことの繰り返しで、戻ってきたのは否定の返事だけだった。ボックス席のお客が帰るので、見送りに出たマキちゃんも、戻ってくると写真を見て、

「知らないわ」と答えた。

「この家、妙なところに建ってましてね」

仕事柄《がら》、かなり見聞の広そうなバーテンを頼りに、本間は言った。

「野球場のそばなんだ。ほら、照明灯が見えるでしょう？　ところが、この照明灯、球場のなかじゃなくて、外を向いてるんですよ。こんな球場、どこにあるか知ってますか？」

ママやマキちゃんは、本間が答えを知っていて、クイズのような調子で訊いているのだと思っているようだ。だがバーテンは真剣で、しばらく考えたあと、

「そんなことがあり得ますか？」と、問い返してきた。

「そう。ありそうにないから弱ってるんですよ」

この線は、どっちへ押しても行き止まりのようだった。

「関根彰子さんは、ここに勤めているとき、お母さんを亡《な》くしてますね？　だいぶショックを受けているようでしたか？」

この問いには、顕著な反応があった。ママは、背中をつねられているかのような顔

をした。

「ひどい話だったわねえ。酔っ払って階段から落ちたんですって」

「どこの階段だろう？　詳しくは知らないんだけど」

「神社だったかしら。公園かしらね」

「あたしは覚えてない」と、マキちゃんはそっけない。グラスをさげたりテーブルを拭《ふ》いたり、しばらくこちらから離れて精を出していた。

が、急に「あら」と声をあげると、マスカラの濃いまぶたを開いて振り向いた。

「そうだわ。彰子ちゃん、あの時に、女の子のこと話してたことがあったじゃない。ママ、覚えてない？」

ママは覚えてないようだった。バーテンも同様だ。

「どういうことかな？」と、本間は訊いた。マキちゃんは彼の肘《ひじ》をやんわりとつかんで寄ってきた。爪《つめ》が尖《とが》っていた。

「彰子ちゃんのお母さんが死んだとき、転がり落ちたところを最初に見つけて救急車を呼んでくれたのは、若い女の人だったんだって。その娘のこと、ちょっと話してたことがあったわ。お世話になったって」

「名前は言ってた？」

マキちゃんはちょっとしなをつくってうなだれた。
「言ってなかった。ううん、言ってたかもしれないけど、あたしは忘れちゃったわ」
結局、次の賽《さい》の目は「宇都宮」と出たようだった。

14

東北新幹線を利用すれば、東京駅から宇都宮まで一時間以内で行くことができる。乗り換え電車の連絡の悪い時間帯だと、本間の家のある常磐《じょうばん》線の金町《かなまち》から、山手線の新宿駅へ出て行くのに、それと同じぐらいの時間がかかることがあるのだから、便利になったものだ。新幹線通勤するサラリーマンが増えているというのも、うなずける話だった。

正午を過ぎたところだった。禁煙車両の自由席に空きを見つけて腰をおろし、資料の入ったカバンを足元に置いたときに、電車が動きだすのを感じた。定刻どおりだった。

車内には、本間と同年輩の背広姿の男性が目立つ。商用で出かけて行くサラリーマンだろう。これを見ても、日中の新幹線が東京という商都の血管であることがわかるというものだ。

斜め前の通路ぎわのシートにもたれている若者が、携帯電話を耳にあて、さかんに何かしゃべっている。わざとらしく大声をあげて、ぞんざいな命令口調でものを言っているところをみると、いっぱし、人を使う立場にいるのだろう。しかし、公共の場所で携帯電話を使ってしゃべり散らしている人間というのは、どうしてこうそろいもそろって声が大きく、また馬鹿面《ばかづら》に見えるのか。

東北新幹線は、東京駅を離れるとまもなく地下にもぐる。上野では地下のホームに停《と》まる。通話状態が悪くなったのか、若者は気短そうに舌打ちをひとつして、電話のスイッチを切った。

携帯電話というのは、かなり高価なものであるはずだ。(あれもローンかクレジットで買ったもんかね）などと思った。

うちには、割賦《かっぷ》で買ったものがどのくらいあっただろうか、と考えた。大型の家具や電気製品などは、大半がそうだったろう。ただ、個別にその店と契約して、ぽつぽつ払っていたような気がする。気がする、というのは、そういうものの手配はすべて千鶴子に任せきりにしてあったからだ。いきおい、家具の色合いや電気機器の使い勝手などは、彼女が好むようなものばかりがそろったことになる。本間が相談を受けるのは、予算のことだけだった。

たいていの男は、そういうものだろうと思う。家庭を持っていない独身者でも、家具の選定にうるさいとか、絨毯《じゅうたん》の目利《めき》きをするとかいう男には出くわしたことがない。よほどの趣味人でなければ、家のインテリアなど気にしないのではなかろうか。

ただ、年代の問題はあるな、と思った。今の二十代の若者は、自分の暮らすワンルームマンションの内装や、そこに配置する家具や家庭用品の選択に凝りそうな気がする。今現在、本庁の捜査一課の、本間がこういうことを気軽に尋ねることができる範囲内には二十代の若い刑事がいないので、想像することしかできないが。

新聞の折り込み広告に載せられている写真や、通信販売のカタログ、テレビでやっている丸井のコマーシャルなどを見ていると、たしかに今はいい家具や洒落《しゃれ》たものがたくさんあるし、見ればほしくなるだろうとも思う。それが、その場では、店のレジではカード一枚出して伝票にサインするだけで買うことができるならば、足元が浮わついた気分になって、あれも、これもと思うのは人情だ。

問題は、そこで歯止めをかけるものがいない、ということ。これいいでしょう、素敵でしょう、ほしいでしょう、さあどうぞ――と煽《あお》ることはしても、金利や毎月の支払い額の累積《るいせき》のことを考えると今日はこの程度にしておいた方がいいですよ、と忠告してくれる店員はいない。

売る側としては、そんなことは阿呆《あほ》らしくてやっていられない、と言うだろう。それが商業主義というものだ。自分をコントロールできない客の面倒までは見切れない、と。

上野駅に短時間停車し、すぐに出発する。地上に出て、ビルのあいだを走り抜けてゆく。停車駅のアナウンスが始まり、続いて食堂車の案内が入った。

窓の外を、東京が通過してゆく。

そういえば、数ヵ月前だったか、ほう、と思った出来事があった。

本間の所属している班の連中が頻繁《ひんぱん》に利用している居酒屋に、高校を出てアルバイトで勤め始めた女の子が一人いる。同年代の子供を持っているおっさん連中ばかりが常連客だから、みんなに可愛《かわい》がられていた。その女の子が、目を輝かせてこう話したのである。

「銀座とか六本木とかの、高級なブティックに行ってね、ディスプレイされてる洋服があるでしょ？　ベルトとかアクセサリーまでセットにして、ちゃんとお店の人が組み合わせを考えてるんでしょ。あれをね、さっと指さして、『これ、上から下までそっくりちょうだい』って言うの、一度でいいからやってみたいなあ」

本間は笑って聞いていたが、一緒にいた碇が、「そんなことをするのは田舎もんだけだ。センスが悪い証拠だって、かえって店員にバカにされるぞ」と言ったものだから、彼女はつまらなそうに口をつぐんでしまった。

碇の言っていることはよくわかったし、おそらく正しいのだろう。だが、そのとき本間は、店の女の子の子供っぽい不機嫌《ふきげん》の裏に、何か苛立《いらだ》ちに近いものが隠れているのを見たような気がした。

(そうじゃないよ、わかってないよ)と抗議されているような気がした。

あれはなんだったろう、と、本間は今になって考える。

あの居酒屋の女の子は、夢をかなえるためにクレジットカードを握って銀座へ出かけていくことはしないだろう。そんな無謀なことをすればどうなるか、ちゃんと計算できる娘であるはずだから。

(でも……)

「実際には、傍目《はため》からは「ちゃんと計算できる」と思われていた人間たちが、多重債務者になってゆくのだ。真面目《まじめ》で気の小さい、几帳面《きちょうめん》な人たちが。それを、溝口《みぞぐち》弁護士は言っていた。

そのとき、きっかけになったのは何だろう。どんな内的な要因があったのだろう。

おそらく、それは一度に来るものではあるまい。また、上司に叱《しか》られたから面白くなくて、あるいは失恋して自棄《やけ》になって、やたらに買物をする——というような日常的なものでもないはずだ。それならまだ本人のコントロールできる範囲内にあるものだから。

そんなものじゃない。そんな普通の感情論では割り切れないものだ。

ノーマルに穏やかに走っていた機関車を、徐々に、徐々に、危険な坂道へ、その先には朽ちかかった橋がのびているだけの崖《がけ》っぷちへと誘導していく、小さな転轍機《てんてつき》。ひとつ、またひとつ、音もたてずに切り替わり、進路を変えてゆく——債務を抱えてゆく本人も、自分を動かした転轍機が何であったか、それがどこにあったかを意識していないのではないか？

（あたし、どうしてこんな借金をつくることになっちゃったのか、自分でもわからないのよね）

関根彰子《しょうこ》は、溝口弁護士にそう言ったという。どうしてこんなことになったのかわからない、と。

（あたし、ただ幸せになりたかっただけなのに）

自己破産急増の傾向を嘆き、借金踏み倒しの風潮を憤《いきどお》る人たちは、この言葉を、あまりにも額面どおりに受け取りすぎているのではないか、と、本間は思った。わからない？　そんな無責任な、と。そして、本当に浪費が癖になっている犯罪者的な問題のある破産者と、関根彰子のような破産者をひとくくりにして怒っている。

そういう世間の通念と、「破産」という言葉の持つ烙印《らくいん》のような暗いイメージとに怯《おび》えて、本当に救いを求めている多重債務者たちは、（どうしてこんなことになったかわからない）と呟《つぶや》きながら、家を捨て、職場を追われ、故郷を離れてゆくのだ。

（木を見て森を見ないようなことにはならんでください）

考えるうちに、関根彰子の経歴を照会した折に、溝口法律事務所の澤木事務員と話し合ったことを思い出した。彼女は溝口弁護士の下で働いて、もう十年になるという。だから、昭和五十年代後半の、あのサラ金パニック当時のこともよく記憶していた。

「あのころは、まだサラ金規制法がなかったですから――というか、あそこまで騒ぎが大きくなって、やっとサラ金規制法ができたんですからね――取り立ても乱暴で。うちの先生も、債権回収を請け負った暴力団に脅かされたりすることがありましたよ。当時、溝口先生のパートナーだった先生なんか、自宅の玄関にピストルを撃ちこまれたんだから。怪我《けが》がなかったのが不幸中の幸いでしたけど」

債務者本人に対する脅しや暴力行為も多く、しかし、やられたほうには「借金」という負い目があるものだから、なかなか表面化しにくい。たいていは泣き寝入りということになってしまう。

「脅されて、たまらなくなって一一〇番するでしょ？　まあ、そのときはお巡りさんが来てくれたりもするんだけど、債権者が事情を話すと、とたんに腰砕けになっちゃうのね。暴力団の方も頭いいから、はっきり証拠になるようなことはしないわけですから、表向きは、ただの債権回収にかかわるもめごと、ってことになっちゃう。そうすると、警察ってところは例の決まり文句を言うわけですよ」

本間が先回りして「『民事不介入』でしょう？」と言うと、澤木事務員は笑った。

「そうなんです。あれにはずいぶん泣かされた人が多いと思いますよ。うちの事務所で、『さっさと殺されちまえ、それからなら捜査してやるとでもいうのか』って、泣いてた債務者がいました」

暴力だけではない。悪質な取り立て屋がやってきて、払えないなら、債務者の妻や娘を風俗営業で働かせろと脅した――という例など、枚挙のいとまもない、という。

「でも、ホントに誘拐《ゆうかい》されて売り飛ばされたわけじゃないだろうって、警察は言うでしょ。取り立て屋は、口で脅しただけで、しかもテープ録音でもしてないかぎり、たしかにそう言ったという証拠もない。だけど、一度脅された方はたまりませんもの。

そういう気持ちの、心の問題ね。毎日の生活が、それこそ板子《いたご》一枚下は地獄になってしまって……怯えながら暮らしてゆくことに耐えられなくなって、夜逃げということになるんです」

逃げていった先で落ち着き、子供を学校に通わせたり、新しい勤め先を見つけて就職したりするために、もとの場所から住民票を動かす。と、貸し金業者のほうでちゃんとそれをチェックしていて、押しかけてくる。学校の門のところで張っていて、登下校する子供をつかまえたり、尾行して家を突き止めるようなことさえした。

「だから、住民票を動かすことができないんです。それだと、まあまともな職にはつけませんよ。住まいを確保するんだってたいへんです。選挙権も、事実上ないと同じでしょ？　その土地の国民健康保険にだって入れないですよね。結局、坂を転がるように、悪いほうへ悪いほうへいってしまうんです」

そうやって生まれた「現代の棄民」については、溝口弁護士も話していた。

「ただ、当時と比べて今のほうがまだましなのは、今はね、自己破産する多重債務者は、十代二十代の若者が圧倒的に多いってことなんです。この人たちはやりなおしがきくし、少なくとも一家離散ということにはなりませんからね。サラ金パニックの当時には、一家の大黒柱が何千万もの借金をしょっちゃって途方にくれるというケースが大半でしたから、奥さんや子供がもろにその波をかぶってたわけです」

「五十年代後半のサラ金パニックの原因は、どこにあったんですかね？　今と、何か違いがあったのかな」

澤木事務員は少し考え、それから答えた。「当時のパニックの底流には、住宅ローンがあったと思いますよ。マイホームを持ちたくて無理をしてローンを組んで、毎日の生活がきつくなるからサラ金で借りる、というパターンですね」

「それで一家まるごとが破産する」

「ええ、そうです。だから、都会というより、その周辺部での件数が多かった。だけど、今のこのパニックは、若者たち中心でしょう？　だから、東京に限らず、大都会で起こってる。これはやっぱり使い捨て社会のせいじゃないかと、わたしは思います。贅沢《ぜいたく》な使い捨てですね。みんな生活が派手になってるし、そのわりに、お金の使い方についての教育がされてないでしょ」

皮肉な話だが、現在、住宅ローンによる破産が目立たなくなっているのは、あまりにも地価が高騰《こうとう》しすぎたせいだ、という。

「高くなりすぎちゃったから、もうどう頑張《がんば》ったってマイホームなんて手に入らないんですよ。だから、普通のマイホーム指向の人たちは、無理してローンなんて組まない。現在の状況のなかで、不動産がらみで破産するのは、投資目的で借金して不動産を買った人たちが圧倒的に多いんです。ワンルームマンションを転がしてもうけようなんて考えて、大枚の借金をして買うでしょう。ところが、そうこうしているうちにバブルがはじけてマンションの値が暴落しちゃった。今売ったら元値を割っちゃう。だけど借金の金利は払わなきゃならない。こんなはずではなかったのに、ああ苦しい——というわけです。ですから、やっぱり若い人が多いですよ。さすがに十代はいないけど、二十代三十代かな。あとはぐっと離れて、退職金や年金をつぎこんじゃった年配の人たち。株でスッちゃった人も多いですね」

　また少し考えてから、彼女は続けた。

「これはわたしの個人的な感想ですけど、五十年代後半のころのパニックの裏には、『いい家に住みたい、人よりもっと贅沢したい、いい暮らしがしたい』っていう欲求があったと思うんです。見栄《みえ》もあったでしょうね。そこに、すごい勢いで膨張しようとしてた消費者信用が足場を提供した、という感じかしら。だけど、今の状況は、これ、完全に『情報破産』だと思いますよ」

「情報破産？」

「ええ。これこれの方法をとればうんと金がもうかる。やれ株だ、いやマンションだ、いやゴルフ会員権だ、とね。で、遊びたい盛りの若い人たちには、どこどこの国が今面白いとか、どこどこへ旅行するのが現代的だ、とか。住むところだって、この町がカッコいい、マンションはこういうのでないとお洒落でない、着るものはああだ、こうだ、車はこうだ……これ、みんな情報でしょう？　情報を追っかけて、みんな浮かれてる。そこへ、相変わらずちゃんとした制度も法律も整備されていない消費者信用が、それぞれ自分のところの利益ばっかり考えてお金を貸す……。すごく馬鹿みたいな話をお教えしましょうか。今ね、銀行が別会社をつくってサラ金みたいな形で無担保融資をしてるでしょ？　あれはね、銀行が経営してれば、サラ金規制法の網にひっかからないからなんです」

電話で話しているあいだにも、彼女の背後で、人の声や電話の音がいり乱れていた。この事務所のようなところが、最後のひとつの転轍機を通過して奈落《ならく》へと落ちてゆく機関車を、ぎりぎりのところで止めるブレーキになろうと頑張っている。とりあえず、目前であがった火の手を消し止めようと、不眠不休で働いている。

「このあいだ、本間さんがいらしたとき、一条天皇のお妃《きさき》の話が出たでしょ？　あれで刺激されて、わたし、最近また『源氏物語』を読みなおしてるんですよ」

最後に明るい声でそう言って、澤木事務員は電話を切った。あれほど働きながら、どうしてこれほどの余裕をもっていられるのか不思議だな、と思った。

情報破産。

その考えは当たっていると、本間は思った。だが、それだけでは説明しきれないものもある。

人はなぜ、これらの情報を追うのだろう。そこに何があると思って追いかけるのだろう。そこに何を見ているのだろう。

そして、その「何か」が転轍機であり、居酒屋の女の子の不満げな表情の底に隠されていたものなのではないか。

それが、関根彰子をはじめとする「真面目で気の小さい」、そして年齢の若い多重債務者たちを動かしたものなのではないか。

葛西通商の社員寮を出てキャッスルマンション錦糸町に入居したとき、関根彰子は、家具や電気製品を買ったはずだ。インテリア用品だってほしくなったはずだ。彼女を動かして寮を出ていかせた「何か」は、その後彼女を借金地獄へ追い込んだ「何か」と同じだったのだと思う。

それは何だったのだ。

単に贅沢をしたいからだけではなかった。単に経済観念が甘かったからだけではなかった。

そして、彼女に成り代わった偽《にせ》の彰子は、彼女のなかにその「何か」があったことを知っていたろうか。関根彰子の何に惹《ひ》かれて、彼女を標的にしたのだろう。

今朝がたも、あれこれ考えていたものだから、新聞を広げていても、実際には何も読んでいなかった。あまつさえ、紙面の端がコーヒーカップのなかに浸《つ》かっていた。いかんな、と頭を叩《たた》いていたら、智《さとる》に「頭でも痛いの？」と訊《き》かれた。頭痛持ちだった千鶴子が、ときどきそうやってこめかみを叩いていたことを、ちゃんと覚えているのである。

こういうことは、ほかにもよくあった。智のなかに、千鶴子のささいなクセが残っているのだ。

寒さの厳しい今頃《いまごろ》の季節には、彼女は、夜寝巻に着替えるとき、下着からブラウスからセーターまで、重ねて一度にすぽんと脱ぎ、翌朝、今度はそのまますぽんと着る、という芸当をやってみせた。呆《あき》れるほど見事だが、あまり見場のいいことではないし、だいいち不精たらしい。そう言って、何度か文句をつけてはみたのだが、

「だって寒いんだもの」と笑っているだけで、なおそうとはしなかった。

「いっぺんやってごらんなさいな。あったかいわよ」

ところが、本間にはどうやってもできなかった。どれか一枚、シャツか下着の袖《そで》が変な方向へいってしまう。首尾よく着ることができても何か気分が悪く、結局もう一度脱いで着なおすことになるのがオチだった。

「わかった。あなた身体《からだ》が硬いのよ」

千鶴子にそう言われて、面白くなかった覚えがある。批判というのは大げさだが、みっともないと、いつも思っていた。

ところが、昨年の秋ごろだったろうか、智が生前の彼女と同じことをやっているのを見つけたのだ。これが不思議だった。母親がいたころには――まあ、本間がうるさく見咎《みとが》めていたせいもあるが――智はきちんと一枚一枚着たり脱いだりしていたのに、彼女が亡《な》くなってから何年もたって、唐突に同じようなことをやりだしたのだから。しかも、智自身は、意識してやっているわけではないのだ。本間に指摘されて、「え？」などと目を丸くしていたのだから。

こうして、死者は生者のなかに足跡を残してゆく。

人間は痕跡《こんせき》をつけずに生きてゆくことはできない。脱ぎ捨てた上着に体温が残っているように。櫛《くし》の目の間に髪の毛がはさまっているように。どこかに何かが残っている。

関根彰子にも、それがあるはずだった。だからこうして、彼女も利用したかもしれない東北新幹線の振動に身を任せながら、宇都宮に向かってゆく。彼女の名前を盗んだ女も、まさにその目的のために——本物の関根彰子に成り代わるため、彼女についての情報をより多く集めるために、彼女の故郷へ行こうと、この新幹線に乗り、飛びすぎてゆく町並みを眺《なが》めたことがあったかもしれないと、本間は考える。

そして——

(彰子ちゃんのお母さんが階段から落ちて死んだとき、最初に見つけて救急車を呼んでくれたのが、若い娘さんだったって)

先走るのはよくない、と自分を抑えつつ、それでも思うのは、宇都宮に向かう電車に揺られていたときの「彰子」が、関根彰子の身分を確実に自分のものにするために、彼女の母親を殺す計画をも立てていたのではないか、ということだった。

15

真新しいステーション・ビル。宇都宮は堂々たる街である。

出口は東西にあった。観察するようなつもりで、両方の出口をつなぐ通路を往復し、ステーション・ビルのなかもちょっとのぞいてみた。新宿や銀座のデパートと、まったく同じ雰囲気《ふんいき》だ。置いてある服飾品の品ぞろえも色彩もセンスも、少なくとも本間の目には、東京都心の大規模店舗のそれと全く変わらないように見える。

その散歩のあいだに、ブティックでひとつ、喫茶店とレストランでひとつずつ、求人の貼紙《はりがみ》を見つけた。労働力不足も、都心と同じだ。

新幹線通勤者のベッドタウン。まさに、ここはもう大都会の円のなかの都市だった。

十年前、関根彰子《しょうこ》が十八歳のときには、まだこれほどの眺めは存在していなかっただろう。それにしたって、大きな地方都市であることに違いはない。彼女はどうして東京を目指したのかな、と思った。

進学目的ならまだわかる。しかし、彼女は、九年前には都内でもまだまだ「田舎」だった江戸川区にある会社に就職したのだ。

活気のある清潔な駅で、行き交う人は多い。外国人の姿を見かけないことが、東京との唯一《ゆいいつ》の相違点だろうか。いわゆる「出稼《でかせ》ぎ」的な外国人労働者は、東京や大阪などの大都市か、さもなければもっと遠い温泉などの観光地へ行ってしまう。とりわけ、女性の場合はそうだ。彼らにとって、宇都宮は近すぎ、また遠すぎる。

ふたつのうち、より大きい改札を抜けて外へ出たとき、まず目に入ったのは大きな歩道橋だった。歩道橋というより、立体通路と呼ぶべきか。東北・上越新幹線の停車駅には、この種のつくりをしたものが多い。

コンクリートの手摺《てす》りからのぞくと、下はバスターミナルになっている。発着場と行き先を書いた案内板が立てられているが、あまりに数が多く、あまりに複雑で、銀杏坂《いちょうざか》町に行くにはどれに乗ったらいいのか、見当がつかなかった。結局、またタクシーのお世話になる。

所番地を告げ、他所者《よそもの》で不案内なので、この番地へ連れていってほしいのだが、と告げると、小柄《こがら》な運転手はちょっと頭をかしげ、「週末なんで、競輪があるからちょっと混《こ》むよ」と言った。

駅前の大通りを右に入り、五分ほど走ったところで左折して、同じように広い通りに入った。市内の西へ向かっている。今しがたキヨスクで買ってきたポケット市内地図を見ると、この先には宇都宮中央署、県庁、そして県警本部がある。

地元の警察を訪ね、関根彰子の母淑子《としこ》の死亡状況について情報を得ることは、考えないでもなかった。事故死だったのだから、なにがしかの記録は残されているはずだ。碇が事情を知っていたなら、俺《おれ》が連絡をつけてやるから、絶対にそうしろと言ってきただろう。その方が手っ取り早い。

敢《あ》えてそうしなかったのは、白紙の状態でのぞみたかったからだった。淑子が死亡して二年と二ヵ月。これまで、彼女の死について疑義が出されたという気配はない。娘の彰子はすんなり簡易保険金を受け取っている。ということは、警察も淑子の死を不審とはせず、ファイルを閉じたということだ。それなら、あわてることもない。まず先に自分の目で現場を見て、近所の人たちなどから話を聞き、もし警察へ足を向けるにしても、それは最後にしたかった。

二十分ほどかかっただろうか。この辺だよ、と運転手が言い、車を停《と》めたのは、銀杏坂町二〇一〇番地という住居表示の出ている電柱のそばだった。その電柱は狭いT字路のとっつきに立っており、T字路の入り口には一方通行の標識が出ていた。

「二〇〇五番地はこの道の奥だよ」

ドアを閉めて、タクシーは走り去った。本間は周囲を見回した。

タクシーに乗っているときから、いや、駅に降りたとたんに感じたことだが、宇都宮市は実に真っ平らな街である。関東平野のまん真ん中にあるのだから、考えてみればそれも当然なのだが、「銀杏坂町」という名前に幻惑されて、漠然《ばくぜん》とではあるが、坂道のある、たとえば渋谷のようなところだと思っていた。

この平らな街のどこに、酔っ払って転がり落ちて死ぬような「階段」があるのだろう？　関根淑子は自宅で死んだのだろうか。

銀杏坂町のこの一帯は、水元あたりの感じにも似た、静かな住宅街だった。マンションはあまりないようで、大半が一戸建の、それもかなり年季の入った建て家が多い。建て売り住宅のようなお仕着せの安っぽさはなく、もとからこの地に根づいている人たちの家――という印象を受けた。

T字路をゆっくりと歩いてゆくと、向こうから、手をつなぎ合ったアベックが歩いてくるのに行き合った。女性の方が、本間の足取りにちょっと目をあて、すぐに顔をそらした。男の方はにぎやかにしゃべり続けていた。「ロレアルサロン」の看板を出した美容院が一軒。その向かいにそろばん塾《じゅく》。その隣に、窓という窓から洗濯物《せんたくもの》を滝のように降らせた三階建ての細長いビルがあって――一階は工務店だ――その隣の、車一台分ほど道路から引っ込んだところに、モルタル塗りの二階家が立っていた。引き戸式のアルミサッシの入り口に、「あかね荘」と、墨で書かれた古風な看板が出ている。

ここが二〇〇五番地だった。

両手をコートのポケットに、さてどこからかかるかと思案していると、引き戸を開けて、小学生ぐらいの子供が二人出てきた。女の子と男の子、女の子のほうが年長だ。

姉弟だろう。

アルミサッシが重いのか、女の子はよいしょと力を入れている。うっかり手が滑ったらひっくり返って頭を打ちそうだと、見ていて危なく感じるほどだった。

やっと戸を閉めると、女の子は脇《わき》で待たせていた弟の手をとって、二人でこっちへ歩いてきた。ほかには人影が見えない。

「こんにちは」と、本間は声をかけた。

子供たちの足が止まった。おそろいのアニメのキャラクターがついた運動靴《ぐつ》をはいている。女の子の方は、少し大きめのペンダントのようなものを首からさげていた。

「こんにちは」と、女の子が答えた。本間は身を屈《かが》め、両手を膝《ひざ》において、二人の小さな顔に笑いかけた。

「おじょうちゃんたちは、このアパートの子かい？」

女の子がうなずいた。弟の方はおねえちゃんを見あげた。この人だれ？と訊いているかのように。

「そう。おじさんは、おねえちゃんは何でも知っている。昔、ここに住んでいた人のことでお話があって、東京から来たんだけどね。ここの大家さんはどこの人だか知ってるかい？」

女の子はすぐに答えた。「わかんない」

「この近所にはいないのかな」

「知らない。会ったことないもの」

「そうか」まあ、無理もない。

ふと見ると、女の子は弟の手を握っていないほうの手で、首からさげているペンダントをいじっている。

機嫌《きげん》をとるような調子で、何の気なく訊いてみた。

「それ、なあに」

「防犯ベル」

ぎょっとするというのはまさにこのことだ。

「このへんねえ、チカンが出るんだよ」と、女の子は言った。「だけどね、これを鳴らすと逃げてくんだって。だからママが買ってくれたの。おじさん、どんな音がするのか聞いてみたい？」

聞いてみたくない。ここでそんなものを鳴らされて、中央署にでも連れていかれる羽目になっては困る。

「いや、いいよ。それより、君たちのママは今おうちにいる？」

「いない」と、また女の子が答えた。彼女が足を踏みかえると、しっかり手をつないだ弟も同じようにした。オートバイにくっついたサイドカーみたいだ。

「だけど、近くにいるよ。そこに」と、女の子は本間の背後を指さした。

あわてて振り向くと、侵入者を咎める目線も厳しく女性が立っている——などということはなかった。女の子は「ロレアルサロン」の看板をさしているのだった。

「ママも防犯ベル持ってるの」と女の子は言った。

今の世の中でもっとも警戒心が強い人種とは、幼い子供を持った若い母親たちだろう。子供を狙《ねら》った醜悪な事件があいついでいるからだ。

あの姉弟の母親、「ロレアルサロン」で働いている宮田かなえという女性も、その例外ではなかった。彼女は美容師だから、サービス業としての習い性も持ってはいるはずなのだが、それでも、どうやらこうやらこちらの用件を通すことができたのは、本間が、「ロレアルサロン」の押すとベルが軽やかに鳴って来客を報《しら》せるドアの内側に入ってから、三十分近くたってのことだった。

甥《おい》の和也の婚約者である関根彰子さんについて、少しうかがいたい——というふうに、慎重に話を切りだした。

「面倒なことになると嫌《いや》よ」

「そんなものじゃないんですよ。私は和也の身内だし。ただ、彰子さんには身寄りがないのでね。多少、こちらにも不安な部分がありまして」

話しながら、俺はさぞかし嫌味な顔つきをしているように見えるだろうな、と思った。

かなえはうなずいた。「そうねえ……。関根のおばさん、気の毒な亡くなりかたでしたよ」

かなえは、関根淑子を「関根のおばさん」と呼んだ。彰子のことは、「娘さん」と呼んだ。彼女とは、淑子の葬儀の折りに挨拶《あいさつ》をかわした程度の間柄で、親しくはなかったと言った。

それでも、彼女の話で、やっと「階段」の謎《なぞ》が解けた。

関根淑子が転落死したのは、ここから数キロ北の八幡山《はちまんやま》公園のそばにある、古いビルの階段だというのだ。

「三階建てなんだけど、一階と二階には銀行、三階には小さいお店が入ってるの。関根のおばさん、そこにあった『たがわ』ってお店のお馴染《なじ》みさんでね。週に一度は飲みに行ってたみたい。それで、そのビルの外側に、コンクリートの非常階段があるんだけど、それがほら、よくあるギザギザに折れ曲がった形の階段じゃなくて、地面からストレートに三階の高さまであがってく、怖いくらい急な階段なのよ。二階のところに小さい踊り場がついてはいるんだけどね」

淑子はそこから転がり落ちた、というのである。

「ビル三階分の高さでしょ。ひとたまりもないわよ。首の骨が折れてたんですって。いくら古いビルでも、そんなの違法建築に決まってるし、新聞記事にもなりましたよ。小さかったけど」

狭い美容院で、あまりはやっている様子はなかった。美容師は、かなえともう一人、ここの経営者である「先生」がいるそうだが、今は買物に出ているという。お客と言えば、紅い模造革のシートに座り、かなえに髪をロットで巻いてもらいながら、こっくりこっくりと居眠りをしている老婦人が一人いるだけだった。

順番待ちの客のための椅子《いす》は、硬くて座り心地が悪かった。本間は、どうせ空《あ》いているのだから、と、かなえにはことわりなく、いわゆるおかまの――頭を突っ込んで熱風であぶるか乾かすかするための、あの機械だ――椅子に陣取っていた。かなえは文句も言わなかった。全体に、かったるそうな様子をしている。子育てに疲れているのかもしれなかった。

「大騒ぎになったでしょうね」

「そりゃもう、たいへん。だけど、そういう階段でしょ。前から危ない危ないって言われてたから、ああやっぱりねって」

「警察は調べにきたんですか」

「来たみたい。でも、事故だから」

かなえの口調からは、淑子の死について疑いを抱いているような雰囲気は感じられなかった。

本物の関根彰子は、「ラハイナ」で、母親の死の様子について、簡略にではあるが事実を語っていた。だが、偽の彰子はどうだったろう。

和也は、「彰子」の母親の死について、「事故死だった」としか言っていない。それはたぶん、「彰子」がその程度のことしか話さなかったからだろう。和也としても、彼女にとっての辛《つら》い思い出を、そうしつこく尋ねる気にもならなかった、ということか。

酒気を帯び、足元の怪しくなっている人間を階段から突き落として、事故に見せかける――

やりようによっては、いちばん簡単かつ安全な殺人方法だ。疑われさえしなければ。

「そのとき、まわりに人はいなかったんですか？」

かなえは首をかしげた。「どうかしら。あたしは知らないわ」

本間は質問の方向を変えることにした。

「あなた方ご家族は、関根さんとは親しかったんですか?」

「まあねえ」と、かなえは言った。彼女が夫と子供二人と暮らしているのは、あかね荘の二階の201号室で、生前の淑子はその真下の101号に入居していたという。

「関根のおばさんは、十年近くあそこに暮らしてたんですよ」

「契約更新のたびに家賃だってあがるんだろうし、よく引っ越さなかったもんですね」

そう言ってみると、彼女は笑った。

「お客さん、東京から来たんでしょ」

「ええ」

「それじゃ、ピンとこないかもね。東京じゃ、ひと昔前の高利貸しみたいなあこぎな家賃のとり方をするそうだから。でも、こっちじゃ違いますよ。駅の近くのマンションとかになると、そりゃ高いけど、あかね荘みたいな木造アパートは、それほど乱暴じゃないですからね」

「十年も同じところに住んでいて飽きなかったのかな」

借りているのだから、引っ越すのは造作ない。

「引っ越し、面倒だもの。男の人は奥さん任せだからいいけどさ。うちの人だって、なんにもしてくれやしなかったわ」

思い出したように、かなえはぷっとむくれた。表情や顔の向きなどが変わっても、彼女の指先だけは、まったく別の意思によってコントロールされているかのように、正確によどみなく動き続ける。その指先を、ほとんど目で見ていないようにさえみえるのに。

「あなた方があかね荘に越してきたのは？」

「うーんと、今年で五年目かな」

「関根さんとは、すぐに知り合いになったんですか？」

かなえはうなずいた。「ええ。子供がいるからね。椅子の上から飛び降りたりして、何かとうるさい音をたてるでしょ？　で、挨拶に行ったの。真下の部屋の人に文句を言われてから謝るより、先手を打っちゃったほうがいいから」

「そのころは、彰子さんも出入りしていましたか？」

「娘さんになら、二度ぐらいかな、会ったことがあるわよ。夏休みとお正月には必ずこっちに帰ってきてたし」

居眠りを続ける老婦人の頭に、どうやらロットを巻き終えて、鏡をのぞいてちょっとバランスを確かめ、かなえはいったんその場を離れると、乾いたタオルを一本持って戻ってきた。

「関根のおばさんの娘さん、きれいな人でしたでしょ？」

「ええ。美人ですね」

これはでまかせである。本間はまだ、本物の関根彰子の顔を拝む機会に恵まれていないのだ。

「だけど水っぽかったでしょ」

かなえの顔をうかがうと、彼女は婦人客の頭にタオルを巻くことに専念しているようだったが、ちらと視線が動いた。

どうやら、探りを入れているらしい。

「スナック勤めをしていたようだから」と、本間は言った。

「それで……」かなえは婦人客の頭のタオルを輪ゴムで留めた。「あたしがこんなこと言っていいのかしら。あの娘さん、サラ金で借金こさえて大変だったことがあるのよ。ご存じかしら」

かなえたちがあかね荘に入居したのが五年前。ちょうど、関根彰子が自己破産の手続きをしていたころだ。借金地獄の、いわばピークのころだろう。だから、かなえも、その騒動の一端を知っているのだ。

「承知していますよ」

すると、かなえの顔に、舌打ちの寸前といった、悔しそうな表情がかすめた。なんだ知ってたのか、ということだろう。

「ひどかったのよお。関根のおばさんのところにも取り立て屋が来てさ。パトカーまで呼ぶ騒ぎ」

「いつごろのことですか」

かなえは、パーマ液の容器を手に持ったまま考えた。

「さあて、と。まだ昭和のころだったと思うけど」

それには違いない。

「ねえ、ああいう借金てね、子供がこさえたものでも、親は払わなくていいんですってね」

さも意外だ、という口調で、かなえが言った。

「そうですね。その逆の場合でも、支払い義務はない。連帯保証人にでもなっていないかぎりは。二人で一緒に使った金でなければ、夫婦のあいだでもそうですよ」

「あら。じゃ、うちの人が競輪で借金こさえても、あたしは払わなくていいの？」

「もちろん」

かなえが頭にパーマ液をかけると、冷たかったのか、婦人客はやっと居眠りから覚めた。

「なによ、あんたの亭主、まだ競輪やってんの？」と、いきなり言った。かなえは笑いながら切り返した。

「家を建ててくれるって」

「バカだねえ」

老婦人は、かなえがビニールキャップを広げているあいだに、頭を動かして本間を見た。本間が会釈《えしやく》すると、

「先生の旦那《だんな》？」と、かなえに訊《き》いた。

「違うわよ。東京から来たお客さん」

「あらやだねえ。あたしゃまた、別れた旦那が帰ってきたのかと思ったよ」

してみると、ここの「先生」は離婚経験者であるらしい。

「で、東京から何しにきたの」老婦人は、また、本間ではなく、かなえに訊いた。かなえは婦人の頭をぐいとよじって前を向かせ、ビニールキャップをかぶせた。

「あたしに会いにきたのよ。――熱かったらお知らせください」

あとの台詞《せりふ》は、頭上に取り付けてある、おかまとはまた違った美容機器を、老婦人の頭にかぶせながらのものだった。スイッチを入れると、赤いライトがともり、ごうっという音が聞こえてきた。

手元のワゴンの上のタイマーをセットすると、さばさばしたという様子でかなえはそこを離れ、本間のいるほうにやってきた。客用の椅子にどさりと腰をおろすと、エプロンのポケットからキャスターマイルドを取り出して、百円ライターで火をつけた。長々と煙を吐き出す。この楽しみのために働いているのだ、という顔をしていた。

「娘さんの素行調査だったら」と、ほんの少し声をひそめて、「あたしみたいな近所の人間より、学校へ行って聞いてみた方がいいんじゃないかしら」

「学校？」

「ええ。関根のおばさん、この近くの小学校の給食室で働いてたの。娘さんもその学校へ通ってたし」

「しかし、小学校のころのことを聞いても始まらないでしょう」

「そうかしら。おばさんが、仕事場のお仲間に、娘さんのことで愚痴をこぼしてたかもしれないでしょ？」

さきほどの、借金の話のときにふいと浮かんできた、あの意地悪そうな光が、かなえの目のなかに戻ってきた。自分にはまったく関《かか》わりのない縁談話でも、やっぱり面白くはない。できるだけアラを探して言いつけてやろうというわけか。ましてや、水商売をしてサラ金で借金をこしらえ、親を泣かせていたような娘のことだ。

「それにねえ」

本間の思惑をよそに、かなえは続けた。

「関根のおばさんの娘だと、あたしなんかよりはずっと下になるから直接は知らないけど、中学や高校の同級生が、まだいっぱいこっちにいるはずよ。そういう人たちをつかまえて聞いてみたら? クラス会なんかもやってるでしょうから」

「彰子さんが特に仲良くしていた友達を知りませんか?」

さあねえ……という様子で、かなえは首をひねっている。

「幼友達が、今でもこのへんに住んでいて、ここへパーマをかけにくるなんてことはないでしょうかね」

かなえは、熱風にさらされている婦人客に、大声で訊いた。

「ねえ奥さん、うちの下にいた、関根のおばさん覚えてる?」

頭を固定されている婦人客も、前を向いたまま大声で言った。「階段から落ちて死んだ人だろ？」

「そうそう。あのおばさんに娘がいたじゃない？　二十五、六だったかしら」

「今年二十八歳ですよ」

本間が訂正すると、かなえは驚いたようだ。「やだ、もうそんなになるの。二十八歳ですってよ、奥さん。それぐらいだと、同級生っていうと、誰になるかしらね」

婦人客は大あくびをした。涙目になって、非常に眠そうだ。暖かくて気持ちいいからだろう。これではあてになるまいと本間は思った。

と、婦人客は言った。「葬式のときには、本多のとこの保《たもつ》さんが来てたようだったけど」

「保ちゃん？　ああ、あの子がそうだっけ」

「そうだろ。あんた、忘れてんの？　本多の奥さんが告別式に出るときに、あんたが頭をセットしたんじゃないか」

かなえは笑いだした。「ああ、そうか」

本多保。その名前と、彼の生家で自動車修理工場だという「本多モータース」の場所を聞いて、本間は立ち上がった。

「もうひとつ、お願いがあるんですが」

「なあに」

偽《にせ》の彰子の写真を、ポケットから出す。

「こういう女性を見かけたことはありませんか？　関根淑子さんを訪ねてきたとか、帰省してきた彰子さんと一緒にいたとか」

かなえが写真を手にとり、婦人客にも見せた。

「見たことないわねえ」

「この娘さんがどうかしたの？」

「事情はちょっとお話できないんですよ。たいしたことじゃないんだが」

これを聞いて、かえって好奇心をそそられたのか、かなえはもう一度写真を見つめた。「ねえ、この写真、お借りできません？」

とってつけたような丁寧語で、そう言った。

「心当たりのある人たちに見せてみるから。ちゃんとお返ししますし、なにかわかったら電話するわ」

かなえには、最初に、自宅の住所の入った名刺を渡してある。例の「彰子」の顔写真は、そういう必要があるときに備えて、写真屋で焼増ししておいた。

「ええ、いいですよ。お願いします」

コートをとり、出口へ向かう本間を、かなえが呼び止めた。

「ねえ、関根のおばさんの娘さん、どんな人と結婚するのかしら」

「私のぼんくらな甥ですよ」

「そうじゃないの。仕事よ」

ちょっとためらったが、本間は答えた。「銀行に勤めてます」

かなえと婦人客が、鏡のなかで視線を合わせてうなずき合った。

かなえが言った。「やめといたほうがいいんじゃないかしら」

子供にポケットベルを持たせる母親の部分と、競輪好きの亭主との生活に疲れた妻の部分とが、かなえのなかで同居している。そして、その両方の部分が、故郷を離れて東京で水商売の世界に入り、借金をこしらえサラ金に追われていた関根彰子に、冷たい視線を向けているのだった。

「よく考えさせるようにしますよ」

いろいろ話してくれたことへの礼のようなつもりで、本間はそう言った。かなえは満足気な笑みを浮かべた。

「ロレアルサロン」のドアは、今度は軽やかな音をたてなかった。外に出て、本間はほっとした。

「保《たも》っちゃん、お客さんだよ」

機械油で汚れたつなぎを着た中年の作業員が、作業場の奥に向かって声を張りあげた。

トタンを張りめぐらせた作業場の壁ぎわで、五〇ｃｃのバイクのそばに、高校生ぐらいの少年と二人、頭を寄せるようにしてしゃがみこんでいた青年が立ち上がった。小柄《こがら》だが、がっちりとした肩の上に、頑固《がんこ》そうな顎《あご》が目立つ顔が載っている。髪は短く刈り上げており、近づいてくるにつれて、そのこめかみに汗が浮いているのが見えた。

かなえの「ロレアルサロン」から、歩いて十分ほどの距離だった。駅に通じる大通りに面して看板が出ている。ざっと見渡したかぎりでも二十台以上の車と、数台の単車。端の方に軽トラックが一台。胸元に「本多モータース」の縫いとりの入った白いつなぎを着た作業員たちが、見える範囲内に五人。

「本多保さんですか」

声をかけると、相手はひょいとうなずいた。こちらから視線を離さないのは、訝《いぶか》っているからだろう。

「突然お訪ねして、失礼します」

宮田かなえに話したように、事情を説明すると、そのうちに、保の目が大きく広がった。

「じゃ、彰子さん、東京で元気にしてるんですか？　どこにいるんです？」

「どこにって——？」

「川口のあのマンションを出ていったきり、どこへ引っ越したのかわからなくて。ずっと心配してたんですよ」

この言葉には、トンネルを抜けたような気分になった。

「君は、彼女の川口のマンションを訪ねたことがあるの？」

「ありますよ。そしたらもういないって……」

「大家に会った？」

「ええ。怒ってました。つい先週、関根さんが黙って出ていったって」

「じゃ、君が訪ねていったのは一昨年の三月の末ごろだ。違うかい？」

油で汚れた手を作業着の腿《もも》にこすりつけながら、保は少し考えた。

「たぶん、そうかな」

「彼女とは親しかったんだね？」

「そうだけど……」

ようやく、保の目に不審の色が濃く浮かび上がってきた。

「なんか嫌《いや》だな。彰子さんの素行調査なんて、オレは協力したくないですよ」

友達をかばうように少し肩を引いて、彼は言った。うしろでは、原付のそばで高校生が待っている。ちらっと肩ごしにそれをうかがうと、

「ほかで聞いてください。オレ、そういうことは嫌《きら》いだから」

「そうじゃないんだ。実は、素行調査なんかじゃない」

やっと見つけた突破口のような人物だ。手放すわけにはいかない。

「いろいろ事情があって、話すと長くなる。少し時間をもらえないかな。なんなら、あとで出なおしてもいい。私も、行方のわからない彰子さんを探してるんだよ」

三十分ほど、「本多モータース」の応接室で待たされた。そのあいだ、頻繁《ひんぱん》に電話が鳴ったが、どこか別の場所で誰かがとっているのだろう、どれも二度目のベルが鳴らないうちに静かになった。従業員への教育が徹底しているようだ。

あの原付の高校生を帰したあと、本多保は、紙コップ入りのコーヒーをふたつ盆に載せて、応接室に入ってきた。

ひょっとすると、昔、交通事故にでも遭ったのかもしれない。明るい場所でよく見ると、保の顎には、斜めに走る傷跡がひとつあった。それを除けば、整った顔立ちのハンサムと言ってもいい青年だ。左の目がわずかに斜視のようだが、それもまた親しみやすい印象をつくっていた。

話が複雑だから、保はときどき問い返してきた。それ以外には余計なことを言わず、じっと聞き入っている。また電話がかかってきたが、保が手をのばし、ベルが鳴らないようにスイッチを切り替えた。

「今のところ、私は、自分が警察官であるという証拠をだすことができないんだ。休職中で、手帳を預けてあるから。怪しい者じゃないし、ウソを並べてるわけでもないと信じてもらうしかない」

その言葉を吟味するように、保は応接室のテーブルの上に視線を落として考え込んでいた。

「それは——いいですよ」と、ゆっくり言った。「確かめることは簡単だから。境さんに言えば調べてくれる」

「境さん？」

「ええ。宇都宮署の刑事さんです。彰子さんのおふくろさんが死んだとき、いろいろ親切にしてくれた人で、オレ、よく知ってるから」

「その人に会える？」

「頼んでみます。きっと時間をつくってくれると思うから」

保は、別の意味で不審そうに頬《ほお》を歪《ゆが》めた。「だけど、これだけのことになってるなら、ちゃんと公的な捜査をしたらどうですか？　早くしいちゃんを見つけて、彼女の名前をかたってた女を探さないと――」

本間はちょっと手を広げた。「探してみたら、二人とも元気でピンピンしていて、戸籍の売買もしくは貸借も合意の上のことだったとしたら？　それがいちばん望ましいことだがね、そういう可能性がある以上、警察はなかなか動きださないよ」

保はくちびるをなめ、言いにくそうに口ごもってから、やっと言った。

「もし……しいちゃんが殺されているとしても、死体が出てこないと駄目《だめ》ってことですか？」

「事件にするためには、それがいちばんだね」

保はため息をついた。

「君は、彰子さんを『しいちゃん』と呼んでるのか」

「ええ」

うなずいた青年の、まだ艶《つや》やかな額を見つめて、本間は考えた。どうやら、やっと、関根彰子の本当の友達を捜し当てたらしい。

しいちゃん、という呼び名には、幼なじみの響きがあった。碇が千鶴子を「チイちゃん」と呼ぶときの、彼らしくもない優しい調子に似ていた。

「だけどオレ——」保はのろのろと言った。「しいちゃんのおふくろさんが死んで、そのあと川口を訪ねていって彼女がいなくなってることを知ったとき、とんでもないことを考えちゃったんですよ」

彼は許しを請《こ》うような目で本間を見た。

「ああ、やっぱりしいちゃんがおふくろさんを殺してたんだ、だから逃げたんだって」

まったく予期していない方向から球が飛んできたという感じがした。自分は風景画だと思って見ていた絵画を、「これは人物画でしょう」と言われたような感じでもある。

「それは、その……彰子さんが昔、サラ金に追われていたことがあるのを知ってたからだね？　だから、保険金目当てにしたことじゃないかと」

保はうなずいたが、辛《つら》そうだった。

「それに、郁美《いくみ》がそんなこと言ってたから。しいちゃんのおふくろさんが階段から落ちたとき、野次馬のなかに、なんか様子のおかしい女が一人いたって。サングラスかけて顔を隠してね。それがしいちゃんだったんじゃないかって」

本間は乗り出した。「ちょっと待った。郁美さんというのは――」

「オレの女房です」

「彼女も彰子さんの友達かい？」

保は首を振った。「違いますよ。郁美は、しいちゃんのおふくろさんを見つけて、救急車を呼んだんです。通りがかりに。その縁で、葬式なんかにも来てて、オレたち、それがきっかけで知り合って結婚したんですから」

16

当然のことながら、店を閉めてからでないと出かけられないというので、本多保《たもつ》とは、夜九時すぎにもう一度ゆっくり会う約束をとりつけた。彼のほうで、駅前にある小さな居酒屋を指定してきた。行きつけの店だという。電話して、座敷を確保しておくと言った。

「あそこなら暖かいから」とも言った。

その言葉の意味がわかったのは、九時十分すぎに、顔に当たると痛いようなごつい縄《なわ》のれんを押しのけて、彼が姿を現したときだった。

保は若い女性を一人連れていた。タートルネックのセーターに、ゆったりとしたウールのジャンパースカートをはいている。それでも、体型は隠しようがなかった。妊娠六ヵ月目に入ったぐらいのところだろうか。

「女房の郁美です」

会釈をひとつして畳に腰をおろしながら、保は言った。薄い座布団《ざぶとん》をふたつ重ね、彼女が座る場所に置いてやる。ヒーターのそばで、うしろに寄りかかることができるところだった。

「はじめまして」と言いながら、郁美はゆっくりと膝《ひざ》を折って座った。動作に気をつかってはいるものの、どことなく落ち着きも感じられる。

「初めてのお子さん？」

本間が尋ねると、ぱっちりした愛敬《あいきょう》のある目元に笑いじわを寄せて首を振った。

「二人目なんです。それなのに、この人ったら大騒ぎなんだもの」

「太郎のときは早産しかけたじゃないか」

照れ臭いのか、保はぶっきらぼうに言った。

「上の子は太郎くんか。いくつです?」

「まだお誕生日をすぎたばっかりなんです。だから忙しくて」

額にいっぱい汗を浮かべた店員がやってきて、保と気やすく冗談を言い合いながらオーダーをとり、「タバコの煙は毒だから」と、仕切りの障子を閉めて出ていった。

どのみち、またすぐ注文の品を持って戻ってくるに決まっているから、そのあいだは、当たり障りのない世間話をして過ごした。

「本間さん、宇都宮は初めてですか」と、保が訊《き》いた。

「うん。仕事では機会がなかったから」

「観光で来るような距離じゃないですもんね、東京からじゃ」と、郁美が微笑した。

「大都会なんで驚いた」

「新幹線のおかげですよ」

「でもね、今でもときどき、『釣《つ》り天井のお城へはどう行けばいいの』なんて訊いてくる人もいますよ。あれ、作り話なのに」

保は、高校卒業後、すぐに父親の下で働き始めたという。

「もともと、車いじるのが好きだったから」

関根彰子とは、幼稚園・小中学校を通して同窓生だった。高校が別だったのは、彼が工業高校を選んだからで、そうでなく、彰子と同じ普通科へ進んでいれば、やはり同じようなところへ入学していたと思う、という。

同じクラスになったこともあれば、離れたこともある。だが、それには関係なく、家が近所だし、同じ学習塾《じゅく》に通っていたこともあって、「女友達のなかではいちばんの親友」だった、と話した。その台詞《せりふ》をはくとき、ちらっと妻の顔をうかがった。

郁美の方は旧姓を大杉といい、やはりこの市内の生まれだが、学校はすべて、保とも彰子とも違う。東京の短大を卒業したあと、五年間丸ノ内でOLをしていた。こちらに戻ってきたのは、両親と同居していた兄が、転勤で横浜に移り、淋《さび》しくなった両親が、彼女を呼び寄せたからだ、と言った。

「あたしの方も、そろそろ一人暮らしに飽きてきたころだったし、東京は物価も高いし」

「二十五になると、会社にいても辛いしな」

茶化すように言った保の言葉に、意外なほど真面目《まじめ》なしみじみとした顔つきで、郁美はうなずいた。

「そうよ、ホントに。ホントに嫌だった」

これがもし、まだ東京で一人暮らしをしており、会社勤めのＯＬのままだったなら、大杉郁美はけっして真顔で答えたりしなかったろう。「意地悪ねえ」などと質問した相手をぶちながら、笑って答えたことだろう。「ええそうよ、淋しいわよねえ」と、ちっとも淋しくなさそうな顔で言うだろう。

「丸ノ内って言ったって、あたしのいたところなんか全然大手じゃなかったから、お給料もボーナスもそこそこなんです。豪華な研修旅行もあるわけじゃないし、昇給だって頭打ちだし、残業したって税金をとられるだけ。やっぱり大企業でなきゃ駄目なんだって、よくわかりました。おまけに、周りの空気が冷たくなってくるでしょ。たまらなかった」

よく聞く話だ。本間は言った。「給料の面はともかく、一般職の女性が、ある程度年齢があがってくると居心地が悪くなるというのは、大手でも中小でも同じだよ。よほど職場に恵まれないと」

「そうかしら」

しかし、二十五歳でもう居づらくなるとは、ずいぶんな話だ。本間がそれを言ってみると、郁美は笑った。

「婦警さんとか、先生とか、いろいろ技術のある人とか、特殊な専門の仕事してる女の人なら違うんでしょうけど、ただの事務員だったら一歳でも若いほうがいいんです。そのリミットが二十五歳。このごろ、昔と違って女性は三十になるまで華だ、なんて、テレビとかでは言ってるけど、そんなのやっぱりウソですよ。二十一歳の娘《こ》だって、下に二十歳の後輩が入ってくれば、それだけでもう、少し古くなったみたいに扱われる」

「お勤め自体は楽しかった？」

郁美は少し考え、おおぶりの湯呑《ゆの》みに入った烏龍茶《ウーロンちゃ》を飲んでから、ゆっくり答えた。

「楽しかった。今、ここで思い出すなら」

夫がいて子供がいて家がある、今この場所から振り返るならば。

「ひとつね、面白い話をしましょうか」と、郁美が言った。「半年ぐらい前だったかなあ。丸ノ内にいたころ、そんなに親しくはなかったけど、同じ課にいた女の子がね、いきなり電話をかけてきたの。実家に。あたし、そのときはたまたま、ホントにたまたま、太郎を連れて泊りに行ってるときだったから、すぐに電話に出られたわけ」

初めて聞く話なのか、保も興味深そうな顔をしている。

「あたしが出たら、すっごく明るい声で『元気ぃ？』なんて訊くの。こっちは（なんだろう）なんて思ってたけど、『元気よ』なんて答えてね。あたしが辞めたあとの会社の噂話《うわさばなし》なんかいろいろして……彼女はまだ勤めてたから。ほとんど一方的にしゃべるのよ。香港《ホンコン》へ行ってきたとか、今年の社内旅行は伊香保だとか。そのうちに、やっと話がおさまって、『ねえ、今どうしてんの？』って訊くから、『子育てで大変よ』って答えたら――」

「そしたら？」

郁美は小さく舌を出した。「ちょっと絶句しちゃって。『結婚したの？』って。あたしが、『そうよ。未婚の母なんて嫌だもの』って言ったら、黙っちゃってね。それからは、話もぶつぶつ途切れちゃって、最後には、なんか唐突な感じで切られちゃった」

少しのあいだ、沈黙が落ちた。郁美は、かたわらにあった地酒の瓶《びん》の輪郭を、一本指でなぞるようにしている。

「たぶん、彼女、自分に負けてる仲間を探してたんだと思うな」

「負けてる仲間」

「ええ。寂しかったんでしょう、きっと。ひとりぼっちになったような気がして、どん底にいるような気分だったんでしょう。わからないけどね。でも、結婚するんでも留学するんでもなく会社を辞めて田舎へ引っ込んだあたしなら、少なくとも、東京にいて華やかにやってるように見える自分よりは惨《みじ》めな気分でいるはずだって当たりをつけて、それで電話してきたんですよ」

保は、料理されてはいるが正体のわからないものを口に入れてしまったような顔をしている。「わかんねえな、オレには」

「わからないわよ。あなたには」

「男にはわからないかな」と本間が言うと、郁美はそれにもかぶりを振った。

「さあ、そうは思わない。男の人にはまた男の人で、出世とか年収とかいろいろあるでしょうから。だけど、タモッちゃんにはわからない」

保はむっとしたようだった。「なんでだよ」

郁美はにっこりすると、なだめるように彼の腕に手をおいた。「怒らないでよ。タモッちゃんがバカだとか単純だとか言ってんじゃないの」

「言ってるよ」と口をとがらせながらも、保は吹き出した。

「そうじゃないのよ。タモッちゃんは幸せだから」

本間は訊いた。「幸せ?」

郁美はうなずいた。「うん。だって、小さいときから自動車が好きで、とっても好きで、学校だってそれに合わせて進学して、そいでもってお父さんの工場《こうば》があって、そこで修理工になったら腕が良くてさ」

「最初っから良かったわけじゃないよ」と言いつつも、保は得意そうだった。

「そうよ。いっぱい努力したもんね。だけど、努力して良くなるってことは、やっぱり才能があったのよ。駄目な人は、どれだけ好きでも駄目だもん。タモッちゃんはさ、子供のときから好きなことがあって、その好きなことに才能があって、そいで、そこに進むことに邪魔が入らなくってさ。そういうの、いちばんの幸せじゃない」

言葉は拙《つたな》いが、郁美の言うことは真実をついていると、本間は思った。

「オレだって、ホントはもっとでっかいところの技術者になりたかったんだ。そういう夢があったんだぞ」

「マツダに入って、ル・マンに行くの？」と、郁美が笑う。

「そうだよ。だけど、工場があるからさ。オレは後継ぎだから。だから、夢があったのに、諦《あきら》めたんだぞ」

郁美は何も言わず、ただ笑っている。

保の言葉には誤解がある。根本的な誤解が。だが、そこで強《し》いて言い返さない郁美の賢さに、本間は好感を持った。平凡で、特に美形でもなく、とりわけ学校の成績が良かったとも思えないが、本多郁美は賢い女だ。きちんと目を開いて生きている、と思った。

「関根彰子《しょうこ》さんは、なぜ東京へ行ったんだと思う？」

本間がそう尋ねると、一瞬だが、保と郁美は目と目を見合わせた。そして、（さあ、いよいよここからはタモッちゃんの範囲のことだから）とでもいうように、郁美はその目を伏せて箸《はし》を取り上げた。

「冷めないうちにいただきましょう。お腹《なか》すいちゃった」

「夕飯《ゆうめし》、食ってきたのに」

「あれはお腹の子のぶんだもん」

済ました顔で煮込みの鉢《はち》に手をのばした。本間は保の顔を見た。

「彼女の高校卒業や就職のときの事情までは知らないかな」

保は荒れた下くちびるを噛《か》み、それから言った。

「そういうことと、しいちゃんの身の上に起こったことと、なにか関係があるんですか」

「あると思う。私は、彰子さんがどういう人だったのか、何を考えて行動していた人だったのか、わかる限り詳しく知りたいんだ。そこから始めれば、あとから起こったことへの入り口を見つけることができると思う」

「どんな女がしいちゃんに成り済ましてたのか、突き止めることもできる？」と言って、保は横目で郁美を見た。

「こいつにも、さっき本間さんから聞いた話はしておきました。こいつのほうがオレよか頭いいから」

郁美が口元だけでにんまりした。保は、彼女が持っていた小さなバッグに手をのばし、「これ、持ってきました。高校のときのしかないけど。うちの近所で、親父が撮ってあげたやつです」

取り出したのは、写真だった。本間がようやく目にする、関根彰子の写真だった。セーラー服姿で、片手に黒い紙筒を持ち、生真面目《きまじめ》な顔をカメラに向けている。切れ長の目に、小さくまとまった鼻。髪はお下げにして胸のところにまで垂らしている。すらりとした体型だが、膝丈のスカートから下の部分が、すぐにそれとわかるX脚だった。

整った顔立ちだ。ただ、化粧すれば美人になる――というぐらいの。こちらは昔の写真だから一概には言えないが、偽《にせ》の彰子のような、一瞥《いちべつ》してすぐにわかるほどの美形ではない。

「彼女が上京してからは、二、三度、こっちに帰省してるときに町中で会っただけかな。あとは葬式のとき。髪の長さはいつも同じぐらいでした。パーマかけて、葬式のときは赤く染めてた。戻す暇がなかったんだって。派手になって、話す声も大きくなって、なんか、ホントのしいちゃんが内側にしまいこまれちゃったみたいな気がした。外に出てるのは看板だけって感じで」

保の言葉に沿って、本間はこの写真に修整を加えてみた。看板だけって感じ。

「彰子さんが、一時サラ金に追われて大変だったことは知ってるね？」

二人はうなずいた。郁美が言った。「あたしは、タモッちゃんと付き合うようになってから聞いたけど」

「オレは、ずっと知ってました。うちのおふくろは、しいちゃんのおふくろさんと同じパーマ屋へ行ってて、そこでいろいろ聞いてきたから。警察まで呼ぶような騒ぎだったっていうから、あんまりひどいことをされるようだったら、取り立て屋が来たらオレを呼びなよって、おばさんに言ったことがある」

「おばさんというのは、関根淑子さんだね」

「ええ。オレ、おばさんのこともよく知ってるから」

「彰子さんは、上京して就職してからも、夏休みと正月には必ずこっちへ帰ってきてたそうだね？」

保は少し考えるように間を置いた。「どうかな……帰ってこない年もあったんじゃないかな」

「君たち、クラス会みたいなものは？」

「やってます。中学三年のクラスのだけど。その時はしいちゃんは一緒じゃなかった」

「そうか……」

「でも、同級生が集まれば噂は入ってくるから。しいちゃんが東京でホステスしてるってことも、そういう経路で聞いたんです」

保はくちびるを湿し、辛そうに言った。

「同級生の一人が東京で働いてるんだけど、そいつが渋谷の安っぽいキャバレーに入ったら、そこにしいちゃんがいて、網タイツはいて出てきたって」

「渋谷？　じゃあ、それは嘘《うそ》だよ。彼女は渋谷では働いてない」

「どこにいたんですか」

「新宿三丁目の『ゴールド』って店と、新橋の『ラハイナ』って店だ。『ゴールド』の方はまだだけど、『ラハイナ』には行ってみた。それほど安っぽい店じゃないし、女の子に網タイツなんかはかせない」

「ウケようと思ってでっちあげたのよ」と、郁美が言った。

「君の友達やそういう仲間たちも、彰子さんが借金で苦労していたことは知ってた？」

「もちろんですよ。そういう噂は早いから」

「じゃ、彼女がその借金問題をどう解決したかということは？」

保は首を振った。「ホントのところは知らなかった。じ——じ——なんでしたっけ」

「自己破産」

「ああ、それをしたってことは。オレだって、さっき本間さんから話を聞くまでは、そんなこと全然知らなかった。おばさんは、親戚《しんせき》中から借金しなきゃならなかったけど、おかげでサラ金の方はきれいに片づいたって言ってましたから、てっきりそうだと」

なるほど……と、本間は思った。やはり、「破産」のイメージは暗いのだ。彰子の母親でさえ、娘が自己破産したという事実を隠していた。

「じゃ、地元の知り合いの人たちは、今でもそう思ってるんだね？」

保はうなずいた。「ほかに考えられないです。ただ、おかしいな、という噂もたってましたよ。関根さんとこは、借金させてくれるような親戚なんていなかったから。

少なくとも、市内にはいなかった」

「だから不思議だったらしいですよ。取り立てがやんだときには」と、郁美がつけ足した。

「そういうことが頭にあったから――」と、本間はゆっくり言った。「君も、関根淑子さんがあんな死に方をしたとき、彰子さんを疑ったりしたわけだ」

保は、自分の考えがそこに書いてあるのを確認するかのように、郁美の顔を見つめた。それから言った。「ええ、そうです」

「彰子さんがまだ金に困っていて、母親の保険金を狙《ねら》ったんじゃないか、と」

保はうつむいてしまった。郁美が答えた。「そうですよ。だって、二千万円とかいう噂だったそうだもの」

本間は苦笑した。「実際には二百万円だよ」

「え？　ホント？」

「そうだよ。簡易保険で」

「なんで十倍になるの？」

「噂だからね」

「タモッちゃん、この金額のこと、誰から聞いた？」

保は首をかしげた。「覚えてねえよ」

「葬式のときに、彰子さん本人に『借金はどうなった？』と尋ねてみたことはある？」

「そんなこと、聞きにくくて」

「そうだろうね」

「どっちみち、あの時のしいちゃんは、おふくろさんに死なれてすごいショックを受けてるみたいに見えたから、金のことなんか、とても……」

「でも、頭の片隅《かたすみ》では彼女がおふくろさんを殺したんじゃないかと思ってた？」

意地悪な訊き方だが、保は怒らなかった。心底恥じ入っているように見えた。

「――そうです」

「境さんだっけ、担当の刑事から、彼女のアリバイのことなんかは聞かなかったの？」

「一応、警察でも調べたみたいだけど、はっきりしなかったみたいです」

そうかな、と、本間はこの点に関しては留保をつけることにした。ひょっとすると、警察はそこまで調べなかったのかもしれない。

「君が葬儀のあと彼女の川口のマンションを訪ねたのは、この疑いがあったからかな？」

郁美はこのあたりのことをすべて聞かされて知っているようで、黙っている保に代わり、「そうです。だからわざわざ出ていったの」と答えた。

「すると、彼女は行方不明になっていた。だから逃げたと思った」

「そうです」

「こんなことになってるなんて、信じられないわ」

「私もまだ信じられないくらいだから、無理ないよ」

本間は例の「彰子」の写真を取り出すと、郁美に見せた。

「この女性に見覚えないかな」

郁美は写真を取り上げた。

「あなたは、関根淑子さんが階段から落ちたとき、偶然現場を通りかかって、救急車を呼んだ。そして、野次馬のなかに、サングラスをかけた様子のおかしい女がいることに気がついた。そうだね？」

郁美は写真に目を落としたままうなずいた。「ええ、そうです」

「その女と、この写真の女性を比べてどうだろう。似てないか」

かなり長いこと、郁美は食いつきそうな顔つきで写真をにらんでいた。せまい座敷は静まりかえった。障子ごしに、注文を通す威勢のいい声が聞こえてくる。

やがて、彼女は眉《まゆ》をひそめたまま首を振った。「この人、知らないわ。会ったことない。それに、あの夜見かけた女かどうかもわかんない。どっちとも言えないわ。だって二年も前のことだし、ちょっと見ただけだし」

「感じはどうなんだよ?」保が乗り出す。

「わかんない。いい加減なこと言えないもん」

本間はうなずいた。「そうだね。ありがとう」

そう都合よく運ぶわけがない。郁美は雰囲気《ふんいき》に呑《の》まれるタイプではないのだな、と思って、本間はまた感心した。

「関根淑子さんが階段を転げ落ちてきたときのことは、よく覚えてる?」

郁美は(寒気がする)というように両肘《りょうひじ》を抱いた。

「覚えてます。あたし、あの夜、バイト先から帰る途中だったの。ステーション・ビルのなかの喫茶店に勤めてて、余ったケーキとか、ときどきもらえたんだけど、あの夜もそれを持ってたわ。あの騒ぎのあと、うちに帰って開けてみたら、ぐちゃぐちゃになってた。きゃあって叫んだとき、放り出したか振り回したかしたんでしょうね」

「嫌《いや》な話を蒸し返して悪いけど、落ちるとき、淑子さんは悲鳴をあげてた?」

郁美は黙ってかぶりを振った。「そのことなら警察の人にも訊《き》かれたけど、あたし、悲鳴は聞きませんでした。いきなり、目の前にごろごろって落ちてきたのよ」

本間が顎《あご》を撫《な》でながら考えていると、保が言った。

「だから、警察じゃ、いっときは自殺かもしれないって言ってたんです。今でも半々ぐらいじゃないかな。境さん――さっき話した担当の刑事さんは、自殺説の方だった。死ぬ気でなけりゃ、酔ってるときにあんな階段を降りようなんて思わないって。ちゃんとエレベーターがあるんだから」

「なるほどね」

「ただ、『たがわ』の店の人たちの話だと、おばさんはエレベーターが嫌《きら》いで、とくに酔ってるときは気持ち悪くなるからって、いつも階段をあがりおりしてたんだそうです」

「ははあ……」

「でも、それでも境さんは自殺だって言ってましたよ。事故とか、誰かに突き落とされたとかしたなら、絶対に声をあげるはずだって」

必ずしもそうとは言えないと、本間は思う。抜き打ちに突き飛ばされたり、あるいはほかのことに気をとられていたりすれば……

「場合によっては、しゃっくり程度の声しかあげないことだってあるよ。現場は静かなところかな？」

保は笑った。『たがわ』にはカラオケがあるし、その隣のスナックにはダンスフロアがあって、しょっちゅうダンス曲をかけてます。オレたちも行ったことがあるけど、隣の人と話もできない」

郁美が同意した。「そう。だって、あの時も、あたしの悲鳴を聞いて駆けつけてきたのは、周りのビルやお店の人たちばっかりだったもの。『たがわ』の人たちは、騒ぎが大きくなるまで気がつかなかったみたい」

「関根淑子さんは、よく『たがわ』に行ってたのかな？」

「ちょくちょく通ってたらしいです」

「定期的に？」

「そうですね。オレ、このことはしいちゃんから聞いたんですよ。彼女がまだ一緒に住んでた頃《ころ》から、居酒屋で飲むのはおばさんの唯一《ゆいいつ》の息抜きだったって」

「日は決まってたのかな？」

「土曜日の夜だって。ほら、おばさんは給食室で働いてたからね。土日は休みなんです」

毎週、土曜日の夜。あとは、場所がわかっていれば、近くで待っていればいい。そして、酔った淑子が「たがわ」を出てきたところを見澄まして、背中をひと突き。

簡単そうに見える。しかし、関根淑子を殺そうと企《たくら》む人間の側に立って考えてみると、この計画を果たすためには、まず、少しのあいだ彼女の生活を観察し、行動パターンを知る必要があったろう。そうしているうちに、「たがわ」へ通うという彼女の習慣を知る――

ずいぶん時間と手間のかかる話だ。

これが殺しで、その犯人が女性――偽の「彰子」であるならば、もっと簡単な方法があったのではないか？　セールスを装って、家にあがりこむことだってできたろう。女性ならあまり警戒されることはない。

それとも、「彰子」は別のルートで淑子の「たがわ」通いをつかんでおり、宇都宮を訪れたときには、最初からそれを利用するつもりだったか。それなら、危険な階段を使う可能性はある。

では、どうやってその情報を得たのか？

「ここでぐちゃぐちゃ言ってるより、『たがわ』へ行ってみた方が早いと思うな」と、保が言った。

「案内してくれるかい？」

「もちろんですよ」

「あたしも行く」と、郁美が言った。

「身体《からだ》が冷えるよ」

「平気。厚着してきたから」

ツンと顎をあげて、郁美は言った。その言葉が、本間にはわからないキーワードになっていたのか、保がグラスを置いて座りなおした。

「本間さん、オレ、あなたを手伝いたいんだけど」

「え？」

「手伝いたいんです。しいちゃんを探すこと。やらせてください、お願いします」

この場合は、本人よりも妊娠中の妻の意向を優先するべきだろう。本間は郁美の顔を見た。彼女は勝ち気そうに口元をひきしめ、ひとつうなずいてから、言った。

「使ってやってください」

「だけど、工場の方は？」

「休みます。それぐらい、自由がきくから」

「しかし……」

「いいんです。決まりですよね？　郁美も承知してるから」

あわただしくそう言って、保は逃げるように立ち上がった。「オレの方が冷えてきちゃった。ちょっと小便してくる」

「いちいち断らなくていいわよ」

笑いながら、郁美は通りすぎる保の膝《ひざ》のうしろを叩《たた》いた。

二人になると、郁美は膝をそろえ、意味のない感じで本間に微笑《ほほえ》みかけた。

「タモッちゃんて、いい人でしょ」

「うん」と、本間はうなずいた。「妙なことに巻き込んで申し訳ない。今の話は――」

おっかぶせるように、郁美は首を振った。「いいんです」

「よくないよ」

「いいんですよ」

郁美は膝の上に置いていたハンカチをたたみ始めた。「東京の刑事さんなんですってね」

「休職中だけど」

「それも聞きました。タモッちゃん、ああ見えてもバカじゃないのよ。夕方、本間さんが工場に来て帰ったあと、まず境さんに電話して、警視庁に本間って人がいるかどうか確かめてもらったんです」

「……そう」

「だから、やる気になってるんです。本物の刑事さんと人探しなんてね。カッコいいもの」

「本当に承知してるの？　彼が工場を休んで——場合によっちゃ、家を空けることにもなるんだよ」

「本気です。タモッちゃんを使ってやって」

呼吸ふたつ分くらい間を置いて、本間は言った。

「できないな」

郁美はさっと顔をあげた。「なんで？」

「あなたが本気で承知しているとは思えないし、あなたがたのあいだに波風をたてることもできない。状況は報告するから、タモッちゃんには家にいるように説得するよ」

「そんなの駄目《だめ》。使ってやってください」

「嫌じゃないの？」

郁美は声を張りあげた。「嫌ですよ。すっごく嫌だ！」

黙って顔を見ていると、郁美のふっくらした頬《ほお》が震えているのがわかった。

「嫌だけど、うちにいて彰子さんのこと考えていられるの、もっと嫌だもの」

「そんなことはないよ。考えすぎだ」

「なんでそう言えるんです？　刑事さん、タモッちゃんのこと知らないでしょ？」

郁美の勢いに、ちょっと気圧《けお》された。

「でも、いくら幼なじみとは言っても、今の彼には、彰子さんよりあなたや太郎くんの方がずっと大切なはずだ。それぐらいはわかる」

「そうよ。大切よ。大事にしてくれてる。だけど、違うの。意味が違うの」

「どう違う」

郁美の声から力が抜けた。「本間さん、幼なじみ、いますか？」

「いるけど、今はそう親しくしてないね」

「じゃ、わかんないわ」

「保くんと彰子さんだって、大人になってからも親しくしてたわけじゃないだろ？」

「だけど、気にかけてた。タモッちゃんはずっと気にしてた。彰子さんのこと。東京へ出ていって、サラ金に手を出して借金つくって、ホステスになって——そういう人のこと、気にしてた。好きだったのよ」

「言っておくが、その『好き』は、あなたへの気持ちとは違うからね」

「違うわ。違う。だからいいの。タモッちゃんがあの人のために一所懸命になっても許してあげる。今だけならね。それでちゃんとけりがつくんなら。でも、この先もずっと引きずってほしくはないの」

郁美は顔を伏せた。膝の上に置いた手の甲に、涙が一滴垂直に落ちた。

「――興奮すると胎教によくないよ」

努めて軽薄に言ってみたつもりだが、郁美は笑わなかったし、この話題から逃げるつもりもないようだった。両肩が突っ張ったままだった。

「タモッちゃん、あたしのことは呼び捨てにするけど、彰子さんのことは『しいちゃん』って呼びます」

呟《つぶや》くように、郁美は言った。

「ずっと気にしてるの。ずっと好きなのよ。子供のときの思い出を共有してるんだもの、あたしには勝てないわ」

郁美を見守りながら、本間はふと、碇の顔を思い浮べた。彼が千鶴子の仏壇に「チイちゃん」と呼びかける声を思い出した。

「そんなに好きなら、保くんは彰子さんと結婚してたはずじゃないか」

郁美はちょっと笑った。「彰子さんはタモッちゃんなんか相手にしてなかったみたいだもの。それに、もしそうでなくても、近すぎて駄目だったのよ」

近すぎて駄目だ――これも、碇の台詞《せりふ》と似ていた。

「ああいう幼なじみって、恋愛とか結婚とか、そういうものとは別のものなのよ。きっとそうなんだと思う。それに……」

「それに？」

郁美は手の甲で子供のようにしゃにむに顔をこすり、涙をふいた。

「あの人、彰子さんに悪いことしたって、すごくうしろめたく思ってるの。ほら、彼女がお母さんを殺したんじゃないかって疑ってたでしょ？　だから」

「それを償うために――」

「そう。償うなんてカッコいいもんじゃないけど、悪かったって気持ちを行動で表したいのよ」

実直そうな保の顔と、郁美の声とが、本間の頭のなかでだぶってきた。

「それに、関根淑子さんがあんな死に方をしたことで、あたしとタモッちゃんは知り合ったんですよ。つまり、このことは、あたしたち夫婦の根っこに関《かか》わってる。こだわるのも当たり前よ。だから、タモッちゃんの気が済むようにしてあげてください。

休みならとれるの。あたしたち、新婚旅行にも行ってないんだから。お式のとき、もう六ヵ月のお腹《なか》を抱えていたからね」

ぎゅっと鼻にしわを寄せるようにして笑うと、郁美は言った。

「今夜も、工場は六時にあがってたの。それから三時間、タモッちゃん、このことであたしと激論してたんです。あの人、本間さんが帰った瞬間に、もう手伝うことを決めてたみたい。優しくて、真面目《まじめ》なんです。お願いします、気が済むようにしてやって」

郁美は、涙こそこぼしていなかったが、目はまだ泣いていた。心底悔しいに違いない。ただ、この賢い女性は、保がその気でいる以上、思い出と闘っても勝ち目のないことを知っているのだ。

強いな、と思った。この強さは、彼女の持ち前のものなのだろう。

ひとつ息を吐いて、本間は言った。「この件が片づいたら、彼にうんと高価《たか》いものを買わせるんだね」

郁美は笑った。「あたしたちの家を建ててもらうから。土地ならあるんです。あたし、吹き抜けのある家に住みたいの」

「そりゃいい」

ようやく障子が開き、保が戻ってきた。いや、しばらく前からそこにいたに違いない。うつむいていた。

「さ、行こ。タモッちゃん」

促して、郁美は立ち上がった。中腰の格好で、本間を振り向いた。

「そうだ。このことでタモッちゃんがお役に立ったら、警察から感謝状みたいなものをもらえます？」

保はあわてた。「バカ、何言ってんだよ」

「いいじゃない。もらえないかな。本多のお義父《とう》さん、表彰状を壁に飾るのが大好きなの。だけど、タモッちゃんたら表彰されたことがないもんだから、未《いま》だに、小学校二年のときの皆勤賞の賞状しかないのよ」

久しぶりに暖かい気分で、本間は笑った。「もらえるように努力してみるよ」

17

タクシーでビルの前まで乗りつけ、「その足じゃ登るのは無理ですよ」と保《たもつ》に言われて、問題の階段は、とりあえず下から見あげただけで通りすぎた。それでも、雰囲気はよくわかった。

コンクリートの段々が上から雪崩《なだれ》のように落ちかかってくるという錯覚を起こしそうなほどの急勾配《こうばい》で、しかも照明が乏しいので足元が暗い。手摺《てす》りは一応ついているが、とにかく傾斜が急でステップの奥行が浅いので、酔っ払っていなくても、ちょっと悪い体勢でバランスを崩したりしたら、止めようもなく下まで転がり落ちてしまいそうだった。

「存在そのものが凶器って感じの階段でしょ？」と、郁美が寒そうに首を縮めながら呟いた。「あんなことがある前から、あたし、この階段の下を通りかかるたびに、『エクソシスト』みたいだなあって思ってた」

「エク――なんだい？」

郁美は呆《あき》れたような顔をした。「映画、観《み》ないんですね」

ビルの端に、うらぶれた感じでひっそりとくっついているエレベーターに乗りこむ。一、二階の銀行は、このエレベーターを使っていないのだろう。箱の床には安っぽい紅色のカーペットが張ってあり、壁のそこらじゅうに落書が乱れ飛んでいた。

おまけに、箱ごとぎしぎし呻《うめ》きながら、三階まであがってゆく。足が完全なときなら、歩いた方が早いくらいだ、と思った。

「たがわ」では、先客が一人待っていた。保の顔を見て、窓際《まどぎわ》のボックス席から立ち上がった年配の男だ。それが宇都宮署の境という刑事だった。保はなかなか手回しがいい。

公務で出張したときなど、こちらが警視庁の人間であるということに妙にこだわり、卑屈な態度をとったり、逆に意固地になって威張り散らすような地方警察の刑事にぶつかることがある。幸い、この境刑事はそういうタイプではなかった。だがそれは、人柄《ひとがら》というよりも、本人の言う「あと二ヵ月くらいで定年退官ですわ」という立場の生むゆとり――ひょっとすると「諦《あきら》め」かもしれないが――から出てきているもののようだった。

「お話は、ざっとですが、本多くんから聞いとります。なんですか、えらくこみいってますなあ」

刑事には二種類いる。飲み屋のたぐいでは絶対に自分の身分を明らかにしないタイプと、ある程度場所を選びはするが、積極的に明らかにしてゆくタイプと。境刑事は後者のようであり、「たがわ」は彼の「縄張り《なわばり》」であるようだった。熱燗《あつかん》の地酒を手元に置いて、気楽に、くつろいだ感じで座っている。話し声にも遠慮が感じられなかった。

「とりあえず、関根淑子さんの死亡事故について、怪しいところがあったかどうか——まずはそれが気になっておられるわけですか」

「そうなんです。他殺の線は考えられませんか」

境刑事はくしゃくしゃっという感じで笑った。この笑顔を武器に、決して容疑者を脅したりせず、肩をぽんぽんと叩いたりしながらおとすタイプであろう。

「そりゃ、ありません。断言できます」

「でも……」

膝を乗り出した保に、諭すような口調で、「だから、今までも、何度も言ってきたろう？　淑子さんが誰かに突き落とされてあそこから落ちたなんてことはありゃせんて。そんなことは不可能なんだから」

「不可能？」と、本間は訊いた。「できない、ということですか。悲鳴が聞こえなかったから、ということではなく？」

「ええ、そうですわ。ちょっと出てみましょうか。その方が話が早い」

危ないし寒いからと、郁美だけを席に残し、三人は連れだってビルの廊下へ出た。

幅一メートルぐらいの、打ちっぱなしのコンクリートの廊下である。しかも吹きさらしだ。頭上に突き出ているコンクリートのひさしは、このビル自体の屋上の裏側部分ということになる。「たがわ」のドアを背中に、右手にエレベーターが、左手に問題の階段がある。「たがわ」は、この三階に入っている三つの店舗のなかで、中央に位置していた。つまり、右手にもうひとつ居酒屋の入り口が、左手にはさっき保の言っていた騒々しいダンス曲のかかるスナックのドアがある。

ほかに、ドアは見当たらなかった。物入れも、トイレも、なにひとつ。

「おわかりでしょう？」

ゆっくりと階段の方へ歩きだしながら、少し得意そうな顔で境刑事は言った。

「逃げ隠れする場所などないですよ。もし、関根淑子さんを突き落とした犯人がいたなら、犯行のあととるべき道はふたつです。ひとつ。階段を降りるか、エレベーターを使って逃げる。ふたつ。どこでもいいから近くの店に飛び込んで何事もなかったかのようなふりをする」

「どちらにしても、相当な脚力と演技力が要るなあ」

本間が呟くと、境刑事は破顔した。

「そうですわなあ。普通の人間には無理です」

三人は、階段のいちばん上に立った。境刑事がいちばん前に、保がいちばんうしろに。

二階の踊り場は、たたみ半畳分にも満たない。そこでワンクッションおくだけで、あとは細かなコンクリートの段々がつらなっており、その下には、硬い灰色の舗装道路が待ち受けている。じっと見おろしていると、なにか落としてみたいような気分になる。騙《だま》し絵のなかにはまりこんだようでもあり、少しでも身体を前に傾けると、魂が胸からこぼれ出てしまいそうだった。

「淑子さんが転がり落ちてきたあと、階段を降りてきた人間はいなかった。これは、タモッちゃん、あんたの奥さんがそう証言しとるだろ。階段の上には誰もいなかった」

気さくに保に呼びかけて、境刑事は言った。

「ただ、階段を二階の踊り場のところまで降りて、そこから閉店後の銀行の内部を通って逃げた――という可能性もある。すごい早足だけどねえ。我々は、それについても調べたけど、なにせ二階は銀行だから。関係者以外の人間が外から簡単に出入りできるような造りにはなってないよ」

保は黙って首筋をかいている。

「エレベーターはどうですか」

尋ねながら、本間は口元に苦笑が浮かんでくるのを抑えきれなかった。境刑事の顔を見ると、彼もにやにやしていた。

「あのロートルエレベーターでしょう」

「そうですね……」

「淑子さんが転がり落ちて、郁美ちゃんがそれを見つけて悲鳴をあげて、人が集まってくる――それより前に、エレベーターで下まで降りて、誰の目にも触れずに逃げおおせるなんて、曲芸みたいなことですよ。通行人はほかにもいましたからねえ」

「じゃ、どっか店に飛び込んで、客に成り済ましたんだ」気勢はあがらないながら、保が頑張《がんば》った。

境刑事はゆるゆると首を振った。「だから、それも駄目なんだわ。『たがわ』でも、エレベーターに近いところの居酒屋でも、この階段にいちばん近い店でも――」

と、騒々しいスナックのドアを軽く叩き、「淑子さんが落っこちたころに、外へ出ていってすぐ戻ってきた、あるいは、外からやってきた客はいなかった、と言っている。この三軒の店には、それぞれ店内にトイレと電話があるからね。お客は本当に来て帰るときしか出入りしないんだよ」

保は、造りは雑だが重量だけはありそうなスナックのドアの方へ手を振った。

「こんな騒がしい店で、お客の出入りなんかちゃんとつかんでいられるかなあ。境さんたちが聞き込みにいったとき、いい加減なことを言ってたんじゃないんですか」

保は細かいところまで突っ込んでくる。だが、境刑事は子供をあやすような顔をしただけだった。

「そうだねえ。だがよ、タモッちゃん、もし、淑子さんを突き落とした犯人がこの店にいたんだとしてだよ、その場合、そいつは、どうやって、淑子さんが『たがわ』から出てくるのを察知したんだろうね？　廊下でずっと待ってりゃあ確実だが、出入りするほかの客にヘンな目で見られるし、そんなことがあれば、見かけた客は覚えてるだろう。じゃあってんで、スナックのなかにいたら、今度は淑子さんが大声で歌うたいながら廊下を通ったってわからねえよ。聞こえないからな」

保は、さすがに参ってしまったようだ。急に寒そうな顔になった。両手をポケットに隠している。

「娘の関根彰子のアリバイはどうです」と、本間は訊いた。

「一応、確認はしましたよ。淑子さんが死亡したのは午後十一時ごろのことでしたが、その時刻には、娘さんは勤め先のスナックで働いていました。同僚の証言もあった。当日は土曜日でしたが、店は休みじゃなかったんです」

「だけど、アリバイってのは、いくらでも細工できるんでしょう？」

探るような保の台詞に、本間は思わず境と顔を見合わせた。声は出さなかったが、どちらの顔も笑っていることに、保は気づいたに違いない。

「サスペンスドラマとは違うよ、タモッちゃん」と、境が言った。

一見、逆のように見えるが、現実には、アリバイを重んじるのは、一般人よりもむしろ刑事の方である。どれほど怪しいと思っても、動かしようのないアリバイがあれば、捜査する側としては、容疑の対象から外さざるを得ない。他所《よそ》でほんぼしを探すことを考える。ところが、一般人というのは案外と頑固で、いったん「こいつが怪しい」と思いこむと、「アリバイがあるなんて、どうせでっちあげに決まってる」などと平気で言うものだ。一度冤罪《えんざい》をかぶった人間が、再捜査や再審で無罪を立証されても、地域の住人や親族筋からは依然として犯人扱いを受け、白眼視されることがあるというのも、この心理のためであろう。科学捜査についても同じことが言える。刑事は、血液型の微細な違いにもこだわって捜査対象を変えねばならないが、一般人は、「そんなもん、あてになるもんか」と一蹴《いっしゅう》してしまうことができるのだ。

保も、（しいちゃんがやったのではないか）と思った瞬間から、この淵《ふち》にはまりこんで、周りが見えなくなってしまったのだろう。アリバイなんていうあやふやなものより、しいちゃんが借金で困っていたことがあるという事実のほうが、彼にとっては重かったのだ。だから、いろいろ考え、悩んで、彼女の川口のマンションまで出向いていった。これまでずっと疑い続け、苦しんでいた——

「郁美ちゃんが酔っ払いに口説かれてるかもしれないで、戻ってやれや」

境に促されて、保は「たがわ」へ引き上げていった。この高さにまで吹き上がってくる夜風に耳の感覚がなくなってくるのを感じながら、本間は言った。

「他殺の疑いがないという理由は、よくわかりました」

もともと、本間は関根彰子が母親を殺したなどと考えたことはない。問題は、あくまで「彰子」だ。

「まだ留保つきのようですがねえ」

境には見抜かれているらしい。

「ええ。私なりに考えていることもありますんで。気を悪くしないでください」

「いいですよ。私も、私の考えたことを言ってるだけですんで」

「本多くんに聞いたんですが、境さんは、関根淑子は自殺したんだと考えておられるようですね?」

境は顎《あご》を首筋にくっつけるようにしてうなずいた。冷たい風に吹かれて、目に涙が浮いていた。

「職場仲間のおばさんたちゃ、『たがわ』の常連客で淑子さんをよく知ってた連中から聞き込んだんですがね」

境は、真っすぐに下降してゆく灰色の階段を見つめていた。

「淑子さんは、以前にも一度、ここから転がり落ちそうになったことがあったそうなんですわ。死ぬ前――ホントに前です、一ヵ月くらい前だったとかいう話だから。その時は尻《しり》から落ちたんで、四、五段滑っただけで済んだらしいんだが」

「誰か見ていた人が？」

「ええ。その時は、淑子さん、やっぱり驚いたんでしょうな、声をあげまして。たまたま、彼女と入れ違いに『たがわ』に来た客がそれを聞きつけて飛んできたというわけです」

階段から目をあげて、本間の顔をのぞくような目をすると、境は言った。

「そのとき、助け起こしてくれた客に、淑子さん、こう言ったそうですよ。『ここから落ちたら死ねるねえ』ってね」

またひと吹き、閉じた口の隙間《すきま》から忍びこんで歯にしみるような風が吹きあげてきた。

「そのときもだいぶ酔ってたらしくて、助けた方は本気にしてなかったようですがね。ただ、勤め先のおばさん仲間たちから聞いてみると、淑子さん、だいぶ参っててねえ、生きててもいいことないから死んじまいたいなんて、ときどき物騒なことを言ってたようなんですわ」

「……希望がなかったんですかね」

「不安だったんじゃないですか。娘は借金騒動を起こしたような女だし、もうじき三十になろうっていうのに、身を固めてくれるような様子もなし。二流どころのスナック勤めかなんかで、浮草商売でしょう。自分だって、そういつまでも元気でいられるわけじゃないのに……」

「死亡したとき、関根淑子は――」

「五十九歳です。年齢だけでいったら、そりゃまだ若いですがね。それでも、あっちこっち身体《からだ》にガタがきてたんでしょう。私には、よくわかります」

無意識のうちにしたことだろうが、境は右手を背中にまわして、腰のあたりを押さえた。

「このまま歳《とし》をとってって、どうなるのかなあ……貯金だってないし、働けなくなったらどうしようか……そんなことを考えちゃ、くよくよ悩んでいたようです。それが高じて、ふっと死ぬ気になったんじゃないかと、私は思うんですよ」

「しかし、遺書はなかった」

遺書のない自殺は、案外多い。それを承知で、本間は言ってみた。

境は、人に聞かれたくないことを話すように、声を小さくした。「それですがね、自殺といってもいろいろあるんじゃないかと思うんですよ。覚悟を固めて農薬を飲むとかビルから飛び降りるとか、そういうのだけが自殺じゃなくてね、なんかこう、このまま死んじゃってもいいなあ、というような」

境は、その言葉とともに、ふらりと階段の方へ歩きだした。本間は思わずその袖《そで》をつかもうと手をのばしかけ、刑事の右手がしっかりと手摺りを握るのを見て、途中でやめた。

境は階段を一段だけ降りた。それは、事故当時の関根淑子の心理状態の深みのなかに、その一段分だけ降りたというように見えた。

そうして、灰色の舗道を見据《みす》えている。

「淑子さんねえ、毎度毎度、『たがわ』に来るたびに、酔っ払って、危ないからやめろと言われても、この階段を降りてたんですよ。それはね、そうやって何度か降りていれば、そのうち、どうかして足が滑って、なにかのはずみでバランスを崩してね、うまく下まで転がり落ちて、パッと死ねるんじゃないか、そうなったらいいなあ……そんなふうに考えてたからじゃないかと思うんですわ」

「それほど――」口を開くと、冷気が喉《のど》にしみた。

「それほど孤独だったんですかね」

「そうですわ。私はそう思う」

境は言って、こちらに背を向けたまま、あとずさりで三階の廊下へあがった。

「だってね、死ぬときまで、淑子さんは何回も何回もここを降りてたんですよ。彼女が酔っててもこの階段を使うことを、『たがわ』の客はみんな知ってたんですよ。けどね、そういう客たちのなかには、酔って店を出ていく淑子さんを、エレベーターのところまで送っていこうという人間はいなかった。放っておくと淑子さんはまた階段を降りるから、俺《おれ》ちょっと行ってエレベーターに乗せてやってくるよ、と、酒の席から中座する客は、一人だっておらんかったんです。口では、『危ないからエレベーターを使いなよ』なんて言っててもね。口ではね」

境の、白髪《しらが》混じりの薄い眉毛《まゆげ》が下がった。口元は笑ったような形をしていたが、顔のほかの部分は笑っていなかった。

「他人のことは言えないですわ。私もそういう口ばっかり優しかった常連客の一人だから。何度か、『たがわ』のカウンターで淑子さんを見かけたこともあったんです」

どちらからともなく踵《きびす》を返して、「たがわ」のドアの方へ足を向けた。振り向くと、階段のそばに誰かがいるような――酔って壁に身体をあずけている、五十九歳の孤独な母親の影が落ちているような気がして、うしろを見ることができなかった。


夕方、ステーション・ビルのそばのホテルに部屋をとっておいた。フロントに寄ると、伝言がある、という。

智《さとる》からだった。午後七時二十五分着信、とある。

六時ごろだったか、チェックインしたとき、部屋から自宅に電話して、連絡先を教えておいた。途中で井坂に替わり、今夜はうちに泊めてもいいかと尋ねられたので、ほっとしながら礼を言った。

井坂の家にかけてみると、すぐに智が出た。

「お父さん？　ずっと待ってたんだよ」

今何時だ――ベッドのヘッドボードの時計をのぞきこむと、まもなく零時になるところだった。

「すまん、ちょっと話しこんでてな。どうした？」

「あのね、マチコせんせから電話があった」

「誰からだって？」

「マチコせんせだよ」

リハビリの理学療法士のことである。北村真知子という。当初、智は彼女のことを「マチコ先生」と呼んでいたのだが、大阪人である彼女が、「大阪弁を使い続けるあたしに協力してね」と申し出て、「せんせ」と呼ばせるようにしたのである。「い」をつけてはならぬ。

「父さんがリハビリ行ってないからか？」

「うん」

「おまえ、そんなことを言うためにこんな時間まで起きてたのかい？」

智は焦《じ》れているようだった。「長距離電話で叱《しか》らないでよ、もったいないじゃん。これ、井坂さんちの電話なんだよ」

「バカね、大丈夫よ、お父さんからかけてきてるんだもん」

遠い声がして、「どれどれ、おばちゃんがちょっと交通整理してあげる」と言いながら、久恵が替わった。

「もしもし？」

「本間さん？　ちょっと聞いてくださいな。ことの始まりは、あのヘンテコな写真に写ってるヘンテコな球場のヘンテコな照明灯なのよ」

「あの、外を向いてるやつですな？」

「そうそう。あたしたち、不思議だから、自分たちでもずっと考えてたんだけどね、機会があると、人にも訊いてみてたの。それだけなら口外したってかまわないと思ったし、情報は広くから集めた方が合理的じゃないさ」

「はあ。それで……」

「あわてないの。でね、智ちゃんてばいい子だから、いつもそのことが頭にあったわけ。おかげで宿題忘れちゃうくらい、あのヘンテコな照明灯のことばっかり考えてたわけ」

おばさんヘンなこと言わないでよ、と智がぼやいている。

「宿題のことはいいですよ。で、それが？」

「それだから、智ちゃん、今日マチコせんせから電話があって、きみの父上は敵前逃亡者である。三日以内に出頭しないと憲兵が逮捕にゆくぞとおっしゃいましたときにも、そのことを考えてて、で、訊いてみたわけですよ。相手はスポーツクラブのせんせでしょ？　知ってるかもしれないと思ったのね」

本間は受話器を握りなおした。「それで？　彼女は知ってましたか？」

「『そういうことなら、なんで真っ先にあたしにきかへんの？』と言ったそうよ。これ、正確な大阪弁じゃないかもしれないけど」

「じゃ、知ってたんですね？」

「知ってた」と、例のフライパンを振りあげておろすような勢いで、久恵はきっぱり言った。

「いいですか、本間さん、あの照明灯は、ちっともヘンテコじゃないの。あたしたちが勝手にヘンテコにしてただけ」

「はあ？」

「あのねえ、あの写真の照明灯は、普通の照明灯なのよ。全国どこの野球場にもある、当たり前の照明灯なの。ライトの向きは違ってないし、首を振ることもない」

「しかし、あの写真だと――」

面白そうに、久恵はさえぎった。「だから、前提条件が違ってるんですよ。あなた、あの写真を見たとき、『この家は野球場のそばにある。照明灯が見えるんだから』と言ったでしょ？」

「ええ、言いましたよ。事実そのとおりなんだから」

「そうなの。だけど、そのあとがいけない。『しかし、ライトがこの家の方を向いているんだから、この照明灯は、球場の外を照らしていることになるはずだ。野球場のなかに家があるわけないんだから』と言ったでしょ」

「言いましたよ。だって――」

「だから、それが違うんだって」

智の声が戻ってきた。浮かれている。久恵に負けないほどの大声を出して、一語一語区切って強調しながらしゃべった。

「お父さん、あのね、マチコせんせが教えてくれたんだよ。今ね、全国にただひとつだけ、野球場のなかに家が建ってるところがあるんだって。お父さんわかる？　照明灯の向きは正しいんだよ。球場のなかを照らしてるの。ただ、そこに家があるの。球場のなかに」

あまりに突飛なことなので、すぐには何も言えなかった。かといって笑うこともできない。智のこの勢いからすると、冗談ごとではないのだ。

「そんな妙な場所を、マチコせんせが知ってるって？」

「うん。せんせは大阪人のスポーツウーマンで、熱狂的野球ファンでもあるから」

「じゃ――大阪にあるってことか？」

「うん」と、智は言った。「あるんだよ。使われてない野球場が。わからない？　一九八八年の九月に、南海ホークスがダイエーに買収されて、福岡へ移ったでしょ？　だから空いちゃったんだよ、大阪球場が。取り壊しもされないまんま、今でも残ってる。イベントの会場になったり、中古車販売フェアの会場に使われたりしながらね。で、そういう催しもののなかに、『リビング・フェスタ』っていうのがあったんだって」

「リビング――」

「最近またやってるらしいんだよ。あのね、お父さん、住宅展示場なんだよ。もとの大阪球場を住宅展示場にしてるの。だから、そこは、日本中でたった一ヵ所だけ、野球場のなかに家が建ってる場所なんだって。聞いてる？　あのポラロイド写真に写ってるのは、そこにあるモデルハウスなんだよ！」

18

東海道新幹線で新大阪駅へ。駅から五分ほど歩いて御堂筋《みどうすじ》線に乗り換え、大阪市の中心部を南北に縦断するこの地下鉄に揺られること二十分ほどで、難波《なんば》駅に到着する。

買物好きの女性でも、ここを全部探索するだけで二日はかかってしまいそうな広い地下街を通り抜けて地上にあがると、煩雑《はんざつ》で猥雑《わいざつ》で、ごった煮のような繁華街へ出る。真新しく、洗練された美しい地下街と、この地上の町との関係は、ちょうど、玉の輿《こし》に乗った美しい娘と彼女の生家とのそれに似ているようだ。

これが難波の街であり、旧大阪球場は地下鉄のあがり口から目と鼻の先に位置していた。周囲の雑居ビルと、それこそ軒をつらねるようにして野球場が存在しているのだ。

装飾的にはまったく統一感を欠いた雑多な広告・看板に埋められたその外壁は、球場のそれのイメージと、一八〇度違っていた。どこにでもある、古びたビルの壁面のように見える。このなかで、プロの選手が実際にホームランを打っていたのだとは、ちょっと信じられないほどだ。西武球場、東京ドーム、神戸グリーンスタジアム——新しい設備を備えた広い球場をフランチャイズにする球団が増えてゆくなかで、なるほどこの球場では、南海ホークスが存続できなかったわけだと、プロ野球にはあまり興味のない本間でも、そう思った。

高さ制限二メートルの車両用入り口の脇《わき》に、これもまた、その辺の雑居ビルの入り口とさして変わらない、アルミサッシの引き戸の出入り口がある。その上に黄色い幌《ほろ》がかかり、幌の垂れさがっている部分に、「大阪球場住宅博インフォメーション」という文字が並んでいた。

確かにここは、日本でただ一ヵ所、野球場のなかに家が建っている場所なのだった。入り口を抜けると、そこは通路兼事務室のようになっていた。白い壁に、さまざまな住宅モデルのパネルが飾ってあり、その下にそのタイプの番号が貼りだしてある。朝から気持ちのいい好天で、陽光に目が慣れているせいか、妙に薄暗く感じられた。

通路兼事務室は、また同じようなアルミの引き戸で終わっており、そこから球場のなかに入ることができるようになっていた。引き戸の手前には細長い机をL字型に並べて受付がつくってあり、シンプルなスーツを着た三十代の女性が一人、こちらを向いて腰かけていた。

受付の前から、アルミサッシの枠《わく》ごしにすくいあげるようにして、色褪《いろあ》せた赤と青のベンチが並ぶスタンドを背に、モデルハウスが数棟建ち並んでいるのを見ることができた。あちこちに、見学者がそぞろ歩いている。日曜日の午後のことで、なかなかの賑《にぎ》わいだった。

幸い、受付の近くには、ほかの見学者はいなかった。また、受付の女性も、それなりに妙な客の応対にも慣れているのか、本間がポラロイド写真を出して見せ、

「このタイプのモデルハウスがここに展示されていたのはいつごろだったか知りたいのですが」と切りだしたときも、とりわけ不審そうな顔は見せなかった。大いに助かった。

彼女はまず、「あらまあ」と、言った。「これは……今展示されてるものではないですね。この家をお探しなわけですか？」

マチコせんせのような話し方ではなかったが、イントネーションは関西人のものだ。きれいな声だった。

「ええ、そうなんです。この写真に写ってる――これですね、この照明灯。これが、家の方つまり球場のなかの方を向いているので、場所はこの住宅展示場だと特定できたんです。ただ、時期がわからなくて」

女性は上目遣いに本間を見あげた。

「このタイプの洋風建築でしたら、新しいモデルも出ておりますよ」

「申し訳ない。どうしても、このモデルの家を探したいんです」

「まあ、残念ですねえ」と言いながら、小指の爪《つめ》で口の端をかいた。その小指の爪だけ、一センチくらい長くのばしていた。

「本当にこちらで展示したものでしょうかしら」

「場所はここですよね？」

相手は少し考えた。写真と、陽光がいっぱいにあたっている球場の方を見比べている。

「場所は——そうね、ここですわねえ。照明灯が見えますし。でも、とにかく今は、このタイプのモデルハウスは展示しておりませんよ」

「ここは、いつごろから住宅展示場になってるんですか？」

「この住宅博は、去年の秋からです。九月ですね」

「その間、ずっと同じモデルハウスが展示されてるんですか？」

「ええ、そうです」

「で、そのなかにはこのタイプはない？ 途中で変更されてるとか、そういうことは？」

「ございません。パンフレットにも載せてませんし、行ってご覧になればすぐわかることですけど」

なるほど、なるほど。受付のテーブルの脇に積んである「大阪球場住宅博」というパンフレットを横目に見て、本間は訊《き》いた。

「以前に、リビング・フェスタというのがありましたよね？」

「ええ、ございました」

「いつごろです？」

「さあ……」

ちょっとお待ちくださいと言って、彼女は手元にあった大判の予定表のようなものを繰り始めた。本間は受付のテーブルに両手を載せて、待った。

「――リビング・フェスタの開催は、一九八九年の七月から十月の四ヵ月間でした」

顔をあげて、相手は答えた。細かな文字で書き記されたものを読んでいる。

「そのときは、今度の住宅博よりも、参加した住宅建築会社の数が少なかったんです。半分ぐらいだったかしら」

「その時参加した会社は、今回も全部参加してるんですか？」

「はい」

本間は住宅博のパンフレットを一冊抜き取り、ページを開いて相手に差し出した。

「お手数ですが、リビング・フェスタに参加していた会社と、その会社が今回展示してるモデルに印をつけてもらえませんか。全部回ってみますから。モデルハウスのなかには、それぞれの会社の営業マンが詰めているでしょう？」

「ええ、おりますよ」

受付の女性は、手元の記録とパンフレットとを照合しながら、手際よく印をつけてくれた。五社あった。

球場のグラウンドのなかに足を踏み入れ、周囲を見回すと、いよいよもって、ここがプロ野球公式戦に使われていた場所だとは思えなくなってきた。狭い。実に狭い。先週の大雪はなにかの間違いだったのではないかと思うほど、春めいた日差しの暖かい日だった。マイホームを建てるために訪れている家族連れや、いつかはマイホームを建てるあてを持ってこういう場所に来たいねと話し合いながらすれ違ってゆく若いカップルや、完全にひやかしだろうに、片っ端から「使いにくい」「掃除がたいへんだ」と悪口ばかり言っている中年の婦人たちの団体客のなかに混じっていると、平和な錯覚を起こしそうになってくる。それに輪をかけて、各社の営業マンをつかまえて問い合わせるたびに、

「このタイプなら、我が社にはもっとシャープなデザインのモデルがありますよ。フローリングの部屋はすべて床暖房が入りますしね――」などという口上を聞かされてしまうから、なおさらだ。

各社の営業マンたちには、「このモデルハウスはお宅のものか？」という質問と同時に、「ここに写っている制服に見覚えはありませんか」という質問も投げた。そし

てもうひとつ、あの偽《にせ》の彰子《しょうこ》の写真を取り出して、「この女性に会ったことはありませんか」という質問も。

なぜこんなことをしているのか、あれこれ説明するのは面倒なので、「家出したまま行方知れずになっている娘を探しているのだ」という口実をくっつけた。これが思いがけないほど効果的で、みな誠実に応答してくれる。俺《おれ》も、養子とはいえ十歳の男の子の父親だというよりは、立派に成人している娘の親父《おやじ》だというほうがふさわしい年齢になっているのだと、やや複雑な気がした。

「ご心配ですねえ」などと気の毒そうに言われると、多少、うしろめたくもあった。

だが、芳《かんば》しい成果はない。「否《いな》」の返事が続いた。

一社、二社、三社――順にあたってゆくあいだに、一歩後退して、どのみち、これでこの家の出自がわかったところで、それがあの「彰子」の身元に直結するわけでもないんだしな、と考えた。意外な形で、突発的に照明灯の謎《なぞ》が解けたので、その勢いに乗って大阪までやっては来たものの、たかが写真一枚に、あまり過大な期待をかけないほうがいいということに変わりはない。

たとえ、このモデルハウスを出展していた会社がわかっても、偽の「彰子」がここをぶらりと訪れただけの客で、この家が気に入ったからと、たまたま写真を撮っただけならば、この写真から彼女の身元をたぐることは、まず不可能だ。

「この家なら、うちのモデルです」

という返事がかえってきたのは、最後のひとつ、五社目の営業マン――いや営業レディにあたったときだった。「ニューシティ住宅」という会社出展の堂々たる純和風建築のモデルハウスの、水元の自宅のキッチンぐらいの広さのある玄関で、本間は彼女をつかまえた。グレイのベストスーツの制服の胸に「山口」という名札をつけた小《こ》柄《がら》な美人で、五センチヒールを履いてきりりと背中をのばしていた。

「本当ですか？」

「はい、間違いございません。リビング・フェスタのときに出展した、『シャレー・1990』のタイプⅡですから」

お手本のような正しい言葉遣いに、イントネーションは大阪弁のそれだ。なかなか、耳に快い。

「シャレーというのは……」

「スイスの山小屋ふうということで、ご希望があればオプションで本物の暖炉もつけることができます。ですが、このタイプは今パンフレットがございますかどうか……」と、首をひねる。「ちょっと本社の方へ問い合わせてみます。お待ち願えますか」

右手にある仮設の事務室へ足を向ける。本間は急いで彼女を引き止めた。

「いえ、いいんです。この家がここにあったモデルハウスだということが確認できれば」

「はあ？」

「ただ、もう二、三教えていただきたいことがあるんですよ。申し訳ない」

入れ替わり立ち替わり現れる見学者たちから少し離れて、ディスプレイ用の家具を配置してある居間の窓際《まどぎわ》で、残りふたつの質問をした。「彰子」の写真も見せた。

彼女は「彰子」を知らないと言った。

「申し訳ないんですけど」

「いえ、とんでもない。お時間をとらせて申し訳ないのはこっちのほうだ」

やっぱり駄目《だめ》かとあっさり踵《きびす》を返そうとしたとき、今度は「山口」嬢の方が引き止めた。

「あの……お急ぎでなかったら、ちょっと、ちょっと待っていただけます？」

「は？」

彼女はひとさし指で頬《ほお》を軽く押さえ、歯痛のときのように眉《まゆ》を寄せている。

「その写真に写ってる制服ですね、見覚えがあるような気がするんです」

「間違いないですか?」

「ええ……たぶん。でも、あやふやなんで、あの、もう一人、リビング・フェスタのときここにいた同僚がおりますので、呼んで参りますから。ちょっとこの写真をお借りしても?」

「ええ、どうぞ」

「じゃ、ここでお待ちください」

彼女は急ぎ足で仮設事務室の方へ引き返していった。一人になった本間のほうに、居間に出入りする見学者たちが、好奇の視線を向けてくる。係の女性と話しこんでいるから、この家を買うものと——少なくともそういう方向で話しているものと誤解されたのかもしれない。

戻ってきたとき、「山口」嬢は、彼女より少し背が高く年齢も若い女性を連れていた。同じ制服を着て、胸に「小町」の名札をつけている。本間の顔を見て、軽く頭をさげた。今は、彼女が例のポラロイド写真を手にしていた。

「三友エージェンシーの女子社員の制服だと思うんですけど」と、いきなり言った。

「エージェンシーというと——」

「旅行代理店です」

写真を本間の方に差し出して、

「わたしも一緒に新人の定期研修を受けましたから、覚えています。間違いないと思います」

「研修というのはですね」と、「山口」嬢が説明を始めた。「そもそも、わたしどもニューシティ住宅は、親会社である三友建設の傘下《さんか》にある系列会社のひとつなんです。同じような系列会社のなかに、三友エージェンシーという会社もございます」

「つまり、兄弟会社のようなものだ」

「はい、そうです。で、そういう傘下の会社の社員を、三友建設の本社がある大阪に集めて、年に一度か二度、異業種交流会や、合同の社員研修をするというわけなんです」

「わたしが出たのもその研修で、入社一、二年の女子社員を対象にしたものでした」

と、「小町」嬢があとを引き取った。「ですから、そこには、傘下のいろいろな会社の女子社員が集まっていたんです。研修も仕事のうちですから、みんな、それぞれの会社の制服を着ていました」

「研修ってのは、具体的にはどういうことをするんです？」

「接客のテキストとマニュアルをもらって、それをもとに講習を受けたり、レポートを書いたりしました。実地研修もあります。そのときは、ちょうど開催中だったこのリビング・フェスタの会場に来て、見学者のお客さまをどういうふうにご案内するか、それを勉強したわけです」

「だから、旅行代理店の女子社員が住宅展示場に来ていたわけですか」

「ええ、そうなんです。ほとんどが、事務や窓口業務を受け持つ女の子たちでした」

と、「小町」嬢は言った。「ときどき、こういう傘下の異業種の女子社員たちを集めて、それぞれの職種での接客マナーを経験させて、勉強させ、さらには競わせることは有意義である——と、上の人たちは考えてるんです。電話応対のマナーの良さを競うコンテストまであるんですよ。優勝すると、えらい大げさな銀杯をもらえます」

途中からいたずらっぽい口調になった。二人の女性は目と目を見合わせ、ちょっと笑った。それから、「山口」嬢が言った。

「この写真に写ってる三友エージェンシーの女性は、カメラを向けている人に向かって手を振っていますね？　ですから、きっと、写し手の方も、研修に参加してた女子社員だったんじゃないかと思うんです」

「わたしもそう思う」と、「小町」嬢が大きくうなずいた。

「それを調べる手はありますか？　参加者名簿があるとか」

「そういうものはないですけど、研修センターへいらっしゃればいいと思います」

「研修センター？」

「はい。三友建設の本社の近くに、研修センターというのがあるんです。そこには、研修参加者の記録が全部とってありますから、事情を話せば、協力してくれるんじゃないかと思います。梅田の駅のすぐ近くですよ」

地上七階、地下二階、専用駐車場を擁する「三友総合研修センター」の一階、受付カウンターに陣取っている女性は、山口嬢や小町嬢のような親切心を持ち合わせてはいなかった。こちらの説明が終わるやいなや、

「わたくしどもの社員の身元や雇用状況に対するお問い合わせにはお答えしかねます」

問答無用である。ローマ風呂《ぶろ》と見間違いそうな、見事な総大理石のロビーの壁に、「ぴしゃり！」と音をたててはねつけられた。軽快な大阪弁のイントネーションを聞き慣れていた耳には、彼女の完璧《かんぺき》な標準語での言葉が、実に厳しく聞こえた。

もっとも、こういう反応の方が当たり前なのである。覚悟はしていた。

公務ではないのだから、強制することはできない。先方にも答える義務はない。むしろ、外部からの問い合わせに、無防備に情報を流すようでは、企業として失格である。

「図々《ずうずう》しいお願いであることは承知してるんですが、そこをなんとか、調べていただけませんか。顔写真を見てもらって、その女性が、一九八九年七月から十月のあいだに、こちらで研修を受けているかどうか、それだけ教えていただければいいんです」

「できません」

「失踪人《しっそうにん》の捜索にかかわることなんです。なんとかなりませんか」

「その女性がわたくしどもで働いていたという証拠はあるんですか？」

「ですから、この写真が——」

もう一度ポラロイド写真を出し、説明した。相手は眉をしかめて聞いている。美人だが、口の端に気難しそうなしわがあった。

「駄目ですね」と、首を振る。

「あなたの一存で決めることができるんですか？」

「できます」

「本当に？」

「当然です」

「本当に協力してはもらえないんですか」

「そういう問い合わせに、ここでお答えすることはできないんです。然《しか》るべき形で、文書で請求してください」

「なるほど。文書ならいいわけですね？　必ず答えていただける？」

すると、相手は自信をなくしたらしい。ちょっと視線を泳がせてまばたきしたあと、

「少しお待ちください」と言い置いて、受付カウンターを離れた。広いロビーを横切り、奥のドアを開けて姿を消した。

カウンターにもたれて、本間はため息をついた。やれやれ、という感じだ。今さらのように、黒い手帳の威力を思い知らされた。一介の個人に戻ると、なんと無力なものだ。

ひんやりとして、人気のない、だだっぴろく静かなロビーのなかに、自分のため息が妙に大きく響いて聞こえた。

ぐるりを取り巻く大理石は、ひょっとすると模造品なのかもしれないが、本間の目には本物に見えた。三友建設は潤《うるお》っているのだろう。もしここに智がいたら、壁や床をじっくり観察して、化石を探し始めるところだ。灰色と肌《はだ》色の混じり合ったとりと

めのない模様のなかに、アンモナイトが隠れているかもしれない。

カウンターに両肘《りょうひじ》を載せ、寄りかかった。できるだけ、足に負担をかけたくない。先生の留守に、きをつけをやめて休んでいる生徒みたいなものだ。あの女性が戻ってきたら、また背筋をのばして頑張《がんば》らねばならない。

と、そのとき、カウンターの内側にそろえてある、色も大きさもとりどりのパンフレットが目に留まった。

入り口のところに掲げてある金文字の案内板によると、この研修センターのなかには、観客席が百席という小イベントホールや、三友建設が出資してつくったカルチャースクールの教室も入っている。貸し会議室もある。パンフレットも、それらの施設のものだろう。

そのなかでもいちばん大きく、厚手のパンフレットが、こちらに表紙を向けて立てられている。「躍進する三友グループ」という大きな活字の下に、系列会社名を書き並べてあるのが見える。小さな文字だ。しかも、下半分は他のパンフレットにさえぎられてしまっていて見えない。

なぜそこに目が留まったのか、自分でもすぐにはわからなかった。ぼやっと文字列を見つめていた。

細かな活字で組まれた会社名が並んでいる。四列横隊で、三友建設の名前の下に。傘下の系列会社といっても、業種は多彩で、多岐にわたっているようだ。建設業とは無関係の会社も多い。

三友インターナショナル、三友物流、三友スポーツセンター、テラ・バイオニクス、三友エンジニアリング、三友システムセンター、グリーンガーデン南——

延々と続く社名を二度往復しても、まだはっきりしなかった。なぜここに目が行ったのだろう？　なにか、見覚えのある名前があったからだろうか——

そのとき、わかった。

心臓を下から蹴《け》あげられたような気がした。思い出した。一度見たことがあるのだ。だからひっかかったのだ。この社名に。

知らぬまに、カウンターに半身を乗り出すような格好をしていたらしい。足音にはっとして身体《からだ》を起こすと、先ほどの女性が、険しい顔で小走りに戻ってくるところだった。

「上司にも確認してみましたが」

カウンターの内側に滑りこむと、彼女は早口に言った。

「やはり、ご希望に添うことはできかねます」

「そうですか」

「それにですね、わたくしどもは研修センターですから、研修に参加した社員の名前は記録しておりますけれど、写真までは残しておりません。少なくとも、ファイルとして保存してはいないんです。ですから、名前がわからなくて、顔写真だけで照会されても、そういう社員がいるかどうかお答えすることはできないんです」

「なるほど」

「ですから、申し訳ありませんが、文書でのお問い合わせでも、必ずお答えできるとはかぎら――」

本間は短く言った。「いえ、結構です」

「はあ？」

「よくわかりました。おっしゃるとおりだ。すみませんでした」

拍子抜けして、逆に気味悪くなったのか、相手はまじまじとこちらの顔をのぞきこんでいる。手をのばし、先ほどの大きなパンフレットを指さして、本間は言った。

「最後にひとつだけお願いします。そのパンフレットをいただけませんか？」

口元の険しいしわを消さないまま、受付の女性は機械的な仕草でパンフレットを一部抜き出し、カウンターの上に滑らせた。

「ありがとう」

本間は、裏表紙に並んでいる社名のうちのひとつを指でさした。

「この会社も、三友建設グループの傘下にあるんですね？」

「ええ、そうです」

「そうすると、ここの社員たちも、こちらで研修を受けることがあるわけですね？」

「そうなりますね」

「この会社の所在地も、やはり大阪ですか？」

受付の女性は、怪しむような顔をしたまま、手元のパンフレットを広げて確認した。

「はい。三友建設本社ビルのなかに受注センターがあります」

「ほかには支社が？」

「ありません。倉庫と配送センターなら、神戸の方にございますけど」

パンフレットの、その会社について記してあるページを開けた。

「ここに業務内容の詳細が載っていますので……」

ページの冒頭に、会社名が載せられている。大きな活字だ。その下に、バラの花をかたどったピンク色のロゴが載っている。

「インポートもののお洒落《しゃれ》なインナーをお手軽な価格で」

キャッチフレーズを読むまでもなく、思い出していた。コーポ川口を訪ねたとき、紺野信子がこのロゴと社名の入った段ボール箱を出してきて見せてくれたときのことを。

(この箱も彼女の部屋にあったものですか?)

(そうですよ)

下着のカタログ販売の会社だと、信子は言っていた。関根彰子の部屋にあった段ボール箱。おそらく、まず間違いなく、彼女が利用し、買物をしていたに違いない会社の。

通信販売か。

社名は、「ローズライン」だった。

19

高層ビルの立ち並ぶ、商都大阪のそのまた心臓部とも言える梅田の街なかに、三友建設本社ビルはあった。真新しい印象の強かった研修センターに比べると古びているが、その分、格式が高く感じられる灰色のビルだ。

ロビーの案内板を見ると、「株式会社ローズライン」は四階に入っていた。同じ階に「グリーンガーデン南」も同居しているところをみると、この二社は、三友グループのなかでは小さな会社なのだろう。

「株式会社ローズライン」は、受付嬢の制服まで淡いピンク色で統一していた。事務室に通じるドアのガラスの上に、あのロゴが掲げてある。床に敷きつめられたカーペットは濃いワイン色で、光の加減によっては漆黒にも見えた。

にこやかに微笑《ほほえ》む受付嬢に、本間は、こちらの人事関係の担当者にお目にかかりたいのだが、と切りだした。

「お約束でしょうか？」

「いえ、約束はしていません。ただ、火急の用件です」

できるだけ厳しい顔をつくって、「関根彰子」の顔写真を差し出した。

「この女性が、二年ほど前までこちらで働いてはいなかったでしょうか。消息を知りたくて探しているんですが——」

受付嬢は眉をひそめて写真を見た。それから、本間の怖い顔に怯《おび》えたのか、こちらの名前も尋ねずに、「ちょっとお待ちください」とだけ言い置くと、写真を指の端でつまむようにして、奥の事務室の方へ入っていった。小走りになっていた。

待たされているあいだ、なるべく受付から離れたところに立っていた。そして、エレベーターのそばに立てられている飾り棚《だな》に、「ローズライン」の美しいカタログが陳列されていることに気がついた。

カタログを手にとり、目次を探した。こういうものを目にするのは初めてだ。目当てのページを開くまで、かなり暇がかかってしまった。

「お申し込みの手順について」

ここだけは、挑発《ちょうはつ》的な下着姿のモデルの写真も載っていない。箇条書きにしてある丁寧な説明文の次に綴込《とじこ》みはがきのページがあり、点線で切り取ることができるようになっていた。

「初めてお申し込みいただく場合には、お名前、ご住所、お勤め先などをもれなくご記入ください」

「お申し込みは専用はがきかお電話でどうぞ。お電話はフリーダイヤルです。FAXなら二十四時間受け付けています」

「お支払いはクレジットカードか郵便振替で。配達日指定、ギフト用ラッピングも承ります」

「まだローズラインをご利用いただいてないお友達はいらっしゃいませんか。ぜひご紹介ください！　フレンド会員様お一人につき、五パーセントの特別割引を、さらには抽選で素敵なプレゼントをさしあげます」

文字列を追っていた本間の目は、その次の、「アンケートにご協力ください」というページのところで止まった。

「ローズラインをご利用になっていかがでしたか？　また、インナーファッションのほかに、今後ローズラインで扱ってほしい商品はありませんか？　姿も、心も美しく、より充実した人生を送る女性たちのために、ローズラインは誕生しました。さらに今後は、二十一世紀に生きる現代の女性たちのために、トータルライフなクリエイティブな企業として成長していきたいと考えております。現代の女性たちは、今何を求めているのか？　会員の皆様の声をお聞かせください。ご回答いただいた皆様に、もれなく、ローズライン特製トラベルキットとポーチのセットをさしあげます。アンケートにご記入の上、募集期間内に小社宛《あ》てお送りください」

これだ。

そのアンケートを見るためだけにでも、来た甲斐《かい》があった。これだ。

「家族構成」「持ち家か借家か」「勤続年数」「年収」。このあたりは、まあ平均的な質問事項だろう。だが、もっと細かいものもある。

「転職経験はありますか」

「資格を持っていますか」――この下に、「ワープロ検定」「普通車運転免許」「珠算」「その他」と並べてある。

「貯蓄額」

「加入している保険」

「クレジットカードを持っていますか」――「持っている方はその種類」を。

未婚者の方、という但《ただ》し書きに続いて、

「結婚式はどこで挙げたいですか」――「ホテル」「結婚式場」「神社仏閣」「その他」

「新婚旅行はどこに行きたいですか」

「海外旅行の経験はありますか」――「ある」の方は最初に渡航したのはいつかを記入しろ、とある。

一人住まいの方、の但し書きのあと、

「将来持ち家を購入する予定はありますか」

目をあげて、壁を見つめた。カタログの色どりに影響されて、壁紙までもピンク色がかって見える。だが、頭のなかは、そんな明るい色とは程遠い、真暗な認識に塗り潰《つぶ》されていた。

輸入下着の通信販売会社だ。良心的な価格でお洒落なものを。それだけの会社だ。だが、会員がこのアンケートに答えてくれれば、それは即データベースになる。だから、ここに勤め、ここでそのキーに触れることができる者なら――

パーソナルデータをつかむことができる。

「お待たせしました」

そのドアが開いて、先ほどの受付嬢が顔をのぞかせていた。「どうぞ」と、頭をうなずかせて招いた。

近づいてゆくと、彼女のすぐうしろに、若草色のスーツを粋《いき》に着こなした、三十代半ばぐらいの女性が立っているのが見えた。

「申し訳ないですが、私どもでは、お申し越しのようなご用件を承ることはできかねます」

本間が口を開く前に、若草色のスーツはそう言った。毅然《きぜん》として、とでも言おうか。とにかく、頭からはねつけるつもりであるらしい。

努めて穏やかに、本間は言った。「私の説明が足りないので、ご不審に思われることは当然です。五分で結構ですから、もう少し詳しい事情を聞いてはいただけないですか」

受付嬢の耳に入るところで話せるようなことではないのだ、と、暗に匂《にお》わせたつもりだったのだが、相手は頑として動じる様子も見せない。

「申し訳ございませんが、できかねます。事前にアポイントメントをとっていただきませんと、社内の者に取り次ぐことはできないという規則がございますので。どうぞお引き取りください」

あまりにも鉄壁で、あまりにも愛想がない。これは当たった相手が悪かった。あるいは、なにか事情があるのだろうか――と、考えながら、次の言葉を探しているとき、受付嬢と若草色スーツの女性の二人が立ちふさがっている、事務室に通じる短い通路の端で、若い男が一人、ドアの陰に隠れるようにして、こちらの様子をうかがっていることに気がついた。ほんの一瞬だが、本間の注意がそちらに向いたことを感じたのか、男の頭がぱっと引っ込んだ。

「承知しました。出なおしてまいります」

あっさりと、本間は言った。若草色のスーツの女性はニコリともしない。

「ただ、先ほど受付でお渡しした写真をお返し願えないでしょうか」

若草色のスーツの女性は、咎《とが》めるような目で受付嬢を見た。彼女は首を縮めた。

「もらってきます」

また、急ぎ足で奥に向かう。それを見送りながら通路の方に目をやると、先ほどの若い男の姿は消えていた。

若草色スーツの女性は、まるで衛兵でも務めているかのように四角ばり、こちらを見ようともせずに、ハイヒールを履いた足でカーペットを踏みしめている。受付嬢が写真を手に戻ってきたとき、若草色スーツの女性も、これで妙な客を撃退しきったと安堵《あんど》したことだろうが、本間のほうも、彼女のいかつい顔から逃れることができてほっとした。

エレベーターホールに戻り、そこで「下り」のボタンを押した。赤いランプが点灯する。それを確かめてから、そっと周囲をうかがい、すぐ左手の脇《わき》にある、階段室の方へ移動した。踊り場の床に大きく記された「4F」の文字を踏んで、ステップを二段降り、壁に隠れて、エレベーターホールを見守った。そうしているあいだに、エレベーターの箱が四階にあがってきて、ドアが開き、誰も乗りこまないままにまた閉じる音が聞こえた。

勘違いをしたかな……と思ったとき、足音が近づいてきた。のぞいてみると、若い男が一人、カーペットの上をすべるように走って、エレベーターのボタンを押したところだった。さっき見かけた、ドアの陰に隠れていた男だ。せっかちに、何度も何度も、叩《たた》くようにボタンを押している。エレベーターの箱が近くの階にいなかったのだろう、彼は頭上の階数表示をちらっと見あげ、小さく舌打ちすると、階段の方へと向かってきた。ぶつかって弾《はじ》き飛ばされないようにタイミングをはかって、本間は、彼の目の前にひょいと顔を出した。

「私に御用ですか？」

若い男の名は片瀬秀樹と言った。ローズラインの管理課課長補佐だという。

「さっきのスーツを着た女性は、僕の上席にいる者ですけど、営業のほうです。仕事は、直接は関係ありません。僕の仕事は、社内の人事管理とか、苦情処理とか——なんでも屋みたいなもんやけど」

年齢は、三十四、五歳というところか。整った顔立ち。あと少し度がすぎると遊び人に見えてしまうところを、ほどよく抑えた——という感じの、むらなく人工的な日焼け色の肌《はだ》。上着を脱いでワイシャツにズボンというスタイルだが、足元はきちんと靴《くつ》を履いていた。ウイングチップだ。この風貌《ふうぼう》、この服装の男の口元から、大阪に来て初めて耳にする、日常会話の関西弁が飛び出してくる。慣れるまでは、妙にアンバランスな感じがした。

「最初から、僕が追いかけてくると思ってはったんですか」

一緒に階段を降りながら、彼はそう切りだした。

「確信はなかったですがね」と答えて、微笑した。

「ただ、なにか仔細《しさい》がありそうな人がいる、とは思っていました」

片瀬は二階の踊り場で足を止めた。階段室は静かで、上から下へ、ようやく感じることができる程度の微風が吹いていた。

「片瀬さん、あなたは、私の持ってきた女性の顔写真をごらんになったんですね。それで、彼女が誰だかわかった。そうでしょう？」

彼よりも一段下へ降りて、本間は尋ねた。もう一度、「関根彰子」の写真を取り出し、彼の鼻先に持っていった。「よく見てください。この女性ですよ」

片瀬は、両手のひらをズボンの尻《しり》のあたりにこすりつけて、しきりと汗を拭《ぬぐ》った。わざわざ追いかけてきて、最後にまた少し、躊躇《ちゅうちょ》している。

「はい」と、小声で答えた。

「この人は、ローズラインで働いていた人ですか」

今度は、片瀬は黙ってうなずいた。

うなずく。

ごく簡単な動作だった。それが答えであり、ゴールなのだと言うには物足りないほど、あっさりと。彼はうなずいた。この「彰子」を知っていると言った。

片瀬は、ようやく手のひらを尻にこすりつけるのをやめて、顔をあげた。

「なんで彼女をさがしてはるんですか」

「話すと長くなりますよ」

「簡単には言えへんことなんですか」

その詰め寄り方には、なにがなし、悪い報《しら》せを予期していたようなところがあった。ひょっとすると、彼は、とおりいっぺんの同僚たちよりももっと深く、「関根彰子」を知っていた人間なのかもしれない。思い切って、本間は言った。

「実は、この写真の女性は、まったく別人の名前と身分をかたって暮らしていたんです。しかも、その別人の女性というのが、ローズラインを利用していた顧客である可能性があるんです。関根彰子という名前の女性なんですがね」

せきね、しょうこ、と、片瀬は口のなかで呟《つぶや》くように繰り返した。

「そうです。そのふたつのことを調べるために、私はうかがったんですよ」

片瀬は、急にぐっと顔をあげると、早口に言った。

「このビルを出て右に曲がって、信号四つ分、まっすぐ歩いてください。そいで、右手の斜め上を見ると、『かんてき』いう名前の喫茶店があります。そこで待っててくれませんか。僕もすぐ行きますから」

指示されたとおりにして、一時間以上も待たされた。長くは感じなかった。ただ、そのあいだに、おそろしく肩が凝った。圧力鍋《なべ》に放りこまれて蓋《ふた》をされたような気がした。初めて自力で容疑者から自供をとったときのことを思い出した。あのころに戻ってしまったような気がした。

ようやくやってきた片瀬は、今度はちゃんと上着を着ていた。上下がそろうと、シルエットのゆったりとした、上等のスーツであるとわかった。発音したら舌を噛《か》んでしまうようなブランドものだろう。

お待たせしました、と言いながら、向かい側の椅子《いす》にどかりと腰をおろした。小脇に抱えていた大判の社名入り封筒を、隣の座席の上に載せる。

「会社の方にはうまいこと言うて出てきましたんで、時間は心配いらんようになりました。最初っから説明してください」

本間の説明を聞いているあいだ、片瀬はひと言も口を挟《はさ》まなかった。運ばれてきたコーヒーにも手をつけず、ただ、ときどき手をのばして、脇に置いた封筒に触れた。

話が終わると、片瀬は大きくため息をついた。話の途中で本間がテーブルの上に載せた「関根彰子」の写真を見つめている。

「それで全部ですか」

「全部です」少し声が嗄《しゃが》れてきたのを感じながら、本間はうなずいた。

そしたら――と、片瀬は持参の封筒を手にとった。

「これを見てもろた方が早い思います。コピーをとってきたんやけど」

B４判のコピー用紙を抜き出す。封筒の中には、そのほかに、ひと続きのプリントアウト用紙も入っていたが、それはひとまず脇に置いた。

「退職者のファイルです。履歴書や給与関係の書類は、すぐには処分できませんので」

本間の方に差し出した。

「ご覧ください。間違いないと思います」

コピーは三枚。端をホチキスで閉じてあった。本間はそれをテーブルに載せた。

いちばん上になっているのは、履歴書のコピーだった。そう、履歴書。

もう五日ほど前のことになるだろうか。今井事務機で初めて「関根彰子」の履歴書を見た。あの時のあの顔写真。あの顔。

同じ女性が、今ここにいた。

履歴書の左肩に貼付《てんぷ》してある小さな顔写真の枠《わく》のなかから、微笑みかけている。本間の持っている写真と髪形は違うが、顔は同じだ。同一人物だ。

新城喬子。

氏名の欄には、今井事務機で見た「関根彰子」の履歴書と同じ字体で、そう書かれていた。

「しんじょう、きょうこ」

本間が呟くと、片瀬がうなずいて言った。「新城さんですよ。よく覚えています。うちにいたころは、髪はソバージュにしてましたが」

一九六六年、昭和四十一年五月十日生まれ。今年二十六歳になる。関根彰子より、実際には二歳年下だったのだ。

本籍地は福島県だった。郡山《こおりやま》市の中学を卒業している。同じく市内の高校に入学、卒業。

「うちで採用したのは一九八八年の四月です」と、片瀬が言った。「コピーの二枚目が、雇用記録の写しです。在職期間を記録してあります。確かめてください」

彼の言うとおりだった。「1988・4・20採用1989・12・31退職」と記載してある。

しかし、一九八八年の四月というと、新城喬子は二十二歳になるところだ。高校を卒業して四年たっている。だが、職歴欄には記載がない。空白である。

「そちらに就職する以前に、彼女が何をしていたのかご存じですか？」

片瀬はひとさし指で鼻の下をこすった。考え込んでいるような顔つきだった。

「なにかまずいことでも？」

「いえ……まずいわけや」顔をあげると、言った。

「結婚してたいうてました」

「結婚──」

「ええ。若すぎてうまくいかなかった、だから別れたんやと話していました」

「ずいぶん早婚だな……」

「高校を出てから、しばらく勤めてはいたそうです。けど、そのことは面倒臭いから履歴書には書かへんかったと言うてました。うちでも、それほど突っ込んで調べるわけやないから、問題も起こらへんかったし」

なるほど、と思った。してみると、この履歴書の記述にも──少なくとも、経歴や職歴のところには嘘《うそ》──が並んでいるかもしれないのだ。それぐらいのつもりでいたほうがいい。

経歴欄の下に、「賞罰　なし」とある。次のページに移ると、資格欄に「珠算二級」と書いてあった。ほう、君はそろばんができるのか、と思った。それに並べて「普通車運転免許」とある。そうか、運転もできるのか。

ただし、関根彰子も免許は持っていた。だから君は、彰子の身分を借りているかぎり、決して、決して、人前でその話をすることはできなかった。なぜなら、君は彰子として免許を更新することはできないから。彰子として免許証を持ち歩くことはできないから。表向きには、彰子の免許証を処分して、免許など持っていないしとるつもりもないというふりをしていなければならなかった。そうだな？　そうだったよな？

その下の、履歴書の家族欄には、何も書かれていなかった。職歴欄と同じ、まったくの空白だ。

「彼女には家族はいなかったんですか？」

「両親とも、早くに亡《な》くなったという話でした」

「そうすると一人暮らしですね？」

「ええ。千里中央駅の近くのマンションに住んでいました。ルームメイトが一緒やったはずや。一人では家賃が高いから、と言うてました」

ルームメイトか。いいぞ。

「その人の名前がわかりませんか？」

「今ここでは……」

「調べることは？」

「やってみます。できると思います」

本間はうなずいて、いったん履歴書の上に目を戻した。それから、そっと片瀬の表情をうかがった。

彼は目を伏せていた。視線の先には、本間がテーブルの上に並べた、あの写真があった。ディズニーランドのシンデレラ城をバックに、「関根彰子」として微笑んでいる新城喬子の写真が。

「彼女をよく知ってたんですね」

尋ねると、また、水滴をかけられでもしたかのようにあわててまばたきをして、片瀬はこちらを見た。

「新城さんをね？」

重ねて問うと、片瀬はやっとうなずいた。「ええ……。よう知ってました。部下やし、採用の面接にも立ち合いましたし」

いや、それだけじゃないな、と思った。ただの部下のために、これだけ心配するものか。

「失礼を承知で伺うが、個人的にはいかがでした？」

片頬《かたほお》をつり上げるようにして無理に笑いながら、片瀬は言った。

「職場のなかでは、親しいほうでした。昼飯を一緒に食いにいくこともあったし。せやから、彼女が急に会社を辞める言い出したときは、えらいびっくりしましたよ」

「彼女は、辞める理由を説明しましたか？」

片瀬はかぶりを振った。「訊《き》いても答えへんかったです」

「問いつめてみなかったんですか？」

「僕には、そんなことをする権利ないから」

「権利？」

片瀬は笑った。苦笑ではあるが、今度は本当の笑みだった。「ええ。僕には、彼女のすることにいちいち注文つけたり文句言うたりする権利がなかったんです」

「それは、新城さんがあなたにそう言ったんですか？　あんたにはそんな権利はない、と」

片瀬は答えない。ぱりっとした男前だというのに、気の毒なほどしおれている。

本間は黙ってコピーをめくった。そして考えた。新城喬子は美人だ。魅力のある娘でもあるのだろう。惹《ひ》きつけられる男は大勢いただろう。その生ける証拠が、ここにも一人いるのではないか——

もう一度目をやってみたが、片瀬の頰から笑みの色は消えてなくなっていた。彼の視線は、まだ新城喬子の写真の上にあった。

「新城さんは、一九八九年の七月から十月のあいだに、三友グループの研修に参加して、当時大阪球場で開かれていたリビング・フェスタを訪れているはずなんですが」

本間が問いかけると、反応の遅いコンピュータのように一瞬の空白をおいて、片瀬が顔をあげた。

「は?」

本間は質問を繰り返した。片瀬は先ほどの空白を取り戻そうとするように、せっかちにうなずいた。

「コピーの三枚目を見てください」

言われたとおりにすると、「就業記録」というページが出てきた。片瀬が、そこに記録されている文字列の最後の行を指で示した。

「1989・9・9〜10　女子社員研修」とある。その下に、研修の行われた場所として、「センター」「ニューシティ住宅出展展示場」「テラス三友」とあった。

「テラス三友というのは軽食レストランです」と、片瀬が説明した。「この研修は、受付や窓口業務、一般事務を受け持つ女子社員を対象とした、接客一般のマナーとノウハウについてのものでした」

「研修の内容は厳しいものですか?」

「そうでもありません。とくに女性たちばかりが集まりますから。男子社員対象の集中講義なんかとは雰囲気《ふんいき》からして違《ち》ごてます」

「すると、観光気分で写真を撮ることもできる?」

片瀬は少し考えた。「そうですね……滋賀や神戸あたりから参加してくる社員たちのなかには、カメラ持参の者もいます。記念写真用のね。むろん、風景を撮るわけやないですよ。友達の輪を広げた記念です。若い娘たちは、とにかく面白楽しくやるのが好きやから」

新城喬子も、誰かが持ってきたポラロイドカメラを借りて、チョコレート色のモデルハウスの写真を写したのだろうか。

内ポケットから、今度はあの家の写真を取り出し、喬子のファイルと並べておいて、とっくりと眺《なが》めた。

「さっきもお話したとおり、ローズラインを突き止めるきっかけになったのは、この家の写真だったんです。新城さんは、なぜこの家の写真を撮ったんでしょうね」

それだけではない。その写真を、後生大事に持ち歩いていた。本名を捨て、関根彰子として暮らしながらも。

片瀬は答えず、黙っていた。

「それとも、誰かが撮った写真をもらったのかな。その可能性もある。どっちにしろ、それには目的があったはずだが。あなたはご存じないですか」

本間の言葉に、片瀬はかすかに笑った。

「本人に訊いてみるしかないんとちがいますか。僕には見当もつきまへん。こんな写真、彼女から見せてもろたこともないし」

「すると、ほかの写真だったら見せてもらったことがあるかもしれない」揚げ足取りのような質問だったが、ちょっと笑って、本間は訊いた。「つまり、あなたは、新城さんと、そのくらいの親しさで付き合ってたんじゃないんですか？」

片瀬は目をそらすと、コーヒーカップに手をのばした。

妙な態度だ。本間を追ってきて、こうして協力してくれるくらい新城喬子のことを気にしているのにもかかわらず、個人的な付き合いはなかったという。何を恐れて、あるいは何を面倒がって、本当のことを言ってくれないのだろう。

とりあえず、話題を変えた。「新城さんを採用するときの採用調査は？」

顔をあげて、片瀬は答えた。「特にはしてません。彼女は準社員でしたしね」

「準社員というと、パートタイムとか」

「パートではないですが、正社員でもないという立場です。平たく言えば、ボーナスや福利厚生面で差があるんです」

片瀬に許可を求めてから、履歴書の内容を手帳に写しとった。「新城喬子」と手帳に書きとると、高ぶっていた気分がようやく落ち着いてきた。

片瀬はぼんやりとしていた。また写真の方を眺めている。新城喬子のことを思い出しているのかもしれない。

やはり、彼と喬子とのあいだには、彼が言っている以上のつながりがあったのではないかと感じた。ただ上司と部下というだけではなく――

だが、今ここで強《し》いて尋ねても、はいそうですと答えてくれるわけもないだろう。

それに、もし本間の勘が当たっているのなら、片瀬が愕然《がくぜん》としているのも当然なのだ。かつて恋人関係にあった女性が、自分の前から姿を消したあと、まったく別人の名前をかたって生活し、そこからおかしなことが起こっていると聞かされたばかりなのだから。

「片瀬さん」

呼びかけると、ようやく彼は顔をあげた。

「新城さんのここでの職種はなんでしたか？」

難しい問いではないのに、片瀬はすぐには答えなかった。やがて、

「ローズラインは通信販売の会社です」と言った。

急に話の方向がそれたので、本間は少し面食らった。「そうですね」

「本間さん、あなたは、新城さんがここに勤めているときに、その関根彰子とかいう女性の個人的なデータを盗みだして、それで彼女に成り済ましたと考えてるんとちがいますか？」

これには、もっと驚いた。そこまで先回りしているのなら、話は早いが。

本間は大きくうなずいた。「それ以外に考えようがないと思っていますよ」

片瀬は素早く言った。「それは不可能ですわ。できるわけあれへん」

「なぜです？　顧客のデータなど、コンピュータのキーを押すだけでいくらでも出てくる。簡単に手に入れることができるんじゃないですか？」

関根彰子に成り済ました女は、彼女の身分を乗っ取ってもいいと判断することができる程度にまではパーソナルデータをつかんでいた。そうでありながら、彼女が自己

破産したことがあるという事実については知らないままでいた。これが、大きな疑問点だった。そんな立場の女友達などいるだろうか？　しかも、彰子の周辺には、「ラハイナ」にも「ゴールド」にも、のちに彼女に成り済ました女は姿を現していないのだ。対象に近づかずに、どうやって本籍地や家族構成をつかんだのだろう？

しかし、答えはここにあった。通信販売だ。顧客は申込書に記入する。住所も、電話番号も。さらに――

「こちらではアンケートを実施しているでしょう？　あれに答えた会員は、プライバシーをいろいろ知られることになる」

いや、実際には、それほど多くの事項を知る必要はないのだ。本間は考えた。今の自分を捨て、新しい名前と身分を必要としていた新城喬子という女性の立場に身を置いて考えた。

新城喬子は、まず、自分と年齢があまり違わない女性を求めたはずだ。また、その女性が家族と同居していたのでは困る。一人暮らしであることが絶対条件だ。

あとあとの、乗っ取った後のことを考えると、パスポートを持っている女性では何かと不自由だ。運転免許もそうだが、これは、ほかの条件が折り合えば断念してもいい。

年収や貯蓄額も高い方がいい。他の絶対条件が満たされているならば、高ければ高いほうがいい。

そして、最後のひとつ。今現在、新城喬子という女が存在しているこの大阪からは、できるだけ遠く離れた都会に暮らしている女性でなければならない。これは大切だ。非常に大切だ。

そういう条件を、関根彰子は満たしたのではないか――

「ただ、こちらで出しているアンケートからは、関根彰子の自己破産の事実まではわからない。つかむことができない。だから、新城喬子もそのことを知らなかった。私はそう思います」

片瀬はうなずくと、先ほど傍《かたわ》らに置いたひと続きのプリントアウトを取り上げた。

「ご覧になってください。さっき打ち出してみたんです」

本間はそれを受け取った。いちばん上に打ち出された「関根彰子」という文字が目に飛び込んできた。

確かに、彼女はローズラインの顧客だった。

「あったんですね」

「ありました。関根彰子さんというお客さんが、確かにいてます」

片瀬は言って、指をのばしてプリントアウトを指し示した。

「最初のページは、その顧客の基礎データです。いちばん下に、『205』というコードが打ち出されてるでしょう？　それが、基礎データ照会コードです」

彼の言うとおり、205という数字が見える。

「たしかに、このとおり、洗いざらい個人のデータが載っています。これを見れば一目瞭然《りょうぜん》ですよ」

「でしょうね」と、本間は言った。

関根彰子もここにいた。やはり、彼女のデータがここにあった。二人の女性の接点が、あのビルのコンピュータのなかに眠っていたのだ。

「二ページ目からは、この関根さんがうちでどういう品物を注文し、それがいつ受け付けられ、発送されたかが記録してあります。最後のページの一覧表が、支払い状況です。金額のうしろの日付は入金日です。コードは『201』。『Y』というのは、『郵便振替』という意味です」

本間はうなずいた。「彼女はクレジットカードを使えなかったから」

「そうですね。けど、支払いはきちんとしてもろてます。支払い期限をオーバーしたことは一度もない。金額は安いけど、うちにとってはええお客さんですよ」

支払い金額は、五千百二十円とか、四千八百円とか、細かな数字が並んでいる。せいぜい高くても一万円どまりだった。

片瀬がプリントアウトをめくった。「基礎データの方を見ると、クレジットカードを持っているかというアンケートの問いへの答えは『無記入』となっています。せやけど、ここから、過去に自己破産したことがあると推測するのは、まず不可能やと、僕は思う。よほど勘繰らんとね。せやから、そのかぎりでは、あなたのおっしゃる説も当たっていることになるんですけど……」

「けど、なんです?」

「新城さんを庇《か》ぼてるわけやないんですよ」と、片瀬は頑《かたく》なな感じで言った。「ただ、うちのシステムは厳重やから、顧客のデータが外へ漏れることはあり得ないと言うてるんです」

本間が反論しかけると、それを手で制して、片瀬は続けた。

「なんなら、あとで社内をご案内しますから、ご自分の目で確かめてください。夕方——そうやな、七時すぎなら、当番の管理職を除いて、事務職の人間はみんな帰ってしまいますから、大丈夫ですよって」

「それはありがたい」

「せやけどね、うちではデータの管理は厳重にやってます。情報はシステムのなかに閉じこめられているし、外へは漏れません。クローズド・システムなんですよ。物流センターや倉庫以外の外部と通信する必要はないですから」

「しかし、通信販売の会社には、かならず電話受付の女性がいるでしょう？」

「ええ、いますよ。テレフォン・レディが」

「そういう人たちなら、情報に接することもできるでしょう。私も通信販売を利用したことがないわけじゃないから、わかります。電話すると、その場でコンピュータのキーを打って在庫確認をしたりしている。ああいう形で、今あなたのおっしゃった検索コードを使えば、好きなだけ顧客の情報を引き出すことができるはずだ」

本間に言うだけ言わせておいて、おもむろにという顔つきで片瀬は反論した。

「無理や。それが無理やと言うてるんです」

「なぜです？」

「テレフォン・レディたちは、受付の電話についているときは、それこそ息をつく暇もないくらい忙しいものなんです。せやから、電話に応対せずにほかの検索なんかやっとったら、すぐに注意を受けてしまいます。用もないのにプリンターを使《つ》こて記録をとることもできません。彼女たちは、注文を受けて入力するだけの機械みたいなものなんです」

　片瀬は身を乗り出した。

「さっきも言うたけど、あなたは、新城さんが、ここで働きながら、自分が成り済ますにふさわしい対象を探していたと考えておられるんでしょう？」

「ええ、そうです。最初からその目的で就職したのか、就職してから、自分がデータを自由に検索できる立場にいることに気がついたのか、そこまでは判断できないが」

「そしたら、新城さんは白紙の状態で検索を始めたわけですよね。彼女自身のなかに、ふさわしい条件がいくつかあって、無数の顧客のなかから、それに合う女性をピックアップしていった。そうですね？」

「そうでしょう」

　答えたものの、本間は少しひるんでしまった。確かに、片瀬が言っているような手順を踏んで、喬子は関根彰子を捜し当てたのだろうと思う。その逆はあり得ない。最初から、ターゲットを関根彰子に決めていたはずはない。

　だから、情報の検索、自分が成り代わるにふさわしく、条件の適切な女性を選びだす作業には、時間と手間がかかったはずだ。大量のデータを集めるためだけにも、手間がかかる。

片瀬の言うように、テレフォン・レディが時間に追われる存在なら、勤務中は、そんな悠長《ゆうちょう》な検索などしている余裕はない――

片瀬は苦笑した。「そうかな。僕には、そんなことは不可能やとしか思われへんです。テレフォン・レディには、そんな時間はないんやから」

「まったくないと言い切ることはできないと思いますよ」と、本間は頑張《がんば》った。

「ほな、百歩譲ってそれが可能やとしても……」片瀬は首を振った。「やっぱり無理ですよ。新城さんは、うちから関根彰子という人のデータを持っていったんやない」

「なぜわかります？」

片瀬は先ほどのコピー用紙を取り上げ、新城喬子の雇用記録を指さした。

「ここに、彼女の職種が記載してあります」

本間はそこに目を向けた。「一般事務」とあった。

「テレフォン・レディでは――」

「違います。彼女は準社員の事務員でした。いわば雑用係です。さっき研修の話をしたとき、内容は『接客の一般的なマナーについてのものだ』と言うたでしょう？　せやから、参加していたのはテレフォン・レディたちだけじゃないんです。一般事務の女性たちも一緒でした。僕の記憶では、彼女は総務課にいて、給料関係の計算を手伝っていました。そこでもコンピュータは使こてますが、もちろん、顧客管理のとはまったく別のシステムです。コードも違ごてるし、そもそも、ローズライン内部の事務処理のためのワークステーションから顧客業務の方にアクセスすることはできんようになってるんです」

片瀬は気の毒そうな顔をしてはいなかった。いくぶん、得意がっているようにさえ見えた。それが「我が社」のシステムの質を誇ってのものなのか、新城喬子個人を思ってのものなのか、そこまではわからないが。

「新城さんが関根さんいう女性の名前をかたっていたことは事実なんでしょう。せやけど、そないなことは、新城さんの力でできることやない。それだけは、はっきり言えます」

しばし、片瀬とにらみあってから、本間はゆっくりと訊《き》いた。

「あなたが彼女を手伝ったということはありませんか？」

片瀬の表情は変わらなかった。ただ、左の眉毛《まゆげ》が、一瞬、動いた。

「あなたが彼女に頼まれて——目的はどうあれ——彼女のためにデータをとってやった、もしくはその方法を教えてやったということはありませんか？」

真正面から切りこんだつもりだったが、あるいは、少し早すぎた質問だったのかもしれない。ほんの少し逡巡《しゅんじゅん》の色を見せはしたものの、片瀬はきっぱり言い切った。

「なんで僕がそないなことをするんです？　やってません。絶対に」

彼の長い指の下で、新城喬子の顔写真が微笑《ほほえ》んでいた。

20

「で、結局どうなったんだ？　会社のなかを見学してきたんだろ？」

「してきたよ」と、本間はうなずいた。

深夜に大阪から戻り、痛む左膝《ひざ》を抱えて一晩呻吟《しんぎん》した翌朝、碇《いかり》に連絡をとって、ここまできた以上は潮時だと、事情をすべて打ち明けて説明した。すると、昼すぎに、彼が水元《みずもと》まで足を運んできてくれたのだった。居間の低いテーブルをへだててどっかりと腰をおろし、井坂が磨《みが》きあげたガラス製の灰皿に吸い殻《がら》を次々と放りこみながら、「とんでもねえ話だ」と、盛んにうなっている。

「口上どおりの完璧《かんぺき》な体制だったのか？」

「ローズラインには、今現在、常勤のテレフォン・レディは三十八人いる。午前十時から夜八時まで、その三十八人が交替で電話についているそうだ。ずらっと机の並んでいるオフィスでね」

その光景をまのあたりにしたとき、本間は、テレビのコマーシャルで見たような光景だと思った。二十代から三十代なかばぐらいまでの若い女性たちが、そろいの制服に身を包んで頭を並べているのだ。みんな美人に見えたのは、こちらの目のせいかもしれなかった。若い女性にあれだけ大勢並ばれると、一種の目眩《めくら》まし効果が生まれるものだ。

「電話と言っても、テレフォン・レディたちの使っている装置は、昔のPBX交換台をうんとコンパクトにしたようなヤツだ。ボタンで操作する。受話器はヘッドフォン式になっていて、口元に小さなマイクが突き出してる。ほら、キーボードを弾きながら歌う歌手が使ってるようなマイクさ。端末機も一人あて一台あって、顧客からの注文申し込みのたびに『お客さま番号』とかいうのを打ち込んで照会するようになっている」

「コード番号を打ち込んでか」

「そう。レスポンス・タイムの短い、なかなかいいシステムだったよ。一九八八年一月一日付けで導入したそうだ」

それ以前は、各々の部署ごとにもっと単純なシステムを使っており、そのあいだの連絡は、電話や郵便などの通信手段に頼っていたという。顧客管理や商品の受注、発送の手配などには、昔ながらの台帳に手で記入する事務処理方法も併行して行なっていた。それを現行のようなひとつのシステムに組みあげるために、億単位の金を費やしたのだと、片瀬は説明していた。

「一九八八年一月」碇は太い首をかいた。「新城喬子《きょうこ》はその年の四月に就職したんだよな」

「そうだ。記録には1988・4・20とあった。彼女の就職より、新システムの導入の方が先だ。彼女が働きだしたときには、今のシステムがばっちり機能してたんだ」

「関根彰子が『ローズライン』の客として登録されたのは？」

紺野信子のところで見つけた「ローズライン」の代表番号が走り書きされた病院の精算書は、一九八八年七月七日付けのものだった。片瀬に見せてもらった「ローズライン」側の記録によると、その後、彼女がこの電話番号に連絡し、カタログを送るように請求したのが同年の七月十日、アンケートの返送と、最初の商品の注文があって「お客さま番号」をつけられたのが二十五日のことだった。

「つけ入る隙《すき》はないってわけか」碇は面白くなさそうに嘆息した。

「ないんだ。残念ながら。だから、片瀬は、喬子が関根彰子のデータを盗みだせたはずはないと断言してた。熱弁だったな」

新城喬子が、無数の顧客データのなかからどうやって関根彰子を選びだしたか――この問題は、片瀬にとっても重要なものであるらしく、熱を入れて説明をしてくれたのだ。

「とにかく、ローズライン内部の事務処理、つまり、新城喬子がやっていたような、給料計算みたいなシステムと、顧客管理商品のシステムとは、まったく系統が別だって言うんだな。片っぽから片っぽへ自由自在に行き来できるってものじゃない。それができるのは、いわゆるシステム・マネージャークラスの人間だけだそうだ。知識もスキルもある人間だよ」

「スキル？」

「能力とでもいうのかな。ハードやソフトを使いこなす技術のことだそうだ」

「なんだかわからんが」と、碇は顔をしかめた。「しかし、そのスキルとやらのある人間だったら、コンピュータのなかから好き勝手に情報を取り出すことができるんだろ？　だったら、新城喬子もそういう能力を持ってたのかもしれないじゃないか」

本間は笑って首を振った。「それなら話は早いんだけどね。そうはいかない。片瀬が言うに、彼女はコンピュータにはまったくの素人《しろうと》だったそうだ。ゲームぐらいしかやったことがなかったそうだから」

「ホントかね？」

「片瀬は彼女と個人的に付き合ってたんだよ。本人はそんな深い仲じゃなかったと言っていたが、俺《おれ》はそうではないとにらんでる。まあ、おいおいその辺の真相についても聞かせてもらおうと思ってるが」

「片瀬とまた会うのか？」

「うん。ローズラインに勤めていた当時の新城喬子についての情報を集めるには、彼に窓口になってもらうのがいちばん手っ取りばやいからな。あの世界もわりと社員の回転が早いとかで、当時喬子と一緒に働いていて、彼女と親しかった社員は、そう何人も残っていないらしいんだ。彼女たちから話を聞くことができるように、彼に手配を頼んである」

「大丈夫かね」と、碇は言った。「いやに熱心にやってくれるもんじゃないか。なにか裏があるんじゃないか？」

ちょっと考えてから、本間は言った。

「たしかに、彼は、本人が言っている以上のことを知っているんじゃないかと思うよ。

ただそれが、なんとなくあやふやでね。だいたい、もしも、彼が新城喬子のまったき『共犯者』なら、俺のあとを追ってきて、あんなふうに資料を見せてくれるはずがないだろ？」

碇は唸《うな》った。

「思うに、彼は、新城喬子と親しい間柄《あいだがら》で、データをどうこうすることについても、多少の関《かか》わりはあったんだろう。ただ、彼自身は、当時は、新城喬子がそれで何をしようとしているか、深いところまで知らされてはいなかったんじゃないかな。だから、今になって不安がってるんだ」

「そうかねえ」碇は不満そうだ。「俺は、片瀬共犯説を支持するね。しかも、殺しの方まで嚙《か》んでる可能性があると思うぜ」

「殺しとは、関根彰子の？」

「あるいは、彼女のおふくろさんの」

「それはどうかな……。少なくとも、新城喬子の写真を見たときの彼の驚きぶりは本物だった」

「わからんぞ」

「そこは、まあな。しかし、公平に考えても、人事担当者としての彼の立場からして、今度の件を放っておくわけにはいかないと思うよ。考えてもみろよ。不気味な話じゃないか。一人の女が失踪《しっそう》して、その女の身分を乗っ取った女が大手を振って歩いていた——。子供だって、犯罪の匂《にお》いを感じるだろうさ。その問題の女が、元社員なんだぜ。それも、辞めたのはほんの二、三年前のことだ」

「ふん」と、碇は鼻を鳴らした。

「しかも、そこに顧客管理がどうのこうのという話までからんでくる。通信販売の会社としちゃ、とんでもないことだろう。親会社の三友建設だっていい顔をするはずがない。だから、片瀬としても真剣にならざるを得ないんだよ。放っておいて俺に勝手に動き回られて、社内で妙な噂《うわさ》がたったりするのが怖いからさ」

実際、本間がローズラインを辞するとき、通用口のところまで送ってくれた片瀬の顔は、洗濯《せんたく》を繰り返してすり切れてしまったシーツのように白っちゃけて見えた。

「話をコンピュータの方へ戻すと、たとえテレフォン・レディとしてキーボードの前に座ることができたにしろ、そこからたくさんの情報を引き出して、誰にも見咎《みとが》められることなく外部に持ち出すためには、それだけの専門知識が必要だっていうんだ。たとえば、フロッピーディスクを持ち込んで、そのなかにこっそりデータを落とすにしても、マニュアルに書いてある操作以外のことをしていたら、隣や後に座っている同僚たちに気づかれないはずはないんだからな」

碇は嫌《いや》あな顔をした。本来、未《いま》だにワープロを使いこなすことのできない彼の前では、コンピュータの話は禁物なのである。

「ましてや、ほかの部署にいて、直接顧客データに触れることができない立場だったら、情報を取り出すのは至難の業だそうだ。まず、なんというのかな、いわゆるハッキングか、システム破りなんていう大げさなことをして入りこもうにも、コンピュータによる外部との通信には——具体的には倉庫や物流センターとのやりとりだな——専門回線を使ってるそうだし、その電話番号は公開されていない。新城喬子は社内の人間だから、ひょっとすると番号くらいはつかむことができたかもしれないが、それだけじゃ駄目《だめ》だ。キャッシュカードがなくて暗証番号だけわかっていたって金は引き出せない。それと似たようなものだと、片瀬は言っていた。まあ、これも乱暴なたとえだそうだけど」

鼻がむずむずするとでもいうように、碇は顔を歪《ゆが》めた。「そうすると、この件はちょっと保留か」

「そうなるね。新城喬子は、なんらかの手段を用いてローズラインからデータを持ち出した、という仮説だけだ」

「彼女のルームメイトだった女には？　会えたのか？」

本間は首を振った。「あいにく、休暇中だった。市木かおりという娘で、彼女も事務員だそうだ。現在は、二週間の予定でオーストラリアへ観光旅行にお出かけだよ。連絡先だけ控えてきた」

「それは片瀬から聞いたのか？　嘘《うそ》なんじゃないのか？」

「いや、大丈夫、本当だよ。片瀬に端末を打ってもらって、社員名簿のなかの彼女の住所と、勤務表を呼び出してもらって確認してきたから」

「勤務表までコンピュータか」苦い顔をした碇が、不意に身を起こした。「おい、新城喬子の――」

「アリバイだろう？」と、本間は笑った。だが、すぐに真顔に戻った。「確かめてきた。一九八九年十一月二十五日午後十一時ごろ、宇都宮で関根彰子の母・淑子《としこ》が死亡したとき、喬子はどこにいたか？」

もちろん、片瀬には、なぜその日の喬子の動静を知る必要があるか、という理由までは話さなかったから、彼は怪訝《けげん》そうな顔をしたが、それでも、当時の勤務表を呼び出して調べてくれた。

「ちゃんとプリントアウトしてもらってきた」

碇の目の前にそれを滑らせて、本間は言った。碇はプリントをひったくるようにして見つめた。

「一九八九年十一月十八日から二十六日までの九日間、新城喬子は休暇をとってる。名目は、『病欠』だがね」

碇が鋭く口笛を吹いた。

本間は続けた。「さらに言いますとな、あなたは彼女と知り合いだったようなので、念のためと言い訳して、その当時の片瀬秀樹の勤務表も見せてもらってきた」

「どうだった？」

「十一月二十五日、土曜日だが、彼は出勤日でね。午後九時まで会社にいたよ」

「無関係ってことか」碇は残念そうだった。「俺には、どうしても、その片瀬って男も臭《にお》うような気がするんだがねえ」

「まあ、少し泳がせて様子を見るさ」

ようやく、とらえどころのなかった「事件」に形がついてきた。追いかけてとらえることのできる、細い糸の端が手に触れた。ここで焦《あせ》ることはない。

「片瀬に手引きしてもらって、夕方ローズラインに入れてもらうまで、あちこち散歩して時間をつぶしたんだがね」

「足は大丈夫だったのかよ」と、碇は刑事らしくもないまっとうなことを訊いた。

「よちよち歩いたから」と、笑って、本間は言った。

「大阪って街は、面白いね。東京とはまったく別の次元にある都会だという気がした。実に無駄《むだ》がないし」

「無駄がない？」

「うん。東京だと、日本橋あたりでも、インテリジェント・ビルでございます然とした企業のビルと背中合わせに、二階建てのしもたやが残ってたりするだろ？　それが、大阪にはないんだ。ここは商業地だといったら、どこまでも徹底的に商業地なんだな。そのくせ、そういう中心地のなかで、通り一本渡ると、怪しげな歓楽街があったりする。ついこのあいだここでヤクザの発砲事件がありました、というような」

「俺はお好み焼きもうどんも阪神タイガースも嫌《きら》いだから大阪には住めん」と、碇はつれないことを言った。

夜気が身にしみたが、片瀬との待ち合わせ時刻まで、ずいぶんとよく歩いた。途中、三角公園とかいうところで、石のベンチに腰掛け、三十分ほど潰《つぶ》したろうか。周囲はアベックばかりだった。もう少し時間がたつと、酔い潰れたトラたちや浮浪者の寝床になりそうな、お世辞にも環境がいいとは言えない場所にある、とりたてて美しくもない公園なのに。恋を語らうには、エネルギーさえあればいいということか。

ベンチに座って考えたのは、新城喬子も誰かとここに来たろうか、ということだった。こうしてここに座って、行き交う若者たちを眺《なが》めたろうか。埃《ほこり》っぽい夜の歩道をひろい歩き、ネオンを見あげ、渋滞する車の列を縫って道路を渡り、ウインドウのなかをのぞき——

彼女もそんなことをしただろうか。そうやって、生活を楽しんでいたか。ずっとそんなことを考えながら、冷たいベンチに座っていた。

だが、風景はそれを見る者の目のなかにある。どれほど時間をかけようと、本間には、新城喬子が見た大阪の街を見ることはできないのだ。それが残念でたまらなかった。

「ところで、また頼まれてくれるかね？」碇に顔を向けて、本間は訊いた。

碇はにやっと笑った。「今度は新城喬子の戸籍謄本《とうほん》か」

「当たりだ」

「ローズラインの履歴書にあった住所から逆戻りして調べりゃいいんだな。お安い御用だよ」

「ただ——」

「まだ上のほうには伏せておいてほしい、だろ？　わかってるよ」碇は頑丈《がんじょう》な顎《あご》を噛みしめてうなずいた。「実際問題としては、難しい事件だよ。公《おおやけ》にすると、まだ今の段階では、これ以上の捜査にはストップがかかるかもしれない。いや、事件として扱わないというわけじゃないんだが……」

今度は本間が先回りした。「ほかに、もっと焦眉《しょうび》の急の大事件がある、と」

「当たりだよ、こんちくしょうめ」

「だから、個人としてもうちょっと煮詰めてみたいんだ」そう言って、本間はテーブルの上に視線を落とした。「なんせ、死体がないからな。関根彰子は死んでるとは限らない、と言われたらそれまでだ」

「彼女は生きてると思うか？」

「ご冗談を」

「そうだな。俺も彼女は殺されていると思う」

「じゃ、おまえなら死体をどう始末する？」

碇は椅子の背から起き上がった。「そうだな。それも、新城喬子に親しい協力者がいたかどうかで違ってくると思う。その協力者が男だったら、かなりの力仕事もできるからな。関根彰子は小柄じゃなかったと言ってたよな？」

「どちらかと言えば長身の方だった」

「じゃ、女手ひとつで処分するのはたいへんだ。えらい手間がかかる」

うなずいて、本間はつぶやいた。「俺は、新城喬子は終始ひとりで行動していたと思う。これといって根拠はないんだけどな。そういう気がする」

意志の強そうな、新城喬子のあの視線。栗坂和也のもとから、あるいはローズラインの片瀬の前から姿を消したときの、あの非情さ。身の軽さ。それが、彼女があらゆる意味で孤独であるという印象を生んでいた。

また、もう一方で、本間は思う。新城喬子は、孤独だったからこそ、一人きりだったからこそ、他人の身分を乗っ取って成り代わるというようなことをやってのけられたのではないか、と。たった一人でも、追われて逃げている彼女の立場を理解し、救いの手を差し伸べようとする男がそばについていたのなら、彼女は「新城喬子」という自分の名前を捨てようとはしなかったろう。その協力者の手を借りて、新城喬子のままで逃げ切ることだけを考えたろう。名前とは、他人から呼ばれ認められることによって存在するものだ。傍《かたわ》らに、新城喬子を理解し、愛し、彼女と離れられない関係にある人間がついていたのなら、彼女は決して、パンクしたタイヤを捨てるように「新城喬子」という名前を切り離そうとはしなかっただろう。

その名前には、愛がついているからだ。

「共犯者はなしか」

「うん」

「そうすると……」

碇は本間の視線の先にあるものに気がついたようだ。台所の隅《すみ》にしっかり固定された、カバーのついた包丁ラックだ。菜きりや出刃、用途に合わせてサイズの違う包丁が五本、きちんと収納されている。井坂が持ち込んできたものだ。料理人としての彼は、道具に対しても、そこそこのこだわりを持っているのだった。

碇は黙って本間の方へ目を向けた。本間は言った。

「そっちの方は、俺が調べる。図書館で新聞をあたったり、知り合いの雑誌記者に頼んでみたりするつもりだ。警視庁管内とは限らないからな」

「見つけやすい出来事だからな。派手だから」と、碇は言って、ぞっとしないというように顎を撫《な》でた。

「未解決のバラバラ死体遺棄事件、か」

本多保《たもつ》が水元の家を訪ねてきたのは、翌日の午後のことだった。

何度も水をくぐっていい具合にへたりのきたジーンズをはき、綿の白いシャツの上に手編みのセーターを着ている。彼が脱いだウールのジャケットを受け取り、手近のハンガーに掛けるとき、店頭に置かれているときには裏地に縫いつけられている予備のボタンが、ちゃんと切り取ってはずしてあることに気がついた。郁美は几帳面《きちょうめん》な妻なのだ。

千鶴子もそうだった。衣類を買ってくると、そのままにしておくと布地を傷《いた》めるからといって、いつも、すぐに予備のボタンを切り取り針箱にしまっていた。だから、本間の衣類で、千鶴子の生前に買ったものと、それ以後に買ったものとは、すぐに見分けがつく。彼女が亡《な》くなった以降に買い入れた衣類は、みな予備のボタンがつけっ放しにしてあるからだ。自分でそれを切り取るのは、どうしても、少し淋《さび》しいような気がする。井坂が来てくれていないとき、自炊や掃除、買物をすることは苦にならなくなったけれど、ボタンを切り取ることだけは、なぜか切ないような気がしてできないのだった。

保は、他人の家にあがりこむことが苦手なタイプなのだろう。何度か勧めないと、腰をおろそうとしなかった。もぞもぞとタイミングをはかって、手に下げていた紙袋をテーブルの上に載せて差し出すと、

「えーと、あの、お子さんに」と、小さな声で言った。

本間は礼を言って受け取った。これも郁美の指導だろう。紙袋は、大手の洋菓子専門店のものだった。

ちょうど、昼食を終えた井坂がやってくる時間帯だった。本間と保が腰を落ち着けて話を始めないうちに、彼の声が玄関先から聞こえてきた。いい按配《あんばい》だと、本間が二人を引き合わせると、

「男の家政夫さんですか」と驚く保に、井坂は少しばかり得意そうな顔で言った。

「案外、男に向いてる職業です。私は電気器具の修理も怖くないし、家具も楽々動かして、裏側の綿ぼこりまで掃除しますからね。クライアントにも喜ばれています」

「クライアント?」

「契約先のことですよ。そう呼ぶと、なんかこうカッコつけられるじゃないですか」

「へえ……うちのヤツが聞いたら感激しそうだなあ」保は本当に感心している。

井坂がおやという顔をしたので、本間は笑っていった。「保くんはもうすぐ二児の父親になるんですよ」

「俺《おれ》、もう二十八ですから」

「そうか、若いお父さんだねえ」

しみじみと目を細めていた井坂が、そこでふと表情をすぼめた。

「関根彰子さんも二十八歳だったんですなあ。ずいぶん違う人生だ」

井坂はすでに、彰子を過去形で呼んでいた。保がつとうつむいた。

「いつ上京してきたんだい？」

「昨日です」

宇都宮を離れるとき、保とは、簡単な打ち合わせをしておいた。彼にはまず、地元で、失踪以前の彰子についての情報を、集められるかぎり集めてもらう。それ以降のことは、また相談してから決めよう、と。

「収穫は、結構いろいろあったんです」

紙袋と一緒に下げていた男もちのセカンドバッグを開けながら、保は言った。コーヒーをいれてきた井坂が、彼の脇《わき》に椅子《いす》を引いて腰をおろす。

保は小ぶりの帳面を広げた。

「メモしてきたんです。郁美がそうしろって」

「うん、正解だ」

ちょっと咳払《せきばら》いして、

「地元の人たちには、しいちゃんが行方不明になってて連絡がとれないって話して、協力してもらいました。みんな、最初はびっくりするけど、すぐに納得したような顔になるんですよ」

無理もあるまい。借金と水商売の組み合わせのついている女性だ。

「僕の同級生のなかに、二、三年前に一度、駅でしいちゃんに会って立ち話した、という女の子がいました。その時は、いったいどうしちゃったんだろうって思うくらい派手な格好をしてたそうです」

「時期的には、ラハイナに勤めていたころかな」

「微妙ですね。二、三年前というだけで、ちゃんとした日付とかは覚えてないって。ただ、自分は西瓜《すいか》の半切りをさげてたっていうんですよ。だから夏だったんじゃないかって」

普通の人間の記憶というのは、だいたいこの程度のものだ。

「しいちゃん、わりと元気そうで、明るい顔をしてたって言ってました。化粧が濃くなってたんでびっくりしたって。その同級生も、しいちゃんについての噂はいろいろ聞いて知ってたんで、『大変なんだってね』ってかまかけてみたけど、『まあね』って笑ってただけだったそうです」

「それしかしようがなかったんだろうな」と、井坂が言った。「人生行路でつまずいてるとき、同級生に会うのは本当に嫌なものだから」

言外に匂ってくるものがあった。井坂も、いろいろ思い出しているのかもしれない。

保は続けた。「で、いちばん当たりが大きいのは、やっぱ淑子おばさんが死んだときだったろうと思って、通夜《つや》や葬式に出た人を探して片っ端から会ってみたんです。要《かなめ》

大仕事だったみたいな感じがするけど、ホントはたいしたことありませんでした。要《かなめ》

になる人たちは決まってるから。たいていは、おばはん連中だけど」

保はそれらの人たちに、当時の彰子の様子を尋ね、問題の女の写真を見せて、こういう若い女を見かけなかったかと問うて回った。

「通夜と葬式は、あかね荘じゃあげることができなかったんです。大家さんの奥さんが嫌《いや》がって。で、あかね荘から車で五分ぐらいのとこにある公民館を借りました。そういう手配も、喪主のしいちゃんだけじゃ手に余るから、町会の連中が受け持ってました」

保はコーヒーを一口すすり、帳面をめくった。

「しいちゃんの様子は、俺が感じたのと同じで、とにかくショックを受けてぺっちゃんこになってたっていう人が多かったです。そのわりにはあの真っ赤な髪はなんだって、ぶうぶう言ってたおばさんもいたけど」

「冠婚葬祭は保守的を最上とするからね」と井坂が言った。

「そうなんですね。ただ、通夜や葬式で、例の写真の女ね、しいちゃんに成り済ましてた女、彼女を見かけたという人たちはいませんでした。そういう知らない人間が来たら目立つし、町会の人間が受付に入ってたから、地元の人間じゃなさそうな若い女が香典でも持ってきたら、どこの誰で淑子おばさんとどういうつながりがあったか、絶対に訊《き》いてたはずだから、それは間違いないそうです」

本間はうなずいた。それは信じていいだろう。井坂流に言うならば、冠婚葬祭のとき、参列者はみな目が鋭くなっているものだからだ。

「ただね」と、保は鼻の下をこすった。「しいちゃんに成り済ましていた女を見かけたことがあるって人がいたんです」

本間と井坂は同時に乗り出した。

「本当か？」

「ええ」保は子供のように首のうしろをごりごりかきながら笑った。「それがホントになんていうかバカな話で、うちのおふくろだったんですよ」

本間は目を見開いた。「君のお母さんが」

「そうなんです。それも、俺が聞き込んでわかったことじゃなくて、おふくろの方から言ってきたんです。美容院で聞いたけど、なんかしいちゃんのことで調べにきた人がいたそうだねえ、なんて」

あっと思った。そうか、宮田かなえだ。ロレアルサロンに新城喬子の——当時はまだ「偽《にせ》の彰子」だったが——写真を預けてきた。かなえはそれを手に、あちこちに訊いてみると言っていた。

「ロレアルサロンか」

「なんだ、知ってたんですか」保は残念そうな顔をした。「うちのおふくろ、あそこでパーマかけてるから。で、宮田さんていう美容師さんに写真を見せられたんだっていってました」

保の母親の記憶ははっきりしていた、という。

「うちのおふくろ、普段はてんで物覚えが悪いんですけどね。ただ、なんかこう、ちょっと嫌だなと思うことがあるとよく覚えてるんです。うちのじいちゃんが死んだとき、枕経《まくらぎょう》を読んだ坊さんがいやにそわそわしてて、それが妙に気になって、坊さんの首筋に目立つほくろのあることまで覚えてたんですよ。そしたら、あとになって、その坊さんが檀家《だんか》から金を騙《だま》しとって女と逃げたなんて事件になって——あ、スミマセン、余計な話だ」

「いや、いいよ。よくわかった。お母さんは勘違いや記憶違いじゃないって言ってるんだね」

保は大きく顎をうなずかせた。「そうです。で、問題の女を見かけたのは、そのロレアルサロンから出てきたときだったたって言ってました」

「時期は？　いつごろ？」

「すごくはっきりしてるんです」保は厳粛と言っていい顔をした。「淑子おばさんの四十九日だったって。最初は日付がはっきりしなかったんだけど、家計簿とか調べてみたら、一九九〇年の一月十四日、日曜日でした」

「そりゃまた……」

「びっくりでしょう？　でもね、聞いてみたらなるほどと思ったんです。ほら、しいちゃんとこは親戚《しんせき》がほとんどいないですからね。あんまり淋しくちゃ仏さんが気の毒だからって、近所の連中がみんな線香をあげにいったんです。俺はどうしてもはずせない急ぎの仕事があったんで出なかったけど、おふくろは出ました。それで、うちのおふくろ、そういう点じゃなんていうかきっちりしてるから、法事に出るために髪をセットにいったんですよ」

本間は膝《ひざ》を打ちたい気分だった。なるほど、それならわかる。

「で、髪をセットしてロレアルサロンから出てきたところで、あかね荘の前に、ぽつーんと、電柱の陰に隠れるようにして立ってる若い女を見かけたっていうわけです」

そっと近づき、どなたかをお訪ねですか、と声をかけると、その若い女は少し驚いた様子で、しどろもどろに何か言い、急いでそこを離れていってしまった、という。

「おふくろ、よほど気になったんでしょうね。もともと気の強い方だし、追いかけて『ちょっと、あんた誰よ』みたいなことを言ったそうなんです。そしたらその女はもうどぎまぎしちゃって、必死に逃げていったって。だから顔もよく覚えてたんです。美人だった、女優さんみたいだったって言ってました」

保の話の内容を頭のなかで整理しながら、本間は眉根《まゆね》を寄せた。

四十九日の法事が一九九〇年一月十四日。関根淑子が死亡したのは一九八九年十一月二十五日だから、正確には四十九日後ではないが、煩雑《はんざつ》な暮れを避け、松の内をすぎてからの日曜日ということで、この日を選んだのだろう。それから十日ほどして関根彰子は溝口《みぞぐち》弁護士を訪ね、保険金をもらってしまってよいのだろうかと訊いている。淑子にも多少の貯《たくわ》えはあったろうから、葬儀や法事はそれで賄《まかな》うことができたのだろう。そこで、残った保険金のことが気になったのだとすると、彼女の気持ちの動きはよくわかる。

そして、その時点で、新城喬子が彰子のそばに現れていた。喬子は一九八九年の十二月三十一日付けでローズラインを退職している。彰子に成り済ます準備は着々と整っていたのか。そこで、一度様子を見にきた——

「法事はどこでやったんですか」と、井坂が訊いた。

「淑子おばさんのお骨が預けられている寺でです」

「遺骨が預けられている——」

「そうなんです。なんつうかその、その辺は事情が複雑なんですけど」

保は言いにくそうだった。

「しいちゃんのおふくろさん、淑子さんは、早くにご亭主に死なれて、そりゃあ苦労したんです。親戚は誰も援《たす》けてくれなかったし、しいちゃんを抱えて働くしかなかった。で、その時点で親戚との縁は切れてたようなもんでした」

井坂が眉毛をこすりながら、「それにしたって、亡くなったときご亭主と同じ墓に入れないということはないんじゃないですか」

「そうなんです、そうなんです」

ちょっと考えてから、本間は言った。「そうか、ご亭主の墓もないんだね。つくれなかったんだ、資金がなくて」

保はうなずいた。「ええ、ホントそうなんですよ。関根のおばさんのご亭主は大家族の三男坊で、もともと自分の墓は自分でこしらえないとならない人だったんだけど、なんたってまだしいちゃんが赤ん坊のときに死んじまったんだから、そんな余裕ないですよ。それなのに——」

「ははあ」と、井坂がうなずいた。「ご亭主の墓をたてるために、淑子さんは親戚に援助を頼んだ。とりわけ、長男の継いでいる本家にだろうねえ。ところが、冷たく断られた。そうじゃないですか」

「そうなんです。だから、しようがない、関根さんのご亭主のお骨も、ずっと寺に預けたまんまになってたんです。十年ごとか五年ごとかに、供養料《くよう》を払ってね、お寺のなかに保管してもらうんだそうです」

墓地が不足し値段も高騰《こうとう》している昨今、さしてめずらしい話ではない。

「そうか、だから淑子さんの遺骨も、ご亭主と同じ寺に預ける形になったわけだ」

「ええ。しいちゃん、それをずいぶん切ながって、早く二人が落ち着けるようにお墓をたててやりたいって言ってたそうです。それを、『そんなことを言ってまた借金なんかこしらえるなよ』ってやりこめられて、泣いてたって」

そこに自分が居合わせたら、なにかひとこと言い返してやったのにと、保は悔しそうに言った。

「そうだなあ、そんな言い方をしなくったってよさそうなもんだ」と、井坂も同調した。

「それ以外には？　君のお母さん以外に、あの女を見かけたという人はいなかったかい？」

保は首を振った。「残念ですけど。宮田さんて美容師さんも悔しがってたそうです」

いや、これは幸運だったと、本間は思った。殺人や強盗など、落雷のように激しく、生々しくあとに残るタイプの事件に遭遇したときでさえ、目撃者の記憶というのはあいまいなものなのだ。それなのに、この場合は、何も起こっていないときに、ごく普通の、ちょっと美形だというだけの若い女を見かけたかどうか、というだけのことを尋ねているのだ。はっきりした目撃証言を期待する方がどうかしている。それが、これだけの記憶を掘り起こすことができたのだから、ロレアルサロンのおかげで大収穫だったと言っていい。

関根彰子と新城喬子。ローズラインのデータを通してしか関《かか》わっていなかった二人が、またひとつ、別の場所でつながった。彰子の故郷で。彼女の母親の法事のときに。

「実は、我々の探している女性の身元はわかってるんだよ」

保の報告で浮かんできた事実を噛《か》みしめながら、本間はゆっくりとそう言った。

保は一瞬、息を止めた。

瞬間、彼は恐ろしく険しい顔をした。これで今まで考えていたことが本物になる、彰子に成り済ましていた女は幻ではなく、生身の実体があったのだということを知るのを、保は心のどこかで恐れていたのかもしれなかった。

「どんな女なんですか」

名前より先に、彼はそれを訊いた。

「どういう女なんですか。しいちゃんの友達ですか？　しいちゃんが仲良くしてた女ですか？」

あってほしくないことの方を、先に口にしているのだ。もしもあの女が彰子の友達で、彰子が頼りにしている存在だったなら、保はどれほどにかやり切れないだろう。怒りを抑えることが難しくなるだろう。だから、悪い想定の方を先に述べたのだ。

「いや、違うよ。赤の他人だ」

本間の説明を、保は真顔で聞いた。時々くちびるを噛んで、目を伏せる。そうやって、気持ちをこらえているようだった。

本間が話し終えると、しばらく沈黙が落ちた。井坂がコーヒーカップをさげ始めた。

何かしていたかったのだろう。

「こんな馬鹿《ばか》な話、聞いたことないですよ」

やがて、保はぽつりと言った。

「しいちゃん、つましい暮らしをしてたんでしょう？」

「うん」

「だけど、ちょっと気持ちを楽しくするために、きれいな下着を着たかったんでしょう。俺、それはわかります。うちも子供に金かかるし、郁美はめったに新しい洋服なんか買えないけど、せめて下着ぐらいは可愛《かわい》いきれいなのを着たいって言ってるから」

「彰子さんは、ローズラインの支払いをきちんとしていたそうだよ。郵便振替でね。優良客だったそうだ」

「優良客」と呟《つぶや》いて、保は黙った。テーブルの下で、彼のこぶし、節のところに機械油の黒いしみがこびりついたごついこぶしが、何かを握り潰《つぶ》すようにしっかりと固められている。

保は、そのこぶしを振りあげる相手を探そうとしているのだ。今さらのように、本間は思った。

　では、俺はなぜ新城喬子を探しているのだろう？　ただの習性だろうか。行きがかり上とはいえ、和也に同情しているからだろうか。好奇心だろうか。

そう……強《し》いていうなら、最後の説かもしれない。好奇心だ。会ってみたいのだ。新城喬子という人間に。そして、聞いてみたいのだ、彼女の声を。

　なぜこんなことをしたのだ、と尋ねたときの、彼女の答えを。

　ビジネスホテルにいるという保を説得して、今夜から水元に泊めることにした。荷物を取りに、彼がいったんホテルへ戻ったあと、本間は調査についてのメモと資料の整理をした。

碇に話した未解決のバラバラ死体遺棄事件については、朝早くから午前中いっぱい図書館で粘ってみたものの、新聞の縮刷版から拾いだすだけでは限界があった。この際プロに頼もうと、以前ちょっとしたことで貸しをつくったことのある雑誌記者に連絡をつけて、頼んでみた。

「本間さんにくっついてると、ときどき特ネタに当たるからなあ」と言う彼は、なぜそんなデータを必要としているのか、しきりと知りたがった。本間が適当にはぐらか

していると、まあいいやと笑って、

「引き受けますよ。一日か二日あれば、データベースから引っ張りだすことができます。関東近県のでいいんですね?」

うん、と答えてから、「待った、甲信越地方も」と付け加えた。

理由はなかったが、万事に慎重な新城喬子のことだ。死体を処分する目的のためだけにでも、遠方にまで足をのばしているかもしれない。

そのあと、日付を頼りに、関根淑子の転落死を報じた記事を探してみた。こちらは案外楽に見つけることができた。大手全国紙三紙のうち、二紙で取り上げている。ベタ記事だが、事実は漏れなく伝えていた。その記事のコピーをとって、図書館を出た。

今現在までに判明している事実から、新城喬子の行動を推測してみる。

彼女は、なんらかの理由があって、おそらくは何かに追われ、そこから逃げるために新しい身分を必要としていた。

彼女がその目的を達するためにローズラインへ就職したのか、あるいは、就職してから、この職場を利用すれば他人の身分を容易に手に入れることができると気づいたのか、どちらかは定かでない（だが、前者の可能性が強い）。また、彼女が、顧客データ管理の厳重なローズラインのシステムからどうやってデータを盗みだしたのか、その方法もまだわからない。

ただ、彼女が片瀬を利用したのかもしれない、とは考えられる。だから、彼の反応が顕著だったのだということもあり得るからだ。

とにかく、喬子は多数の顧客データを手に入れ、そのなかから、条件に合った人物として、関根彰子を選びだした。彼女の戸籍謄本《とうほん》や住民票などは、データをもとに、管轄《かんかつ》の役所の窓口へ出向いて「本人です」と詐称《さしょう》して手に入れたものと思われる。

その後、喬子はまず、関根彰子のたった一人の家族である関根淑子を殺害する。

この殺害方法についても、疑問点は多い。境刑事が言っていたように、淑子の死亡時の様子からは、事故死または自殺の可能性の方が濃く感じられる。しかし——

本間は考えていた。新城喬子は、あの夜、十一月二十五日のあの夜、なんらかの口実を設けて、淑子をおびきだしたのではなかったか、と。

おびきだしたというと大げさだが、つまり「面会の約束をとりつけた」ということだ。場所は「たがわ」の近くだったろう。そして時刻を指定しておけば、淑子が「たがわ」から出てくるだいたいの時刻を見当つけることができる。

そうしておいて、あとは、現場を訪れた夜、境刑事が否定したやり方をしたのだ。

(あんなうるさいスナックのなかにいて淑子さんが出てくるのを待ってたら、淑子さ

んが廊下を歌うたいながら通りすぎたってわからないよ）

だが、時間を約束しておけば、それもできる。

喬子は「たがわ」の隣のスナックにいた。淑子が「たがわ」を出てくるころに廊下へ出、彼女を待ち、隙をみて突き落とし、またスナックへ駆け戻る。ダンスフロアのある騒々しいスナックでは、確かに、お客の出入りなど正確に把握《はあく》してはいないだろう――

淑子を呼び出す口実は、ごく軽いものである必要があったはずだ。淑子が、そういう人と会うのなら、今夜は「たがわ」行きをやめて家にいよう、と思ってしまうような、気の張るものではまずい。東京の彰子の知り合いだが、彰子から母さんに渡してほしいと頼まれたものがある。自分が宇都宮につくのは夜遅くなるし、連れがいるので長居はできないから、ほんの五分ほどお目にかかれないか――という程度の話で上々だろう。

こうして、喬子は淑子を排除する。

しかし、いくら関根彰子が一人暮らしで孤独な身の上だとしても、友達関係や、恋人、愛人の存在も考えねばならない。そのうえ、この説をとるならば、宇都宮でひとり暮らしている母親の淑子の「たがわ」通いの習慣についても、その店に危険な階段があることも、喬子が事前に知っていたということになってくる。

これらのことまでは、もちろんローズラインのデータではわからない。だから、新城喬子としては、最低限、それらの情報をつかむことができる程度には、彰子と接触しなければならなかったはずだし、現にそうしたはずだ。

だから、本間が次に見つけるべきは、その接触の痕跡《こんせき》である。

彰子を殺した喬子は、死体を処分し、彼女に成り済まし、コーポ川口を離れ、ラハイナを勝手に辞めて消息を断つ。そして東京で今井事務機に就職する。方南町にアパートを構え、戸籍も分籍し住民票も移動。健康保険や国民年金、民間の保険なども然《しか》るべく処置をするが、雇用保険だけは、彰子の雇用保険被保険者証が手に入らなかったので、窓口で「初めて就職します」と申告することになった。

そして、栗坂和也と知り合い、婚約した――

ひとつ疑問に思うのは、彰子に成り済ました喬子が、和也と結婚間際《まぎわ》になって彼に勧められるまで、一枚もクレジットカードをつくっていないということだ。もしも一枚でもつくっていれば、それまで知らなかった彰子の自己破産の事実にも気がついただろう。

新城喬子はクレジット嫌《ぎら》いだったのだろうか。

稀《まれ》にではあるが、そういう人間はいる。無駄遣《むだづか》いをしてしまいそうで怖いからとか、何か不健康な感じがする、とか。まあ、その程度の理由だろうか。めずらしいことはめずらしいが、不自然というほどのことはない。

だがもうひとつ、喬子の身元を割り出す唯一《ゆいいつ》の手がかりとなった、あのポラロイド写真の存在がある。彼女は、いったい何の目的であの写真を撮ったのか。また、なぜ後生大事に保管しておいたのか。よほど楽しい思い出につながるものでもあったのだろうか。

しかし、そうだとすると、その思い出は、新城喬子としての思い出であったはずだ。彼女が捨て、切り離そうとした新城喬子としての。

わからない。この疑問に対しては、仮説さえ浮かんでこない。本間はメモを閉じた。

四時すぎに一度帰宅した智《さとる》が、「カッちゃんと約束がある」と言って出かけていった。井坂が夕食の支度にかかり、台所で湯気があがり始めたころ、保が小さなボストンバッグ片手に戻ってきた。そこへ、電話が鳴った。

「本間さんのお宅ですか」

今井事務機の社長だった。

会社からかけているという。その後の経過が気になっているのだが、関根さんは見つかっただろうか、と尋ねてきた。

まだ、すべての真相を話す気にはなれない。とうてい無理だ。

「それが、まだなんですよ」と答えると、電話の向こうで社長はため息をついた。

「みっちゃんも、ずっと気にしてるんです。ああ、そうそう、もうひとつ気にしていることがあったな。ちょっと代わります」

もしもし？　と問いかける、甲高い声が聞こえてきた。

「本間さん、あのねえ、奥さんの従兄《いとこ》の子供をどう呼ぶかってことですけど」

「わかりましたか？」

「わからないんです」

心底残念そうな口振りだった。

「そう。難しいと思っていた。ずっと調べていてくれたんですか」

「あたし、そういうことへタなんです」

「こんなこと、誰が調べたってわからないですよ」

みっちゃんはちょっと口調を変えた。

「関根さん、まだ帰ってこないんですか」

「帰りにくいのかもしれないね」

「栗坂さんはがっくりきてるでしょうね」

「あいつにも、いい薬かもしれない」

「あたしね、ちょっと思い出したんです。二人がね、ケンカしてたことがあったの」

「喧嘩《けんか》？」

「そうなんですよ。婚約指輪のことで。関根さんね、誕生石なんかに関係なしに、自分の好きな指輪を買ってほしいって言ってて、それを栗坂さんが反対して。誕生石か、さもなきゃダイヤモンドだ、そうでなきゃ正式な婚約指輪じゃないって」

融通のきかない和也の言いそうなことだ、と苦笑して、本間ははっとした。

「みっちゃん、関根さんは、自分の誕生石ではないけど、好きな宝石があるから、それを買ってほしいと言ってたの？」

「ええ、そうです。それでケンカ」

受話器を手のひらで押さえて、本間は台所の井坂を振り返った。

「井坂さん、誕生石には詳しいですか？」

井坂はおたまを片手に目をぱちぱちさせた。

「はあ……まあ、常識程度なら」

本間はある質問をした。井坂は答えた。それを聞いてから、本間はみっちゃんに呼びかけた。

「みっちゃん、関根さんの誕生石はサファイアだったよね？　その指輪を買ってもらったんだっけね？」

「そうですよ。九月の誕生石」

「関根さんが、和也と喧嘩してまでほしがっていた宝石がなんだったか、当ててみようか？」

「えー、わかるんですか？」

「わかるよ」

柄《がら》にもなく、少し胸がどきりとするのを感じながら、本間は言った。

「エメラルドだろう？」

みっちゃんが大きな声をあげた。「すごーい。どうしてわかるんですか？　緑色がきれいだし、希少価値も高いからって、関根さん、すごくほしがってたんですよぉ」

笑って、あとはごまかした。心の内で、ひそかに思った。

エメラルドは五月の誕生石だからだよ。そして五月は、新城喬子の生まれ月だからだよ。

喬子は、自分の本当の誕生石の指輪をねだったのだ。婚約指輪として。

みっちゃんの声が聞こえる。「本間さん、関根さんが帰ってきたら、社長もあたしも心配してたって言ってください。とっても会いたがってたって」

約束するよ、と答えて電話を切るとき、本間は初めて、ほんの一瞬だけのことだが、新城喬子を許しがたいと思った。

とっても会いたがってたって。

だが、その感傷は、玄関の方から聞こえてきた大きな物音で破られた。ドアがすごい勢いで開閉されたのだ。

驚いて、本間も、そばの椅子《いす》に座っていた保も廊下に顔を突き出した。

智だった。とっつきの物入れを開け、草野球のとき使っている金属バットを取り出している。物入れから転がり出てきたボールや、積み上げてあった古新聞が崩れかかってくるのを踏みつけ、足で蹴《け》り払うようにして、バットをわしづかみに玄関へと取って返す。

「智！　何してるんだ？　そんなものでどうする？」

大声で怒鳴ったが、智は耳も貸さずに飛び出してゆく。

「俺、止めます！」

ただならない様子を察したのか、機敏には動けない本間に代わって、保が飛び出していった。井坂がエプロンの端を握り締めて続く。

廊下の端で、保にはがいじめにされながら、智はまだ暴れていた。顔が涙と泥《どろ》でぐしゃぐしゃだ。追いついた井坂と本間は、互いに顔を見合わせた。智の肘《ひじ》や膝《ひざ》には擦り傷が無数に浮き、靴下《くつした》のずりさがった向こう脛《ずね》には、見守るうちに濃くなってゆくという感じの、できたての打ち身があった。

「な？　やめろって。そんなもの振り回すなよ。ほら、よこせ！」

保が智の手からバットを取り上げると、智はだだをこねる幼児のようにその場にしゃがみこんでしまった。

「喧嘩か？」

智のそばに屈《かが》みこんで、本間は尋ねた。

「喧嘩なら、バットを持ち出すなんて卑怯《ひきょう》だぞ。なんでこんなものを持っていこうとしたんだ」

智は手放しで泣いていた。しゃくりあげる息のあいだから、なんとか自分の言い分を主張してわかってもらおうというように、懸命に言葉を絞りだした。

「——ボ、ボケ」

「ボケ？」

井坂と声をそろえておうむ返しに言った。

「ボケ?」と、保が訊いた。

「犬の名前なんだ」と、本間は答えた。

「ボケがどうかしたのか? 見つかったのか?」

智は歯を食いしばった。「死んじゃってるんだ」

「死んで——」

「学校の——田崎ってヤツなんだ。ボケのこと——殺して——捨てちゃったって——」

「なんだって?」井坂の声が割れている。「ホントかね、智ちゃん」

「ホントだよ——や、やっと——わかったんだ」

「それで喧嘩になったのか?」

「うん」

頭の上で別の声が答えた。一同が顔をあげると、カッちゃんが立っていた。太りじしの大柄の少年だが、智に負けず劣らずひどい有様で、涙と泥汚れで縞模様《しま》になっている頰《ほお》に大きな切傷をこしらえていた。

「田崎のヤツ、ボケを殺して捨てちゃったんです。僕ら、碇《いかり》のおじさんに言われたとおりに、ソ、ソ、ソシキ的に調べてたから——あいつ、そのうちバレるって思って——」

「そうじゃないよ」智が泣き泣き抗弁した。「あいつ、放っておいたって自分から言い出したよ。得意がってんだから」

「なんでボケを殺したりしたんだね？」

問いながら、井坂はまだエプロンの端を握り締めている。頰が怒っていた。

「団地じゃペット飼っちゃいけないんだから、規則違反だって」

「それだって、殺すことはないだろう」

「だ、だ、だけど——」泣きながら吃《ども》りながら、智が言った。「違反してるんだから殺したっていいって。ミセシメだって」

「ひでえや」と、保が言った。「それでやりあったのか？　よし、だったら兄《にい》ちゃんが加勢してやる」

だが、智もカッちゃんも、もう戦闘意欲をなくしているようだった。ぐったりと座り込みながら、カッちゃんが廊下のコンクリートに向かって言った。

「悔しかったら、おまえも一戸建の家買ってもらえっていうんだ」

「一戸建——」

「あいつの家、そうなんだ」

「だから犬も飼っていいんだって。貧乏人のダンチのくせに犬飼うなんて、一戸建に対して生意気だっていうんだよ」

吐き出すように一気に言うと、智とカッちゃんはおいおい泣き始めた。

二人の頭ごしに、本間と井坂はもう一度顔を見合わせた。言葉も出なかった。

「なんなんだよ」と、保が呟《つぶや》いた。彼の足元で、金属バットがころりと揺れた。

21

翌日――

目の前にいるのは、関根彰子《しょうこ》が溝口《みぞぐち》事務所を訪ねて破産申立ての手続きを依頼し、家賃滞納でキャッスル錦糸町にいられなくなったあと、寄宿させてもらっていた女性。名前を宮城富美恵という。澤木事務員から「ゴールドの同僚ですよ」と聞いていたが、実際に会ってみると、たしかに、長くのばした爪《つめ》といい、派手なサンダルばきといい、スッピンで、無造作にヘアバンドで髪を束ねているという格好でありながら、どこからともなく香ってくる香水のかおりといい、どう見ても夜の商売の女性だった。

三十五、六歳というところだろうか。昼ごろ、電話して声を聞いたときには、もう四十すぎかと思った。ハスキーというか、しゃがれた声と、聞きようによっては所帯《しょたい》染《じ》みているとさえ思えるぶっきらぼうな話し方のせいだ。
「こんな時間に、明るい窓際なんかは苦手だから、奥の席で助かりました」

三人は、富美恵が暮らしている渋谷区内のマンションの近くにある、真新しいコーヒーショップのなかにいた。ランチタイムをとうにすぎて、店内はすいている。

「彰子ちゃんのことは、あたしも気にしてはいたの。ぷっつり連絡が途絶えたきりだったから。でも、いい人でもできたのかもしれないと思って、強《し》いて探さないでいたんですよ」

セブンスターをふかしながら、たっぷりとしたデザインのセーターに包まれた肩を、富美恵はちょっとすくめた。不謹慎な想像だが、本間は、彼女がこのセーターの下から手を突っ込んで、まずフックをはずし、片腕をずらして肩紐《かたひも》をはずし、もう一方の腕の袖口《そでぐち》から、脱いだブラジャーを引っ張りだす有様が目に浮かんでくるような気がした。

「本当に行方がわからないんですか？　彰子ちゃん、誰にも何も言わないで消えたっきりなの？」

「ええ、そのようです。あなたが最後に会ったのはいつごろですか？」

富美恵は頭を振った。「それがねえ。電話をもらったときからずっと考えてたんですけど、一昨年の――お正月あたりじゃなかったかと思うんです。でも、はっきりしなくてね」

そして、次に富美恵は、本間の差し出した新城喬子《きょうこ》の写真を、しばらくしげしげと眺《なが》めた。そのあいだに、タバコが一本根元まで灰になった。彼女はそれを、灰皿の方を見もしないでもみ消した。

やがて、ゆっくり言った。「知らないですね。会ったことないわ」

「お店にも？」

「ええ。きれいな娘《こ》だから、いたら絶対覚えてます。ゴールドなんて、女の子が五人しかいないもの。バーにしちゃ多いでしょうけど、おさわりキャバレーに毛が生えたようなところですからね。お店自体はけっこう広いんだし」

「お客としてきたことがあるということは？」

富美恵は新しいタバコに火をつけ、煙と一緒に笑いを吐き出した。

「女の子が一人で来るような店じゃないですよ。グループでも来るような場所じゃない。『Ｈａｎａｋｏ』にも載ってないし」

保《たもつ》があわてて視線をそらした。富美恵は、彼の額のあたりを興味深そうに見つめている。

「彰子さんの働きぶりはどうでしたか」

富美恵はすぐに答えた。「必死だった」

「金のため？」

「もちろんですよ。取り立て屋が店にまで押しかけて来てたもの。あの娘《こ》、暴力団がからんでるような金融会社には手を出してなかったみたいだったから、なんとか救われたけどね。ソープに売られちゃうんじゃないかと思って、一時は本気で逃げろって説得したくらいでしたよ」

「クレジット会社とサラ金から借金して、一千万円以上の負債があったそうです。ご存じでしょうが」

富美恵は顎《あご》を引くようにしてうなずいた。「馬鹿《ばか》よね。あんなプラスチックのカードなんか信用するからよ」

保が顔をあげた。「だけど、決して迂闊《うかつ》な娘《こ》じゃなかったんです。俺《おれ》、よく知ってるけど」

富美恵は首をかしげて保を見つめた。「幼なじみだって言ったわね。彰子ちゃん、故郷にいたくなくて東京へ出てきたって言ってたわよ。それ、知ってる？」

本間は保に目をやった。保は首が固まってしまったのか、動かない。富美恵が本間に目を向けた。

「早くにお父さんを亡《な》くして生活が苦しかったし、いいことがなかったって言ってた。それと、おふくろさんがアパートの大家に囲われててさ」

「大家に？　あかね荘のですか？」

「アパートの名前は知らない。覚えてないわ。だけど、お母さんは死ぬまでそのアパートに住んでたって」

では、あかね荘だ。

それで納得がいった。なぜ、関根淑子があかね荘に十年間も根をおろしたように住み続けていたのか、ということに。

保が口籠《くちご》もりながら言った。「俺も知ってはいたけど、しいちゃんからじかに聞いたことはなかったし、噂《うわさ》ばっかりだったから」

「こんなことに真実や証拠なんてあるもんですか。噂で充分よ」富美恵は鼻で笑った。

「だから——」本間は保を見た。「淑子さんの通夜《つや》や葬式をあかね荘でやることを、大家の奥さんが嫌《いや》がったわけか」

「……そうです」

富美恵はコーヒーをすすり、無造作に音をたててカップをソーサーに戻した。

「彰子ちゃんとも話したことがあるんだけど、要するにあの娘《こ》、故郷でないところで自由になって、全然違う人生を歩きたかったんですよ。だけど、現実にはそんなことありっこない。人生なんて、そう簡単に変わるもんじゃないから」

「いい方にはね」と、本間は口をはさんだ。

「そうね。いい方には」と、富美恵が薄く笑った。

「彰子、最初に勤めた会社で、華のＯＬ生活なんて夢のまた夢だってことがよくわかったんですって。安月給だし、寮にいたら息苦しいし」

「葛西通商ですね」と、本間は言った。「実は、午前中に、そっちを訪ねてきたところなんです」

ゴールドの同僚だった富美恵は、今でもそういう仕事を続けているのなら、当然、昼ごろまで寝ているだろうと思ったからだ。だが、これはまったくの無駄足《むだあし》だった。人事担当者は不親切で、おまけに従業員の出入りが激しいらしく、雇用記録が残っているかどうか、残っていてもすぐに調べることができるかどうかまったくわからない——と、鼻先であしらわれただけだったのだ。

無論、新城喬子の写真になど、まともにとりあってもくれなかった。本間としては、喬子が彰子に目をつけたのは、ローズライン以後、つまり一九八八年七月以降と思っているので、葛西通商にはあくまで念のために足を運んでいっただけだったが、それでも、あまり楽しい展開ではなかった。

富美恵は続けた。「会社名は聞かなかったけど、そうね、なんか物流みたいなことをやってたとか言ってたかしらね。とにかく、パッとしない会社ですよ。寮の設備もお粗末だったらしくてね。だけど、じゃあってんでその寮を出てみたら、ますます貧乏になるだけだったって。生活、苦しかったらしいわ。無理もないわよ。錦糸町のマンション、家賃がバカ高かったしね」

「それがきっかけで借金生活が始まったんじゃないかと思いますがね」

富美恵は、タバコのパッケージのなかをのぞき、残りの本数を数えているかのような仕草をした。一本抜き出したが、火はつけなかった。そうやって、言葉を探していたのだろう。

「あの娘《こ》がクレジット三昧《ざんまい》の暮らしをしたのはね、そうしていると、錯覚のなかに浸《つ》かっていられたからよ」

「錯覚?」

「ええ、そう」富美恵は両手のひらをパッと広げた。「お金もない。学歴もない。とりたてて能力もない。顔だって、それだけで食べていけるほどきれいじゃない。頭もいいわけじゃない。三流以下の会社でしこしこ事務してる。そういう人間が、心の中に、テレビや小説や雑誌で見たり聞いたりするようなリッチな暮らしを思い描くわけですよ。昔はね、夢見てるだけで終わってた。さもなきゃ、なんとしても夢をかなえるぞって頑張《がんば》った。それで実際に出世した人もいたでしょうし、悪い道へ入って手がうしろに回った人もいたでしょうよ。でも、昔は話が簡単だったのよ。方法はどうあれ、自力で夢をかなえるか、現状で諦《あきら》めるか。でしょ？」

保は黙っている。本間はうなずいて先を促した。

「だけど、今は違うじゃない。夢はかなえることができない。さりとて諦めるのは悔しい。だから、夢がかなったような気分になる。そういう気分にひたる。ね？ そのための方法が、今はいろいろあるのよ。彰子の場合は、それがたまたま買物とか旅行とか、お金を使う方向へいっただけ。そこへ、見境なく気軽に貸してくれるクレジットやサラ金があっただけって話」

「ほかにはどんな方法があります？」

富美恵は笑った。「あたしの知ってる方法としちゃ——そうね、友達に、整形狂いの女がいるわ。もう十回近く顔をなおしてるんじゃないかしら。鉄仮面みたいな完璧《かんぺき》な美女になりさえすれば、一〇〇パーセント人生ばら色、幸せになれると思い込んでるの。だけど、実際には、整形したって、それだけで彼女が思ってるような『幸せ』なんか訪れないわけですよ。高学歴高収入でルックス抜群の男が現れて、自分を王女さまのように扱ってくれる、なんてね。だから彼女、何度でも整形を繰り返すわけ。これでもか、これでもかってね。同じような理由で、ダイエット狂いしてる女もいるわね」

保が目を見張っている。郁美の言っていた、「タモッちゃんは幸せだもの。わかんないわよ」という言葉を、本間は思い出していた。

富美恵は続けた。「男にだっていますよ。そういう人。むしろ、女よりも多いんじゃないかしら。必死で勉強していい大学に入って、いい会社に入ろうとするのだって、そうでしょ？　勘違いなのよ。ダイエット狂いの女を笑えませんよ。みんな錯覚を起こしてるのね」

ふと、本間は思い出した。澤木事務員が言っていた、昭和五十年代後半のサラ金パニックの根底には、マイホーム願望と、そこから生まれる苛酷《かこく》な住宅ローンがあった、と。

それも錯覚から生じたものではなかったか。「マイホームさえ持てれば、幸せになれる。豊かな生涯《しょうがい》が約束される」という──

「昔は、そう誰もかれもが、そういう錯覚を推《お》し進めてゆけるだけの軍資金を持ってなかったでしょう？　その軍資金を注《つ》ぎ込む対象、錯覚を起こさせてくれる側も、種類が少なかった。たとえばエステも、美容整形も、強力な予備校も、ブランドものを並べたカタログ雑誌もなかったものね」

富美恵はタバコに火をつけることを忘れていた。

「だけど、今はなんでもある。夢を見ようと思ったら簡単なの。だけど、それには軍資金がいるでしょう。お金持ってる人は、自分のを使う。で、自分ではお金がなくて、『借金』という形で軍資金をつくっちゃった人間が、彰子みたいになるんですよ。あの娘《こ》に言ってやったことがありますよ。あんた、たとえ自転車操業でお金借りてても、いっぱい買物して、贅沢《ぜいたく》して、高級品に囲まれてれば、自分が夢見る高級な人生を実現できたような気になれて幸せだったんでしょうって」

「彼女はなんと答えましたか？」

「そうだったって。そのとおりだったって」

「俺――なんか――」

保は額を拭《ぬぐ》っていた。

「よくわかんないけど……俺にもそういうとこがあるんじゃないかって気がしてきた」

富美恵は微笑《ほほえ》んだ。「当たり前よ。あたしだってあるもの。ただ、その限度を知ってるってだけの話」

「失礼ですが、あなたはゴールドで働いて長いんですか？」

富美恵は「七、八年ですかね」と答えた。口調がまた丁寧なものに戻った。

「あたし、お店を一軒つぶしてるんですよ。亭主と一緒にやってた店だったんだけど、左前になったとたん、その亭主にも逃げられちゃいましてね。だけど、彰子と違って、破産しなかったの。任意整理なんて堅いもんじゃないけど、借金先と話し合って。だから、今でも返済してるんですよ」

再び、タバコの煙と一緒に、自嘲《じちょう》的な笑みがもれた。

「いつか、亭主が言ってたことがあった。うまいこと言うなあと思ったわ。あのね、蛇《へび》が脱皮するの、どうしてだか知ってます？」

「脱皮っていうのは――」

「皮を脱いでいくでしょ？　あれ、命懸けなんですってね。すごいエネルギーが要るんでしょう。それでも、そんなことやってる。どうしてだかわかります？」

本間より先に、保が答えた。「成長するためじゃないですか」

富美恵は笑った。「いいえ、一所懸命、何度も何度も脱皮しているうちに、いつかは足が生えてくるって信じてるからなんですってさ。今度こそ、今度こそ、ってね」

べつにいいじゃないのね、足なんか生えてこなくても。蛇なんだからさ。立派に蛇なんだから。富美恵は呟いた。

「だけど、蛇は思ってるの。足があるほうがいい。足があるほうが幸せだって。そこまでが、あたしの亭主のご高説。で、そこから先はあたしの説なんだけど、この世の中には、足は欲しいけど、脱皮に疲れてしまったり、怠け者だったり、脱皮の仕方を知らない蛇は、いっぱいいるわけよ。そういう蛇に、足があるように映る鏡を売りつける賢い蛇もいるというわけ。そして、借金してもその鏡がほしいと思う蛇もいるんですよ」

あたし、幸せになりたかっただけなのに。関根彰子は、溝口弁護士にそう言った。

本間は思い出していた。あの、転轍機《てんてつき》のイメージを。人はそこに何を見て情報を追うのだろうという疑問を。

今度こそ。今度こそ。

保は空になったコーヒーカップをひねくり回している。郁美がここにいたなら、（タモッちゃんは、俺は蛇だよ、蛇には足がないもんだよって、最初からわかってる人なのよ）と話してくれるかもしれない。

「あたしは、自分もそんな経験があったから、彰子が行きどころがなくて困ってるとき、うちに同居させたんです」と、富美恵が続けた。

「彼女が破産して、お店も新しいところに変わって――なんていったかしら」

「ラハイナですよ」

「そう？　そうだったかしら。とにかく、そこに変わって、川口へ引っ越してからも、ときどき電話で話したり、お昼を一緒に食べたりしてたんです。それが、一昨年の春ぐらいだったかしら。もっと前かな。お母さんが亡くなって、彰子、ちょっと落ち込みましてね。落ち着いたら温泉にでも行こうよって慰めてたんだけど――」

「それっきり？」

「ええ、それっきり」富美恵は憮然《ぶぜん》とした様子で口をへの字に曲げた。「あたしは、相手から連絡がこなくなったら付き合いを断つ、という方針ですから、それで、彰子とも切れちゃったというわけです。だから、彼女を探すお役には立たないと思うけど」

「彰子さんが川口に住んでいたころ、そうですね、母親が亡くなる前後に、何かありませんでしたか?」

「何かって?」

「新しい友達ができたとか、美容院を代えたとか。なんでも結構です」

富美恵は手をあげて髪を撫《な》でた。「あたしもね、電話をもらったときから、彰子のこといろいろ思い出してみてたんですけどね。さっぱりなの。電話で話したことなんて、受話器を置いたら忘れちゃうものねえ」

両手のひらをそろえて鼻の頭にあて、考え込んでいる。拝んでいるような姿勢だった。保と本間は、黙って待った。保が貧乏ゆすりをしているので、テーブルの上のお冷やがかすかに揺れている。

「駄目《だめ》だわ」

ため息をもらしながら、富美恵は言った。

「構えて考えると、かえって駄目ね。一時期、スーハー電話に悩まされて、彰子が気味悪がってたことはあるけど、そんなのよくある話だし」

「スーハーって……ああ、いたずら電話ですね」

「ええ。警察は取り締まってくれないのかしら――」

そこで、富美恵の目が晴れた。

「そうそう。それで思い出した。彰子ね、そういう電話のせいで神経質になってて、郵便が開けられるなんて言ってたことがあった」

「郵便物が？　コーポ川口でですか？」

「マンションの名前までは覚えてませんけど、川口にいたころよ。封書が開封されてるっていうの。そりゃ、郵便受けなんて簡単に開けられるし、いたずらがあとを断たないって話も聞いたことがありますけどね。考えすぎよって言ったんですよ。あの娘《こ》、お母さんの保険金がおりて、破産して以来久しぶりにちょっとまとまったお金を持ってたから、余計にピリピリしてて。それでお墓を買いたいなんて言ってたから、笑ってやったの。いまどき百万や二百万で墓所なんか買えるもんですかって」

保が驚いてこちらを見たほど、本間はびくりとした。紺野信子のところで、墓地のパンフレットを見たことがあった。たしか――「みどり霊園」だったか。

「彰子さんは、本気で墓所を買おうと考えてたんですよ」

富美恵は笑っていた。「そうなの。なんだか知らないけど、見学会にも行ったそうだから。バスを仕立てて、業者が連れていくんですよ。行ってきたっていうから、あんたみたいな若い娘《こ》、めずらしがられたでしょうって訊《き》いたら、そうでもなかったって。ほかにもう一人、あたしよりもっと若い女の子がいて、やっぱりその歳《とし》で墓所なんか買うのは不幸だから、二人でしみじみ話し合っちゃったなんて——」

紺野信子に連絡し、パンフレットに載っている社名を確かめてから、そこに電話してみた。記憶に間違いはなく、たしかに「みどり霊園」だった。

本社は東京の茗荷谷《みょうがだに》にあった。小綺麗《こぎれい》なビルの一階で、壁に売出し中の墓所や霊園の写真が貼《は》ってある。客用のロビーには、大々的に開発中だという、群馬県の山中にある霊園の完成予想模型が展示されていた。

応対に出てきた中年の男性社員は、葬儀屋の従業員のように丁寧で、言葉がやわらかかった。関根彰子が持っていたパンフレットの内容をもとに問い合わせてみると、今市《いまいち》市郊外で分譲中だった霊園の見学ツアーではないか、という。

「遺産相続でもめているところなんです。見学ツアーに参加した娘がうちの身内かどうか確かめたいんですが、なんとかならないでしょうか。写真でも残っていれば、いちばん確実なんですが」

すると、こちらが拍子抜けするほどあっさりと、男性社員は答えた。

「霊園見学ツアーに参加いただいたお客さまには、記念の集合写真をお送りしています。うちにも記録が残ってますので、お見せしましょう」

保と二人、掃除の行き届いたロビーで足踏みしながら待っていると、彼が戻ってきた。大判のアルバムを持っている。

「一九九〇年の一月から四月までの分なら、このあたりです」

ページを開き、パンフレットの散らばっているカウンターの上にアルバムを載せて、去っていった。保と本間はアルバムに飛びついた。

一月十八日――二十九日――二月四日――二月十二日――

「あった」

かすかに震える指先で、保が指さした。

一九九〇年二月十八日、日曜日。

「グリーン霊園見学ツアー第十三班ご一行様」

緑色の旗をペナントのように広げて、ガイドであるらしい男女の社員が端にしゃがんでいる。七、八名のグループの、前列の中央に、関根彰子はいた。若い娘はめずらしいし、また気の毒がられもしたのかもしれない。だから、中央に据《す》えられたのだ。集合写真とはいえ、かなり近づいて撮っている。顔がよく見える。保のところで見た、高校生のころの面影《おもかげ》そのままに、ただ髪型が違っているだけだ。きつくカールをかけたロングヘアで、しかも栗《くり》色に染めている。染めがあせてきて、生え際《ぎわ》のところに黒い色が広がってきている。草木染のようなジャケットを着て、ジーンズをはいていた。まぶしそうに目を細めているが、霊園見学にはふさわしくないほど、明るい笑顔を見せている。笑っている。歯並びが見える。くちびるが大きくほころんでいるので、八重歯がのぞいているのがわかる。

そして、その隣に、彰子とは対照的に、きれいにそろった白い歯並びをのぞかせて、新城喬子の笑顔が並んでいた。

二人は、その若さで墓地を買うことを考えねばならない、身内の縁の薄い娘同士が、同情しあって寄り添うように肩をくっつけ、腕を組んでいた。

「しいちゃん」と、保が呼んだ。

22

三重県伊勢市。

名古屋から近鉄特急で約一時間半。伊勢神宮と和菓子「赤福」で知られるこの地方都市に、かつて新城喬子と結婚していた男性が暮らしている。碇《いかり》が取り寄せてくれた喬子の戸籍・除籍謄本《とうほん》、附票などに記載された所番地を足場にたぐってゆき、本間は彼の所在を突き止めた。

倉田康司、三十歳。図書館で伊勢市の電話帳をめくってみると、倉田という名前のついた会社がやたらに多くあることに気がついた。そのなかでいちばん大きなものは、伊勢市駅近くで営業している不動産会社である。社名と宣伝文句の下に、不動産鑑定士・宅地建物取り扱い免許保持者として、名前がいくつか並んでいる。社長の倉田宗次郎の次に、倉田康司の名前があった。

喬子との離婚から四年。現在の彼は別の女性と再婚し、二歳四ヵ月の女の子の父親にもなっている。

東京から彼の実家、つまり現在の夫人と結婚するまでは彼の本籍地であった家に連絡をとったとき、最初に電話口に出てきたのは彼の母親だった。本間が新城喬子の名前を出すと、母親は絶句してしまった。

たっぷり十数えることができるほど、長い沈黙だった。そのあいだ、本間は敢《あ》えて、こちらからは何も言わなかった。そのまま電話を切られてしまうかもしれないが、それならそれでまたかけなおせばいい。喬子の名前が、現在の――そして過去の倉田家にとってどういう重みを持っているものか、その沈黙の時間が証明してくれると、そう思った。

やがて、母親は擦《かす》れた声で訊いた。

「息子に、喬子さんのことで何のお尋ねでございましょうか」

栗坂和也と彼女の関係を簡単に説明し、

「大至急、今現在の彼女の所在を確認する必要に迫られているんです。そのために、どんなささいなことでもいいから手がかりがほしい。息子さんは、喬子さんの友人関係などについて知っておられるかもしれません。ぜひお話をうかがいたいんです」

不愉快なお願いであることは、重々承知しております——本間がそう付け加えると、思いの外静かな口調で、母親は言った。

「不愉快なことは、もうございません」

少しためらうように間をおいてから、

「喬子は、可哀相《かわいそう》な嫁でした」

独り言のような口調で、そう呟《つぶや》いた。

「息子さんに連絡をとっていただけますか？」

またしばらく、沈黙があった。それから、母親は言った。

「わたしどもも、喬子には気の毒なことをしたと思っています。それはもう、本心からそう思います。ですが、お尋ねのむきが、今の喬子の消息に関することでしたら、わたしどもではお役に立つことはできません。まったく、何の消息もつかんでおりませんから。ですから、どうぞ息子をお訪ねになるのはおやめください。無駄《むだ》に古傷をえぐるだけのことになりますから」

ひと息に、こちらに口をはさませまいという勢いで、それだけ言い終えた。「もしもし？」と呼びかけようとしたときには、電話は切れていた。

倉田家と新城喬子とのあいだに、楽しい思い出があるわけがない。最初から、訪ねて行けば会ってくれ、質問すればスラスラ答えてくれるとは、思っていない。それほど甘い展開を期待していたわけではなかった。だが、あのように理を通して頼むように拒絶されると、かえって押しかけて行きにくくなる。行ったとしても、「話すことはない」と、黙りこくってしまわれたらおしまいだ。こんな場合は、先方が腹を立て、「冗談じゃない、あんな不愉快な女の話なんか御免だ」と怒鳴ってくれた方が、ずっと対処がしやすいのだ。怒りは人を雄弁にするものだからである。

（とにかく、行ってみるしかないな）

東京を発《た》つとき、ついでに買物をするからと、駅まで送りにきてくれた智と井坂に、今度は二、三日かかるかもしれない、と話した。智は諦《あきら》めたような顔つきで、「ちゃんと生きてるかどうか、電話だけはかけてよね」と言った。

新幹線がホームを離れるとき、在来線乗り場へ通じる階段の方へ、肩を並べ、何やら話をしながら歩いてゆく智と井坂の姿が、ちらっと見えた。一瞬後にはうしろに置いてけぼりになったその光景が、妙に頭のなかに残った。

あっちの方が、よっぽど父子《おやこ》らしく見える、と思った。

名古屋で乗り換えた賢島《かしこじま》行きの特急のなかでは、ゆったりしたシートに深く座って、例の雑誌記者がデータベースから引っ張りだしてきてくれた未解決のバラバラ死体遺棄事件についての資料を読みふけった。今はまだ観光客も少ないのか、車内はガラガラだ。新幹線と違って、ゆったりと膝《ひざ》をのばすことができるのはありがたかった。

雑誌記者の彼は、きわめて能率的な作業をしてくれた。死体の発見場所、発見された部位、被害者の推定される年齢、性別、同時に発見された遺留品の順で一覧表をつくり、備考欄にその後の捜査の進展状況を書き添えてあるという丁寧さだ。おかげで、本間自身の仕事はすぐに済んだ。これではないか、と思える女性のバラバラ死体遺棄事件は、一件にしぼられるのだ。

一九九〇年五月五日。ゴールデンウイークの最後の子供の日に、山梨県韮崎《にらさき》市内の墓地のはずれから、若い女性のものと思われる左腕と胴体部分、両膝から下の部分が発見されているのである。腐敗が進行し、部分的に骨が露出していたが、左手指の赤いマニキュアを視認することができた、とある。遺留品としては、右足首にまきつけられたアンクレットがひとつ。

直感的に、これだと思った。

時期的にもぴったり合う。関根彰子がコーポ川口から失踪《しっそう》したのは一九九〇年三月十七日だ。そのあと少なくとも一週間以内に殺されたと仮定するならば、五月五日の時点では、遺体の様子はこの程度のものだろうと思われる。

腕と胴体部分と膝とは、それぞれ別々のビニールの風呂敷《ふろしき》に包まれて、墓地の隅《すみ》のゴミ捨て場のなかに放置してあった。カラスか野良犬《のらいぬ》が臭《にお》いをかぎつけてかじったのか、ゴミ袋の山のなかから左腕が露出し、それが墓の掃除にきた墓参者の目に留まって騒ぎになったのだった。

遺体の部分を包んでいたビニールの風呂敷は、関東近県を中心にフランチャイズ展開している持ち帰り寿司《すし》チェーン店のもので、巷間《こうかん》に出回っている枚数が多すぎるため、ほとんど手がかりにはならなかったらしい。アンクレットも、真鍮《しんちゅう》に金メッキ、ガラス製のカラーストーンをはめこんだだけの安物で、せいぜい時価二、三千円のものだろうという。これも捜査の端緒になるような代物《しろもの》ではなかった。

山梨県警では、バラバラ死体の発見と同時に、未発見の頭部や右腕、大腿部《だいたい》の残りを探して大捜索を行なったが、収穫はなかった。周辺の聞き込み捜査からも、これといって不審な人物、不審な車両をしぼりこむことができず、結局はお宮入りの状態で今日まで経過している。問題の墓地は、ささやかではあるが、一応観光スポットとして知られている韮崎の観音像から、徒歩でも充分に行くことのできる距離にあり、近くには歴史資料館もある。休日などには、県外からの観光客たちも訪れる場所だ。韮崎は、甲府や石和《いさわ》温泉にもそれほど遠くはないし、一時の武田信玄ブームや地方都市開発の波に乗って、他所者《よそもの》が出入りすることの不自然な土地ではなくなっているのである。それが災いしたと言っていいだろう。

山梨県韮崎市の墓地か。本間は考えた。新城喬子の行動半径のなかに、この土地は入っていたろうか？　このあたりのことも、倉田康司に訊いてみる必要がありそうだ。

それにしても、この死体の残りの部分はどこにあるのだろう。

とりわけ、頭部は。

死体をバラバラにする目的は、倒錯的な趣味があるなどのケースを除けば、ほぼふたつに限られる。ひとつは遺体の身元を判明しにくくするためであり、もうひとつは処分を容易にするためだ。後者の理由があるために、バラバラ殺人犯には、案外女性が多い。たとえば、昔、荒川放水路で警察官のバラバラ死体が発見され大騒ぎになったという事件では、犯人は被害者の妻とその母親だった。本来、死体の解体作業は大仕事であるが、殺人という異常な状況下で一種「火事場の馬鹿力《ばかぢから》」的なエネルギーが生まれることと、自宅の浴室など、密室に閉じこもり時間をあまり気にせず作業に没頭できるということから、女性の手にもあまることがないのだろう。

新城喬子も、そうして、関根彰子の死体をバラバラにした。そして、一部を韮崎市内の墓地に捨て、残りは——どこに捨てたか。

喬子が捨てた、と言い切ってしまうことを時期尚早《しょうそう》だとは、もう思えなくなってきていた。ここまで、彼女の行動を正確にトレースしてきたという、暗い確信がわいてきている。

窓の外に目を転じると、名古屋を出たときに頭上を覆《おお》っていた灰色の雲が、今や手の届きそうな高さにまで垂れ籠《こ》めてきていた。

どれほど全国を飛び歩いても、警官の旅は旅ではなく、また出張でもない。それは点と点をつなぎ、白地図の上を事実で埋めていく、根気の要る確認作業でしかない。だから、天候など、ことさら気にもならないが、まもなく伊勢市駅に着くというアナウンスがあったあと、それを待っていたように車窓に雨の滴《しずく》が降りかかり始めると、少し気分が暗くなった。この陰鬱《いんうつ》な雨が、新城喬子がこの地で人の妻として家庭を持ち、静かに暮らしていた月日の、察するに、あまりにも短く、あまりにも不幸な終わり方を象徴しているような気がしたからだ。

改札をくぐって外に出ると、雨は霧雨になっていた。顔をあげると、目を細くしないではいられないような、冷たい雨が間断なく降りかかってくる。

彼女の頭の上も、いつも雨だったか、と思った。

所番地を確かめ、倉田不動産のそばを通らないようにして、駅舎から二区画ほど歩いた。そこで、たたみ一畳ほどの大きさの窓いっぱいに物件の広告を貼りだした、小さな不動産屋を見つけた。アルミサッシの引き戸を開け、声をかけながら入ってゆくと、一坪ほどの広さしかない店内の半ば以上を占領しているように見える大きな肘掛《ひじかけ》椅子《いす》から、太った老人が身を起こし、いきなり言った。

「ちょっと待った」

椅子のそばに据えてあるポータブル・テレビのなかでは、再放送ものらしい推理ドラマが佳境を迎えたところで、犯人役であるらしい女優が、美しく着飾り、いかにも観光名所という感じの断崖《だんがい》と灯台をバックに、綿々と告白している。どうやら、それがひと区切りつくまで待て、ということであるようだ。

おおせのとおりにしていると、うなだれた犯人役女優が、ずんぐりむっくりした中年の刑事役俳優にひったてられてゆくのを見届けて、太った不動産屋は本間の方へ顔を向けた。

「で、なんね？」

客商売にしてはぞんざいなものの問い方だが、不愉快ではなかった。面白い。

「この土地で、短期間——そうだな、長くてもせいぜい半年ですが、一人で暮らすことになったんで、アパートを探してるんですよ。出物はありませんかね」

不動産屋は、気のなさそうな顔つきで首のうしろをごしごしこすった。

「アパートねえ」

あくびを嚙《か》み殺しながら、

「あんたひとり？」

「ええ。単身赴任ってやつで」

「会社で用意してくれないんかね」

「それほど大手じゃないんでね。家賃は負担してくれますが」

ちょっと考えてから、不動産屋は言った。「どの会社？　こっちの方の会社なら、だいたい見当つくけどね」

「申し訳ないが、それはちょっと」

「オフレコかい」

「その方がありがたい」

妙な話だね、と呟きながら、不動産屋は、今度は遠慮なくあくびをした。

「半年じゃあ、うちと付き合ってる大家は嫌《いや》がって貸さないよ。短期で転がして礼金をとろうなんてさもしいことは考えてねえから。もっと安定した借り主でねえと。それに、うちにはそんな細かい物件がねえからね。他所《よそ》をあたった方がいいね」

「電話帳で見てみたんですが、広告ばっかり大きくてね。どこにしていいかわからない。近くにいいところはありませんかね」

不動産屋は、面倒臭そうに、表の方へ向かって手を振った。「ちょっと先へいけば、倉田ってでっかい不動産屋の看板が出てるよ。地元じゃいちばんだから」

「そんなでかいところが、こんな細かい客につきあってくれますかね」

「あそこなら、やってくれると思うよ。金持ってるから。余裕あるから」

追い立てられるようにして狭い店を出ると、今度は倉田不動産の方へ足を向けた。

地元じゃいちばんの、金持ってる家、か。

と言っても、倉田不動産のビル自体は大きなものではなかった。淡いグレイのタイル張り、四階建ての細長い建物で、一階は店、二階から上が事務所という様子だ。間断なく降り続ける霧雨に濡《ぬ》れて、自動ドアで仕切られた出入口の周囲のタイルが光っている。通行人の邪魔にならないよう、ちょっと脇《わき》へどいて様子を見ていると、すぐうしろから、黄色い雨合羽《あまがっぱ》を着てフードをかぶり、小さなイカみたいになった子供が、大きめの長靴《ながぐつ》をばたばた鳴らしながら駆けてきて、自動ドアの前でうんと足踏みをした。ドアがあっと開いた。

「バカね、なにやってんの」

追いついてきた母親が、子供の尻《しり》をひとつ叩《たた》いて、邪険に手を引っ張った。子供は、母親に連行されながら、えーいおまけだという感じでうしろに足を突き出した。センサーがそれを感知したのか、閉じかけていたドアがまた開いた。

本間は思わず微笑した。顔は見えなかったが、あれは男の子だろう。今度は隣の隣の店先を襲って、回転式の「合鍵《あいかぎ》つくります」の看板を盛大にひっぱたいている。母親が子供の首ったまをつかんで引き戻したところだ。智はあれほど悪戯《いたずら》ではなかったが、それでも、ときどき、千鶴子にこっぴどくはたかれていたものだった。

微笑を残したまま、再度閉じかけている自動ドアの方に顔を向けると、明るい店内のなか、来客用のカウンターの向こうで、ちょうど今立ち上がったというところの青年と、目が合った。

距離にして五、六メートル、その中間点に自動ドアがある。今、閉まってゆく。透明なドアだが、それでも、閉まってゆくにつれて視界が薄ぼんやりと曇る。

青年は目をそらそうとはしなかった。本間の方が先にそうするのを待っているという顔で、じっとこちらに目を据《す》えている。他の社員と話し込んでいる来客の頭ごしに、立ちすくんで。

あれが倉田康司だ、と思った。

おそらく、母親から何か聞かされているのだろう。ひょっとすると誰か訪ねてくるかもしれないと、予想してもいたのだろう。だから、ああしてこっちを見ているのだ。

一歩進み出て、自動ドアの前に立とうとしたとき、突っ立っていた青年の肩を、同僚らしい男性が叩いた。電話だ、と告げているようだ。青年はちらっとそちらに目をやり、歩み寄ってゆく本間の方に、身体《からだ》半分ぐらいの注意力をとられたまま、電話に出た。

店内には、ごく小さくBGMが流れていた。クラシック音楽だ。客は三、四人いて、それぞれカウンターで応対に出ている社員たちと話し合っている。部屋の左手で、展示棚《だな》にリゾートマンションのパンフレットを並べていた女性が、本間の方に近寄ってきた。

「いらっしゃいませ。今日はどういうご相談でしょうか」

倉田康司さんにお目にかかりたいのだが、と話すと、彼女はちょっと驚いたような顔をした。

「倉田に？　お約束でしょうか」

「ええ。電話はしておいたんですが」

当の倉田は、こちらに背を向けて電話をしている。が、今、振り返った。本間の声が耳に入ったのかもしれない。

「加藤さん、いいよ、僕のお客だから」

送話口を手でふさいで、大声でそう言った。女子社員は、急に愛想をなくしたような顔つきで、離れていった。

倉田が電話を切り、カウンターを回ってこちらに出てくるまで、黙って待っていた。ふと、新城喬子もここに来たことがあったかな、と思った。舅《しゅうと》が社長をしており、夫が働いている会社だ。たまには顔を見せたかもしれない。夫の部下の女子社員たちと、話をしたこともあるかもしれない。

　急ぎ足で近寄ってきた倉田は、本間を促しながら小声で言った。

「外に出てください。すぐそこでいいですから」

　再び自動ドアを踏んで雨のなかに出た。倉田は傘《かさ》を開いて追いついてきた。店内の社員たちから見えない場所まで行くと、

「あんた、電話をかけてきた人ですね？」と、せっかちに言った。

「そうです。お母さんから聞いておられますか」

　倉田は神経質そうにくちびるを舐《な》めながらうなずいた。

「母は、何も話すことはないって言ったでしょう？」

「あなたにもありませんか」

「今の喬子の消息なんて――」

　言いよどみ、激しくまばたきすると、

「喬子、死んでるかもしれない」と言った。

　これには意表をつかれた。

「なぜ、喬子さんが亡《な》くなったと思うんですか？」

　軽く吃《ども》りながら、倉田は笑い声をたてた。「わかりませんよ、そんなこと」

「根拠は何も？」

笑いが消えた。

「わからない……うまく言えない」

電話で倉田の母親に説明したのと同じことを、雨のなか、傘に隠れて、もう一度繰り返した。倉田はこちらに目を向けず、傘の端から滴《したた》り落ちる雨滴を数えるような目をしている。

「僕にはもう関係ない」

「それはあなたの判断することじゃない。私としては、どんなくだらない話でも、喬子さんの生活の一端につながることなら教えてほしいんですよ」

倉田は鋭く顔をあげた。「どうしてですか？　喬子は、あなたの甥《おい》ごさんを放って逃げたんでしょう？　もういいじゃないですか。どうして探すんです？」

「気になるからですよ」

「気になる？」

「そう。喬子さんがどうしてうちの甥を置いて逃げたのか、気になるからです。彼女が一人で処理しきれないトラブルを抱えているかもしれないと心配だからですよ」

「僕はもう関係ないんだ」

吐き出すようにそう言って、倉田は顔をそむけた。

本間はひとつ息をついた。「そこまでおっしゃるなら、諦《あきら》めましょう」

倉田が首をあげ、こちらを見た。

「残念ですが、引き上げます。喬子さんは、あなたにとって、よほど不愉快な女性だったんでしょう」

会釈《えしゃく》して、その場を離れようとしたときだった。うしろから縄《なわ》をかけて引き止めるかのように、倉田が呼びかけてきた。

「伊勢神宮においでになったことは？」

本間は足を止めた。「いえ、まだ一度も」

また、わずかに倉田はためらった。迷っているのが見えた。彼を迷わせているのが、自分の言った「喬子は不愉快な女性だったのだろう」という言葉であることが、本間にはわかった。

それが、倉田にはこたえる言葉だったのだ。もう愛情は消えているのだろうが、少なくとも、そういう言葉に反応するだけの感情を――うしろめたさを、喬子という女に対して抱いているのだろう。

すまないな、と思った。嫌な思い出をほじくり返して。だが、今はそれが必要なのだ。

傘を持ちかえ、雨滴を振り落とし、それと同じように迷いを振り切って、倉田は言った。「じゃ、駅前でタクシーに乗って、『赤福』の本店に連れていってくれと言ってください。すぐに運んでくれます。着いたら、そこの茶店の方で待っていただけますか」

「私の方はいっこうにかまいませんが、そういう観光客が出入りするような騒がしい場所で話をうかがってもいいんですか？」

「今はまだシーズン・オフですから、それほど混《こ》んじゃいません。平日ですしね。それに、あなたには観光客のような顔をしていてもらったほうが都合がいいんです」

声を低くして、倉田は言った。

「そして僕は、東京から出張のついでに伊勢参りにきた知人を案内している――という顔をしています。その方が、妙な噂《うわさ》になりません。うちの親父《おやじ》は、地元ではまあ名士の方だし、僕も仕事関係では顔が広いほうなんです。隠れて人に会おうと思ったら、名古屋まで出ていかないとね」

「喬子さんのことで人が訪ねてきたということが噂になると、まずいですか」

「……まずいですね」

四年前の彼らの離婚は、それほどの醜聞だったということだろうか。

「それに、一美が気にします。今の女房ですが」

もっともな話だ。待ち合わせの時刻を午後四時と決めて、本間はいったん、彼と別れた。背後で、自動ドアの閉じる音を聞いた。

時代劇に出てくる、古い旅籠《はたご》のセットを思わせるような構えの木造の店の奥に、履物を脱いであがることのできる広い座敷が設けてある。売店の方は賑《にぎ》わっているが、今は茶店の客は少なく、本間の腰かけたあがり口とは反対側に、和服姿の中年の女性客が四人ほど、楽しそうに笑い声をたてながら固まっているだけだ。

座敷のそこここに、火鉢《ひばち》がぽつぽつと点在している。ちゃんと炭火が入っており、手をかざすと、淡いぬくもりが伝わってきた。濡れたコートを脱いで傍《かたわ》らに置き、右足だけ靴を脱いで楽にしていると、やはり時代劇に出てくる茶店の女のような格好をした若い女の子が、急須《きゅうす》と茶わんと皿に盛った赤福を運んできた。

セットだというから頼んだけれど、甘いものは苦手である。智や井坂なら喜ぶだろうな、と思いながら、ほうじ茶だけ飲んだ。入り口のところで、ちゃんと薪《まき》を焚《た》いて釜《かま》で湯を沸かしているのを見たせいかもしれないが、家で飲む味とは違うような気がする。そしてふと目をあげると、売店と茶店の仕切りのところに、倉田が立っていた。本間の脇に腰かけながら、小声で言った。「すぐにわかりましたか？」

「ええ、造作なく」

さっきの茶屋娘が新しいセットを運んできた。倉田は笑顔で「ありがとう」と言って受け取ると、盆を脇に置いた。

短いあいだに、倉田は急に元気がなくなったように見えた。ネクタイの結び目も緩んでいるようだ。ぼんやりと火鉢を見つめ、黙っている。それから、とんちんかんな感じで急に言った。

「ここ、有名ですからね」

だからすぐわかるのだ、ということだろう。

「気がつきましたか？　このへん、真新しい木造の店が多いでしょう」

倉田の言うとおりだった。タクシーのなかから、妙な建築ブームだなと思って見あげたものだ。

「そうですね」

「伊勢市では、商売屋の店舗や地元の会社なんかが、敢《あ》えて鉄筋の建物を取り壊して木造に建て替えている真っ最中なんです。伊勢神宮の街としての伝統というか、風情《ふぜい》を守ろうというわけで。来年は遷宮だし、街には活気がありますよ」

つと真顔になると、小さな声で、

「うちの親父なんかも、地元の事業家として、そういうプロジェクトに参加してるんです。いろいろ気をつかってるのも、そのせいですよ」

「古い醜聞を掘り起こしてどうこうするつもりはありません。お気持ちはわかりますし」

「うちとしては、おっしゃることを信用するしかありません。あなたを追っ払うことは簡単ですが、それがかえって裏目に出るようなことになっちゃ面倒だし」

ぞんざいな仕草で盆の上から湯呑《ゆの》みをとると、本間の顔を見て、倉田は続けた。

「言っておきますけど、あなたがマスコミの人かなんかで、ウソを並べてうちの内情を探ろうなんてしているんだとしたら、あとで後悔することになりますよ」

最後の抵抗、という感じだった。本間は口元に微笑を浮かべた。「その心配はご無用です」

金持ちの御曹司《おんぞうし》も、それなりに気苦労はあるものだ、と思った。ただ、それで先ほどまでの同情的な気分が消えたわけではなかった。とにかく、倉田がこうして腰をあげて時間を割いてくれたのは、喬子と彼とのあいだに、清算しきれていないものがあるからなのだ。

新城喬子が殺人を犯している疑いがあることだけは伏せ、喬子も、彼女が身分を借りていた関根彰子という女性も、ともに行方不明であるということにして、あとは事実を説明していった。殺人のことを話すと、倉田が恐れて口を閉ざしてしまうかもしれないと思ったからだ。

最初に、倉田が反応を見せたのは、栗坂和也と婚約していた、関根彰子としての喬子の失踪《しっそう》の原因が、彰子の自己破産の事実にあった、ということだった。

驚愕《きょうがく》のためか、倉田は半ば腰を浮かしかけた。目や鼻や口が、彼のちんまりと整った顔の外に飛び出してしまいそうなほど、大きく広がっている。

「そんなバカなことがあるわけない！」

「バカなことというと？」

「喬子が、自己破産していた女の身分を借りるなんて、そんなことがあるわけないですよ」

「喬子さんは、関根彰子の過去を知らなかったんです」

「知らなくて、身分を貸し借りするんですか？」

「それにはまた、事情がありましてね」

ふと思いついて、本間は訊《き》いた。

「あなたがそうおっしゃるのは、喬子さんが、クレジットとかローンとか、そういうたぐいのものを嫌《きら》っていたからですか？」

倉田は四角ばってうなずいた。「そうです。もちろんそのとおりです。大嫌いでした。決して近寄らないようにしていました」

それで納得した、と本間は思った。新城喬子が、関根彰子に成り代わってから、和也との結婚を目前にして彼に勧められるまで、なぜ一枚もクレジットカードを持っていなかったか、という謎《なぞ》が、これで解けたと思ったからだ。

「あんなプラスチックのカードを信用できるもんかという人は多いですからね」

本間が言うと、倉田はまだ目をむいたまま、「そんなことじゃないですよ」と言った。

「というと？」

「そんな簡単なことじゃないんです。嫌いだったから持ってなかったわけじゃない」

先ほどの中年の婦人たちの団体のそばへ、会社のOB会だろうか、年配の男たちばかりのグループが陣取って、茶屋娘を呼び寄せ、にぎやかに注文を飛ばしている。その喧騒《けんそう》から顔をそむけ、本間は、倉田の強《こわ》ばった顔と向き合った。

「どういうことです？」

「喬子の家族は、昔、借金で一家離散してるんです」

倉田は言った。かすかだが、声の調子が狂っていた。まるで、その話をするためには、日常使うことのない、まったく調律されていない鍵盤《けんばん》を引っ張りだしてきてたたかなければならないのだ、というように。

「住宅ローンが払えずに、一家で故郷の郡山を夜逃げしたんですよ。喬子が僕と離婚したのだって、そのせいです」

膝《ひざ》の上でこぶしを握り、

「彼女が僕と結婚して、入籍すると、生れ故郷の役場の戸籍にも、その事実が載るでしょう？　福島の取り立て屋が、呆《あき》れるほどしつこいと思いますけどね、それをちゃんとチェックしていて、喬子の現住所を突き止めて、僕らのところにまで押しかけてきたんです。喬子たち一家が夜逃げしたのは、昭和――五十八年の春だったと言ってたから、その時点で、もう四年も昔のことですよ。そのあいだも、借金にはちゃんと金利がついていて、もう途方もない額に膨れあがってました。それを払えと、手をかえ品をかえて騒ぐんです。だから最後には、とうとう僕ら、身を守るために、別れなきゃならない羽目に追い込まれてしまったんだ」

23

君たち二人は同類だった——

本間が思ったのは、そのことだった。関根彰子《しょうこ》と新城喬子《きょうこ》。君たち二人は同じ苦労を背負っていた人間だった。同じ枷《かせ》をかけられていた。同じものに追われていた。いいいいいいいいいい、なんということだ。君らは共食いしたも同然だった。

いきなり横っつらを張られたようで、しばらく口がきけなかった。手をあげて顔を撫《な》でると、かさかさに乾いた指先が、汗で濡《ぬ》れた。暑いわけもない。冷汗だ。

「そんな……ことだったんですか」

かろうじてそれだけ言うと、倉田の目をのぞいてみた。彼の目のなかに、本間の驚愕ぶりがそっくりそのまま映っていた。

「知らなかったんですか？」

「知りませんでした。まったくの初耳だ」

しかし、そうか、それならわかる。新城喬子がなぜ新しい身分を必要としていたのか。なぜあれほどにも周到な手を打って、別の人間に成り済まそうとしていたのか。

倉田の言うとおりだ。簡単には閲覧できないはずの戸籍謄本《とうほん》や住民票を、取り立て屋は独自の手段で手に入れて、そこに動きがあれば、即座に行動を起こし、債務者を追い詰めにかかる。債務者たちの多くが、学齢期の子供を仮入学させてしのぎ、まともな職にはつけず、各地を転々としなければならないのも、ひとえにそのためだ。

新城喬子も、そのことは充分に承知していただろう。親と一緒に、逃亡生活を続けていたのだから。しかし――

「昭和五十八年の春というと、彼女は十七歳だ。高校生ですね」

「ええ。ですから中退したと言ってました。とても残念だった、卒業したかったって」

先ほど倉田も言っていたが、結婚したのは、それから四年後だ。四年の月日が流れている。取り立て屋も、もういい加減諦めているだろう――喬子はそう思ったのか。

結婚すれば新戸籍が編成される。その事実は、新戸籍ができることによって除籍になる彼女の元の戸籍、両親の戸籍に記載される。新しい住所の所番地と、「――に新戸籍編成につき除籍」という一行。

それを手がかりに、その間に上乗せされた金利を小脇《こわき》に、取り立て屋が追ってくるとは、彼女も夢にも思っていなかったのだろう。

逃亡、一家離散。昭和五十八年か……澤木事務員が話してくれたことを思い出した。

「夜逃げの原因は住宅ローンですか？」

倉田はうなずいた。「喬子のお父さんは、地元の企業のサラリーマンだったんです。安月給なのに、住宅ブームに乗ろうとして無理をしたんだって、彼女が言っていたことがあります」

新城家の借金が嵩《かさ》んでゆく、その悪循環の軌跡は、倉田の話を聞くまでもなく、本間にも想像がついた。少ない頭金。高額のローン。生活苦から、小額の借金を、まずサラ金に。だがそれは危険な坂道のいちばん上であり、いったん転がり始めると、雪《ゆき》達磨《だるま》式に膨らんでゆく借金に足をとられて、もう止めようがなくなってしまう……

「最後には、暴力団がバックについているような悪質な十一《とい》《ち》金融につかまってしまって――全部の借金が、そこに集中したらしいんです」

ピンボールの、最悪の穴にはまっての「上がり」だったのだ。

「夜中でも家のドアや窓を叩《たた》いて脅すし、お父さんの会社にも来るし、親戚《しんせき》の家にまで押しかけてきて、金返せって脅される。お母さんはノイローゼになってしまうし、一家心中しかけたこともあったとか。喬子もずいぶん恐ろしい思いをしたようです」

倉田の口の端が、泣きだす寸前の子供のように、ぴくぴくと震えた。

「実際、一家で夜逃げすることを決めたのも、喬子の身を守るためだったようだから」

本間は思わず眉《まゆ》をひそめた。当時の彼女は十七歳の女子高校生だ。そのころから、可愛《かわい》い娘だったろう。

「借金のかたに、喬子さんを水商売で働かせろ、というような強要があったんですね？」

倉田は口をもぐもぐさせた。「喬子も具体的には言いませんでした。ただ、このままだと娘が売り飛ばされるかもしれないと思って、それで両親が決心したんだ、と」

故郷を飛び出した新城一家は、最初、東京にいる遠縁の家を頼っていった。しかし、どれほど遠くても、親戚筋の家にいたのでは、いつか見つけだされ、またその家にも迷惑をかけることになる。

「それで、そこからふたてに分かれて、お父さんはどこかに……それもはっきりとは言ってなかったけど、東京のことだから、山谷《さんや》ですかね……労務者として潜りこんで、喬子とお母さんは、名古屋に出たそうです。安い旅館に泊まって、お母さんがスナックかなんかで働いて、喬子はウエイトレスのアルバイトをしたそうです」

一年ほど、そういう暮らしをした。父親とは手紙や電話でやりとりをしていたが、そのうち、父親が軽い交通事故に遭い、喬子の母は一度上京する。

「一年間無事だったし、もう大丈夫じゃないかなんて、気が緩んだんでしょうね。最初に頼っていった親戚のところを、二人揃《そろ》って訪ねたんです。お父さんの怪我《けが》は軽いむちうちで大したことはなかったし、多少は貯金もできていたから、名古屋で三人揃って暮らす計画も立てていたようです」

ところが、その無防備な訪問から足がついた。郡山の取り立て屋は、やはり東京の親戚筋まで探索の手をのばしていたのである。

「親戚の家を出たところで、夫婦揃って車のなかに引っ張りこまれて、サラ金の事務所みたいなところに連れていかれたそうです。僕も、喬子が両親から聞いた話をそのまま繰り返しているだけだから、詳しくは知りませんが――」

連れ込まれた場所で、父親は、強制的に、金利分のついた新しい金銭消費貸借契約書に判を押させられ、取り立て屋の監視下で働かされることになった。母親は福島に連れ帰られ、やはり、取り立て屋が嚙《か》んでいる暴力団の息のかかったコンパニオンの派遣会社で――実態は売春組織だったようだ――約一年間、隙《すき》を見て身ひとつで逃げだすまで、監禁同様の境遇で働かされていた、という。

「取り立て屋の連中は、喬子の居場所をしゃべらせようと、ずいぶんと両親を責めたようなんです。でも、二人とも知らぬ存ぜぬで頑張《がんば》り通したらしい」

母親が帰ってこないことで、喬子にも事態の凶変したことがわかった。彼女は即座に名古屋のアパートとアルバイト先を引き払い、こういうときのためにと母親と打ち合わせていた連絡方法を使って、様子を見た。東京のある郵便局に局留で手紙を送るのである。

「そうしているうちに、逃げだしてきたお母さんと連絡がついて、二人は名古屋市内で再会したそうなんです」

お母さん、人間が変わってたと、喬子は倉田に言ったという。

「抜け殻《がら》になって、中身の代わりに、汚い水がいっぱいつまってるみたいになってた。残酷なようだけど、でも本当だって。そう言いました。お母さんが、自分でもそう言った、と」

母親は、それからまもなく、流行《はやり》風邪から肺炎を起こして死んだ。夜逃げから三年半がすぎた、一九八六年秋のことだったという。新城喬子は二十歳だった。

「お父さんとはどうしても連絡がつかなくて——居場所もわからなくて、葬式は彼女ひとりで出したそうでした」

母親の遺骨は、驚くほど軽かったと、喬子は話していたという。箸《はし》でつまんで持ちあげようとしても、端からぼろぼろと灰のように崩れていってしまった、と。

それがどういうことだったのか、本間にはわかった。おそらく、喬子の母親は、強制的に売春組織で働かされていたあいだに、覚醒剤《かくせいざい》中毒になっていたのだろう。

「お母さんの遺骨を抱いて、喬子が名古屋を離れることにしたのは、それからまもなくのことだったそうです」

求人広告で、伊勢市内の旅館で住み込みの仲居を探しているのを見つけたのだ。

「お父さんのことは、もう、生きていてくれればいいなと、そう思うだけだったって。ただ、例の郵便局を使うやり方で、手紙だけは出しておいたそうです」

その甲斐《かい》があって、伊勢に移ってから半年ほどのち、父親が電話をかけてきた。独力で逃げだしたのか、あるいは、身体《からだ》でもこわして役に立たなくなり捨てられたのか、とりあえず取り立て屋の手元からは自由になっていたが、生気のないしゃがれた声で、ぼそぼそと、問われたことに答えるだけだった、という。伊勢に来いという勧めにも、耳を貸さなかった――

「お父さんとしては、もう精根尽き果ててたんでしょう。娘と二人で生活を立てなおす気力なんて残ってなかったんだろうと思う。僕はそう思います。男って、案外もろいもんだから。女より、ずっともろいですよ」

倉田が真面目《まじめ》な顔でそんなことを言うと、耳年増《みみどしま》の中学生のように見えた。

「最後に電話で話をしたときには、向こうからかかってきたんだそうですが、長距離だから、金がかかるからすぐに切ると話していたとか」

倉田はきちんと結婚指輪をはめた左手をあげ、口元をぬぐった。

「そのとき、喬子が、今どの辺で暮らしてるのかと訊いたら、お父さんが何とかって答えたって……なんて言っていたかな。それを聞いて、喬子、すごく悲しくなったと言っていたんですよ」

倉田は口をつぐみ、手つかずのままの菓子の皿を脇に押しやると、ポケットをさぐってタバコを取り出した。

「吸っていいですか」

本間は黙ってうなずいた。火をつけようとして、ライターを持った倉田の手が、口の端にくわえたマイルドセブンの先を追いかけている。それを見て初めて、彼の手が震えていることに気がついた。

「あなたにとっても、辛《つら》い経験だったんですね」

ようやく火をつけたタバコを指のなかでもてあそびながら、倉田はうなずいた。

「僕は、喬子が働いていた旅館の息子と知り合いで、彼に紹介されて彼女に会いました。美人で気立てがよくて、働き者だって。会ってみると、本当にそんな女の子でした」

土地の名士の家の息子と、住み込みの仲居の間柄《あいだがら》である。倉田としても、当初は遊び半分の気持ちだったろう。婉曲《えんきょく》にではあるが、それを尋ねてみると、彼は初めて、照れたように笑った。

「おっしゃるとおりです。最初は、ちょっとばかり面白い思いができればいいと思っただけですよ」

だが、付き合いが続くにつれて、気持ちが変わっていったのだという。

「喬子を独占したくなったんです」

しばらく言葉を探してから、そんなふうに言った。

「美人だし、頭もいいようだったからね」

「そう……そうですね。でも、それだけじゃない。美人なら、ほかにもいくらでもいる。ただ、喬子といると、僕は……なんていうのか、自分がちゃんと一人前の人間になったような気がした。自信がついたんです。頼られてるって感じがしたし、喬子を守ってやってるという実感があった。これは本当です」

本間は栗坂和也の顔と、彼の言葉を思い浮べた。あの青年もまた、喬子について同じような印象を抱いていたのではなかったか。

交際しているあいだ、主導権は常に和也の手のなかにあった。両親の反対をよそに婚約したのも、和也の意思のしからしむるところだ。最初に自己破産の事実を知って狼狽《ろうばい》したときも、和也は、その情報を喬子には報《しら》せず、彼女に代わり、その「誤情報」の出所を追跡しようと行動を起こしている。まるで全権大使だ。

新城喬子には、周囲の男の保護欲をそそるような部分があったのかもしれない。しおれていれば慰め、困っているようなら手を貸してやりたくなるような、はかない魅力を持っていたのかもしれない。

考えてみると、栗坂和也と倉田康司はよく似ている。裕福な家庭に育ち、学校では優等生タイプで、親に背かず社会的な体面もきちんと守る。風采《ふうさい》もよく、能力も平均以上。そして、そういう育ちのいい青年が、心の奥底のどこかに隠し持っている親への反抗心を——非行少年が暴力で表すような闇雲《やみくも》なものではなく、強い親、立派な親、自分に幸せな子供時代を与え、理想的な人生のレールを敷いてくれた、そういう力のある親への反抗心を和らげ、まっとうに対決しては、終生勝つことのできない親に代わって、彼に自信をつけさせてくれる存在——それが、喬子という女性だったのではないか。

和也も倉田も、どうあがいても親には頭があがらないとわかっている。わかっているが、成人した彼には、親のセットしてくれたコースを歩みながらも、自分だけを頼り、自分の能力を確かめさせてくれるような、庇護《ひご》をかけてやることのできる対象もまた、必要になってきていたのだ。

そこに、喬子はぴったりだった。そういうことではないのか。

彼女は頭のいい女性だ。その辺の心理を見抜いた上で、男に頼っていたのかもしれない。言葉は悪いが、手練手管《てれんてくだ》で傭兵《ようへい》を奮い立たせることができるなら、なにもわざわざ危険をおして自分が戦争に出かけてゆくことはない。代わりに闘ってもらって、戻ってきたところを充分ねぎらってやればいいのだ。

これで、和也や倉田が心底ずるい男だったなら、喬子の立場は面白いものではなくなっていたろう。いわゆる「日陰の女」だ。正妻はほかにいて、喬子はあたら青春をすりへらすことになる。だが、この二人の青年は、本当の意味で人のいい「坊っちゃん」だった。年齢も若い。だから、きわめてまっとうなやり方で喬子を必要としたのだ。

もっとも、そういうふうにコントロールしたのも、また喬子であったかもしれないが。二十歳そこそことは言え、この当時の喬子はすでに、温室栽培の倉田など百年生きても身につけることのできないしたたかさを、細い腕の内側に隠し持っていたのだろう。

両親に紹介したいから、家に遊びにこないか、と切りだしたとき、当初、喬子はそれを固辞したという。

「あたしなんて、どこの馬の骨ともわからない女ですよって」

事実、倉田の両親の反対は強かったという。少し意地悪な思いで、反対が強いと予想していたからこそ、喬子はいったん身を引くようなそぶりを見せたのだ、と、本間は考えた。そうしたほうが、倉田に喝《かつ》が入る。

「隠し事はできないからって、喬子は自分の家族の過去のことも全部打ち明けてくれました。それが今までお話ししてきたことです。僕は彼女のそういう潔癖なところにも惚《ほ》れたんです。彼女にはなんの恥じることもないと思いました。僕の選んだ女性です。間違いはない、胸を張ってそう言えると思いました」

それもまた、和也が言っていたことと似ている。

倉田のその熱意、愛情が、両親を説き伏せ、とうとう結婚にまでこぎつけたのが、一九八七年六月のことだった。

「最後まで反対してたのは僕の母でしたが、父が説得してくれました。僕は思うんだけど、ひょっとすると父にも、昔、僕にとっての喬子の存在と同じような、大切な女性がいたのかもしれないと思います。ただ、父はその女性を諦《あきら》めた。そしてそのことを、遠い思い出ではあるけど、悔やんでいる部分があったんじゃないかと思う。二人で話しているときに、はっきりとは言わなかったですが、それに近い台詞《せりふ》を吐いたことがありましたから。一度しかない人生だ、自分の意思を大切にしろ、と言いましたよ。母を抜きにして、僕にそんなことを話してくれたことが、僕は本当に嬉《うれ》しかった」

当時の倉田康司は二十六歳だ。まだ、そういう初々《ういうい》しい感想を抱くことができた。

「喬子の希望で、式は派手なものじゃありませんでした。彼女には両親も親戚もひとりもいませんからね。三泊四日で九州に新婚旅行に行って――」

倉田の目が、心の棚《たな》の奥にしまいこんである思い出を探しだし、いつくしむように、やわらかく和んだ。

だが、その思い出のなかには、毒虫が巣くっているのだ。その毒虫は、彼がその棚に手をのばすたびに、彼の手をこっぴどく刺してきた。今も、また。

倉田は手で顔を撫《な》でた。放課後の教室で一人、手のなかに顔を埋めて泣く女子学生のように、少しのあいだ、両手のひらに顔を隠してじっとしていた。

やがて、低く言った。「旅行から戻ってきて、入籍しました。たかが書類ひとつだけど、これで喬子が正式に僕の妻になった、僕と新しく家庭を築いた、ということが実感できて、誇らしかった」

だが、その先に、地獄が待っていたのだ。

「しかし、ひとつ疑問に思うんですよ」

本間が問うと、倉田はタバコをもみ消して顔をあげた。

「喬子さん自身には借金があるわけではない。借金をしたのは、あくまで彼女の両親――大部分は父親のものでしょう？　それを、取り立て屋が、子供である彼女に対して支払いを迫ることはできないはずだ。法的に、きちんと禁止命令を出してもらうことだってできたんじゃありませんか？」

親子・夫婦であっても、連帯保証人になっていない限り、借金の支払い義務はないのだ。

「そうですよ。法律ではそうなってます」

倉田は力なく笑った。

「ですけどね、取り立て屋だってバカじゃないから、そのへんのところはちゃんと計算して攻めてくるんです。喬子に対して、支払い義務があるなんて、これっぽっちも言いやしません。ただ、ほのめかすだけですよ」

親がつくった借金だ。子供としては、ちゃんと返済する道義的な義務があるよなあ……ましてや、あんたはこんな御大家《ごたいけ》の若奥さんにおさまり返っているんだからさあ。

「それと、父親が連絡してくるだろうから、居所を教えろと言ってつきまとうんです。知らない、関係ないと追い返しても離れない。うちの取引先なんかにも顔を出して、若奥さんの実家がこしらえた借金のおかげで難儀しているなんて、言い触らして歩いてくれましたよ。おかげで、うちは取引銀行をひとつ失いました」

倉田が喬子の話題に神経質になっているのは、そのためだったのだ。

「破産という手段は？」と、本間は訊《き》いた。「無論、喬子さんじゃありません。彼女の父親を探しだして、自己破産させるんです。四年間の金利分を入れたら、おそらく数千万単位の借金になってたんじゃないですか。まともな勤め人に払える額じゃない。申し立てれば、すぐに認められたでしょう」

いや、それよりも、さかのぼって郡山から夜逃げをする前に、なぜ自己破産しておかなかったのだろう。

知識がなかったか、と思った。これが、溝口弁護士も言っていた、当時の現状だったのか。

自殺する前に、人を殺す前に、逃げる前に、破産という方法があることを思い出しなさい。

「それが、当時はもう、喬子のお父さんの居所は、まったくわからなくなっていたんです」

倉田の語尾がしぼんで消えた。

「探してみたんですか？」

「探しましたよ！　必死で探しました」

「父親に代わって、喬子さんが破産申し立てをすることはできないんですか？」

意外なことに、倉田はにやりと笑った。

「そんな芸当ができるなら、誰も苦労しやしません。それができないから、喬子も苦しんでたんです」

法律では、原則として、債務はそれを負っている個人だけのものである。したがって、妻であろうと娘であろうと、債務者本人に代わって破産の申立てをすることはできないのだ。

「弁護士に相談してもみました。だけど、こればっかりはどうしようもないっていうんです。法的には、喬子には支払い義務がないんだから、法的には、喬子は父親の借金に困らされるはずがない。だから、取り立て屋に悩まされるはずもない。だから、中立てもできないんです。喬子につきまとわないように、禁止命令を出してもらおうにも、うちも商売をしている家ですから、客を装って出入りされたら、止めようがないんです。父親に借金があることは事実なんだから、そのことを言い触らされても、名誉毀損《きそん》で訴えることもできません」

暴力沙汰《ざた》が起こらなければ警察が乗り出してこないことも、ほかのケースと同様である。民事不介入の大原則があるからだ。

「連中も、証拠に残るような脅し方はしてきませんから、そういう点でも対処のしようがなくて、喬子も僕も、僕の両親も、ノイローゼになりそうでした。うちの社員たちも、何人か辞めてしまって——」

当時、弁護士が勧めてくれた解決手段がひとつだけあった。

「まず、喬子の父親の失踪《しっそう》宣告をとれ、というんです。それがとれれば、お父さんは戸籍上死亡したとみなされる。そうしたら、喬子は家庭裁判所に行って、父親の財産——この場合、借金もマイナスの相続財産になるわけですから——それに対して相続放棄の手続きをすればいい、というわけです」

しかし、これには問題がある。本間にもそれはわかった。失踪宣告は、対象の人物の姿を最後に見かけてから、または最後の音信があってから、七年経過しないとおりないのである。

「喬子さんの置かれていた状況では、七年も我慢できませんね」

倉田はなにかを引きちぎるように勢いよくうなずいた。

「うちの弁護士は、ひょっとしたら、喬子さんの父親がもう死んでいるという可能性もある、調べてみなさい、と言いましたよ。日雇い労務者みたいなことをしていたなら、行き倒れ的な死に方をしてるかもしれないって」

父親の死亡を確認できたなら、即座に相続放棄の手続きをとることができる。また、喬子がいったん父親のマイナスの遺産を全額相続し、そのうえで、今度は彼女自身が自己破産の申立てをしてもいい。効果は同じことである。

「それで、僕は喬子を連れて上京して、例の親戚《しんせき》の家を手始めに、お父さんの消息を探しました。それから、図書館に行ったんです」

「官報を調べたんですね？」

官報には、身元のわからない死亡者について載せる欄がある。これを、「行旅死亡者公告」と呼ぶ。要するに、行き倒れ者をずらりと載せているのである。「本籍・住所・氏名不詳、六十〜六十五歳の男性、身長一六〇センチ・やせ形・着衣カーキ色作業服・長靴——」というような本人の特徴と、死亡日時と場所をしるした記述が延々と続くのを、本間も、捜査の必要上、目をしばしばさせながら調べたことがある。無記名の墓標の並ぶ、荒涼たる墓場を徘徊《はいかい》するような経験だった。

「今でも忘れられません」

膝《ひざ》の上で手を握りしめ、戸口ごしに降りしきる雨の向こうをすかすように見つめながら、倉田は言った。

「喬子が図書館の机の上にかがみこんで、目を血走らせて官報のページをめくってるんです。お父さんに似た人間が死んでないか確かめるために……いや、そうじゃない」

倉田の声に、鞭《むち》で叩《たた》かれたかのような、苦痛の色が混じった。

「死んでてくれ、どうか死んでてくれ、お父さん。そう念じながら、喬子はページをめくってたんです。自分の親ですよ。それを、頼むから死んでいてくれ、と。僕には我慢できなかった。そのとき初めて、喬子のそういう姿を浅ましいと感じてしまった。それで、僕のなかの堤防が崩れちまったんです」

本間の脳裏に、図書館の静かな閲覧室の片隅《かたすみ》で、受験勉強する学生や、友達とささやきを交わしながら宿題をしている女の子たちや、くつろいで雑誌をめくっている老人や、居眠りを決めこんでいる疲れたセールスマンたちに混じって、必死で官報のページを繰っている新城喬子の姿が浮かんできた。かがみこんでいる彼女の頭、華奢《きゃしゃ》なうなじ、ときどき彼女が乾いたくちびるを舐《な》め、疲れた目をしばたたかせ、まぶたを押さえる様子さえ見えるような気がした。彼女がページをめくる、その音さえ聞こえるような気がした。

頼むから死んでいてくれ。

彼女の肘《ひじ》のすぐそばで、新着図書の推理小説を読んでいた若い女性は、百科事典をひいていた小学生は、雑誌の暴露記事に目を丸くしていた老人は、そういう喬子の立場を理解できたろうか。想像したろうか。肘の触れ合う距離に、声の届く範囲に、そういう生活があることを想像できたろうか。

そして、ページを繰る手を止めて、ふと顔をあげたとき、机をへだてて座る新婚の夫の目のなかに、喬子は見つけるのだ。非難よりもなお悪い、道端に落ちている汚物を見るような嫌悪《けんお》の色を。

夫が離れてゆく。彼女はそう悟ったろう。言葉で告げられるよりも雄弁に。机の下で足が触れ合うことも、夫が席をたって傍《かたわ》らに来てくれることも、もう二度とない。彼は身体《からだ》ごと後退《あとずさ》りしていこうとしている。

必死の形相で、行き倒れて死んだ者のリストのなかから、親の姿を見つけだそうとしている――どれほど彼女を愛し、理解しているつもりでいても、恵まれた温かい家庭で育《はぐく》まれてきた倉田には、そういう喬子の姿を正視することができなかったのだろう。

それを責めるのは酷だと、本間は思う。

「自分の顔を鏡で見てみろよと、言ってしまったんです」

とつとつと、倉田が言っていた。

「まるで鬼女だって」

一度はつかんだと思った生活が、消えてゆく。引き止めようとして、あまりに強く握り締めたために、彼女の手のなかで粉々に砕けてしまった――

本間の想像は当たっていた。新城喬子は孤独だった。苛酷《かこく》なほどにひとりぼっちで、骨を嚙《か》む冷たい風は、彼女一人にしか感じることのできないものだった。

どうかお願い。頼むから死んでいてちょうだい、お父さん。

辛《かろ》うじて聞き取れるくらいの小さな声で、倉田が言った。「僕らが正式に離婚したのは、それから半月後のことでした」

一九八七年九月。入籍後わずか三ヵ月のことだ。これが、のちに新城喬子が「ローズライン」で「若すぎたから失敗した」と説明した結婚の正体だった。

「離婚したあと、ひとまず名古屋に戻って仕事を探すって、喬子は言っていました」

　彼女の籍は、元通り郡山の本籍地に戻された。それは謄本《とうほん》でも確認することができる。とりあえず追われる危険は去ったわけだが、翌年大阪で就職しているのは、やはり名古屋に留《とど》まることが怖かったからだろう。

「その後の喬子がどうしているのか、僕はまったく知りません」

　つっかえるような口調で、倉田が言った。

「でも、結婚当時、この人にだけは報せておきたいからって、喬子がわざわざ葉書を書いた女友達が一人いました。名古屋でアルバイトをしている頃《ころ》、お世話になった先輩だとか。その人の連絡先なら、わかりますよ。もっとも、引っ越してしまって変わっているかもしれないけど」

　うちへ案内しますと言って、倉田が先に立ち上がった。

「ここからなら、タクシーで十五分ぐらいです」

　小雨のなか、連れていかれたのは、本間の暮らす水元の団地内の公園がすっぽり入ってしまいそうな、大きな庭のある邸宅だった。倉田も強《し》いて勧めなかったが、本間は閉じられた門の外で待つことにした。

檜《ひのき》の塀《へい》が雨に濡《ぬ》れて光っている。瓦《かわら》の載ったヒサシが張りだした門を見あげると、そこに、神棚につけるような七五三縄《しめなわ》が張ってあることに気がついた。とっくに松の内は過ぎているのに、と思った。縁起ものなのだろうか。「笑門」という文字の書かれた半紙が中央にぶらさがっている。

五分ほど待たされて、倉田が一枚のメモ用紙を手に戻ってきた。反対側の手に、ビニールの傘《かさ》をさげている。門扉《もんぴ》が開け閉めされたとき、彼の小さな娘のものだろう、赤い三輪車が、白い小石を敷きつめてつくられた歩路の上に、ぽつりと置かれているのが見えた。

「ここです」

メモを出し、それから傘を差し出した。

「傘をお持ちじゃないでしょう。よかったら、どうぞ。東京まで持っていく必要がなかったら、かまわないから駅に寄付しちまってください」

倉田からメモと傘を受け取り、礼を言ってから、本間は頭上をさして七五三縄のことを訊いた。

「ああ、この地域の風習なんですよ」と、倉田は答えた。「一年中、七五三縄を張っています。うちの店の方には、『千客万来』と書いてありますよ」

「やっぱりお伊勢さんに関係があるんですか」

「そうですね」とうなずいてから、倉田はかすかに顔をしかめた。「喬子も、これを面白がっていたなあ」

神々《こうごう》しくて、気持ちがいい、と言ったという。

「あいつ、案外担《かつ》ぎ屋だったんです。壁に釘《くぎ》を打つときなんか、いちいち、鬼門だったらごめんなさいってまじないを言って――」

倉田の口から初めてもれた、かつて短期間でも妻だったことのある女性への、親しい台詞だった。

「だけど、七五三縄も取り立て屋を防いではくれませんでした」

何ものも防いではくれなかった。

「ひとつ妙なことをお尋ねしますが、喬子さんは山梨県について土地勘があったようですか？」

倉田は片手をあげて雨をさえぎりながら、少し考えた。

「さあ……どうかな。旅行に行ったとか、友達がいるとか、そういうことですか？」

「ええ」

「聞いたことはないな。僕の記憶では」

「そうですか」

「僕と出かけたのは、新婚旅行の九州と、あと、週末にときどきゴルフをしに合歓《ねむ》の里あたりに行ったことぐらいかな。なにせ、三ヵ月の結婚生活でしたから」

無理もない。本当に、あまりに短かった。

「喬子はほら、福島の生まれでしたからね」と、倉田が続けた。思い出がよみがえってきたようだった。

「広い太平洋しか見たことなかったわけです。だから、僕が英虞《あご》湾の方に車で連れていったとき、こんなに凪《な》いだ海があるのかって、すごく驚いてたな。まるで湖だって。そういうところじゃないと真珠は養殖できないよって言ったら、そうねって笑ってた。あれは結婚前のことだったかな。ネックレスを誂《あつら》えに行ったんですけどね、何を見ても感激してたな」

さえぎられることを恐れるように、早口に話し続ける。不用意に呼び出してしまった過去を、急いで口に出すことで追い払ってしまいたいのかもしれない。

「賢島のホテルに泊まったんですけど、あいにく、一日中曇ってて、英虞湾に沈む夕日なんて、きれっぱしも見ることができなかったんです。ま、チャンスはいくらでもあるさって言って、部屋で休んで——そしたら、夜中の二時ごろでしたかね、喬子が起きて、窓のそばに立ってるんです。声をかけると、月が出てて綺麗《きれい》よって」

その時の月を探すように、霧雨の空を仰いだ。

「雲が晴れてて、三日月が出てました。僕は空を見あげたけど、喬子は下を見てるんです。真っ暗な英虞湾に映った月を見てたんですよ。お月さまが海に落ちてる、あれが溶けて真珠になるんだねって、そう言いました。小さな女の子みたいだった。今にも泣きそうな顔をしてて……。僕はずっと、あれは気持ちが高ぶったからだろうと思っていたんですが、ひょっとしたらそうじゃなかったのかもしれない。喬子は、結婚後に起ることを、心のどこかで予感してたのかもしれない」

いや、そんなことはなかったはずだと、本間は思った。そのころの喬子は幸せだったろう。未来への暗い予感など、探しても見つけることはできなかったろう。幸せだから、涙ぐんでいたのだ。

だが、倉田の言うことはよくわかる。彼が、今になって当時を振り返り、なんでもない小さな出来事に深い意味をつけて、喬子を守りきれなかった自分自身に対する後ろめたさを、どうにかして緩和しようとすることを、咎《とが》めるのはよそうと思った。

喬子が未来に不安を覚えていたのだと思い込むことで、倉田は自分に折り合いをつけようとしているのだ。あれは運命だった、喬子とは別れざるを得なかった、自分にはどうすることもできなかったのだ、と。

そう考えていればいい。求めて不幸になることはない。だが、彼から切り離され、一人になった新城喬子は、彼女を巻き込んで不幸にしたものを、運命だとは考えなかった。

「僕は、真剣に喬子を愛してた。それは誓って本当のことです」

それだけ言って、気が済んだのか、倉田は口をつぐんだ。もう長居をすることもなかったので、短いあいさつをかわして、本間は背を向けた。

傘を広げているとき、うしろで倉田が「あ」というような声をあげた。

「なんです？」

「さっき思い出せなかったけど」と、雨のなかでまばたきをしている。「喬子のお父さんが、最後に電話してきたときいた場所です。今、浮かんできた」

なみだばしにいる、と言ったという。

泪橋。東京のドヤ街である山谷の中の地名である。

「労務者の集まるところです」と言うと、倉田は「そうですか」と呟《つぶや》いた。

「淋《さび》しい地名ですね」

「そう……ですね」

「洎橋か。喬子も、それを聞いて、悲しいって思ったんでしょう」

別れ際《ぎわ》にもう一度だけ会釈《えしゃく》をしたとき、倉田の目が潤《うる》んでいたような気がした。錯覚だったかもしれない。そうあってほしいと思ったから、そう見えたのかもしれなかった。

24

倉田が教えてくれた人物の名前は須藤薫《すどうかおる》。彼のメモによると、名古屋市守山区の小《お》幡《ばた》というところに住んでいることになっていた。が、電話番号を調べても該当する家がなく、仕方がないので現地まで出向いて行って、近所の新聞配達店の青年から、須藤さんなら二年ほど前に引っ越したよと教えてもらうまで、翌日の大半を潰《つぶ》してしまった。

また碇《いかり》の手を借りて、転居先を探してもらうよりほか手段がなさそうだ。いったん東京に引き上げて、水元の家に帰宅したのは、その日の午前零時をすぎたころだった。

台所に明かりがついていて、丸いテーブルに身を屈《かが》めるような格好で、保《たもつ》が一人、こちらに背を向けてぽつりと腰をおろしている。玄関のドアが開いた音にも気づかなかったのか、熱心に何かを眺《なが》めているようだった。

「ただいま」

声をかけると、心底驚いたのだろう、保の両膝が跳ね上がって、テーブルの天板の裏側にぶつかった。

「び、び、びっくりした」

「すまんすまん」

ひとしきり、それで笑えた。

本間が伊勢と名古屋を訪れていたあいだ、保は水元のこの家に滞在し、関根彰子の消息を求めて、葛西通商やゴールド、ラハイナでの同僚たちのあいだを聞き歩いたり、コーポ川口やキャッスル錦糸町の近所で聞き込みをしたりしていたはずである。

基本的には、遠出しているときはいつも、本間は、一日に一度、家に連絡をいれるようにしている。今回は、出かける前に智《さとる》に釘をさされたことでもあるし、特に気をつけて律儀《りちぎ》にその習慣を守ったのだが、電話で、井坂が楽しそうな口調で、保のことを誉《ほ》めていたのを思い出した。几帳面《きちょうめん》で働き者の、いい青年だというのである。

「最初の子供が生まれたときは、彼がおむつを洗ったんだそうです。実際、居候《いそうろう》だからって、皿洗いなんかもやってくれるんですが、どうしてどうして、うまいもんで」

感動するなあと、井坂は上機嫌《きげん》だった。「今時の青年」のカラーがいい方に出ると、保のような若い男になるのだ、とも言った。

「智ちゃんも、ボケのことでショックを受けて、どうしてもふさぎがちだったんですがね。保くんが相手になってくれるんで、ずいぶん元気づけられたようです」

それには、本間も感謝していた。ボケの一件以来、智の声から子供らしい陽気なせわしなさが消えてしまったことが、ひどく気になっていたからだ。

「いやに熱心なようだけど、何を見てるんだ?」

本間の質問に、膝頭をさすりながら笑っていた保の顔が、急に真面目《まじめ》なものになった。「これです。なんだと思いますか?」

テーブルの上に広げられた大判の写真集のようなものを見ただけで、何だかわかった。

「――卒業アルバムか」

保はうなずいた。「しいちゃんと俺《おれ》たちのです。幼稚園、小学校、中学、高校。全部そろってる」

確かに、大きさも表紙の色合いもとりどりのアルバムが四冊ある。今広げられているのは、高校のものであるようだった。

「君が持ってきたの？」

見開き二ページにわたる生徒の顔写真のなかから、関根彰子《しょうこ》のものを探そうとしながら、本間は訊《き》いた。

保は低く答えた。「いいえ。これ、しいちゃんのです」

本間が鋭く顔をあげると、保の目と目が合った。

「いちばんうしろのページに、友達同士で寄せ書きしてるところがあります。そこに、しいちゃんの名前がちゃんと入ってます」

保の言うとおり、卒業式の日付と、「関根彰子」という、やや線の弱い、あまり上手とは言えない文字でサインがあり、それをぐるりと取り囲むように、友人たちが寄せ書きをしていた。

「これ、どこにあった？」

コーポ川口には残されていなかった。それはたぶん、大家の紺野信子がいみじくも言っていたように、卒業アルバムは、「たとえ夜逃げするんだって持っていくでしょう」と思われるたぐいのものであり、彰子を「失踪《しっそう》」させた新城喬子《きょうこ》も、そういうものを部屋に残しておくことの危険性を充分承知していたので、持って出ていったからだろう――と考えていた。

しかし、最初のころ、和也と一緒に方南町の新城喬子のアパートを探したときには、関根彰子の卒業アルバムのたぐいを見つけることはできなかったのだ。あるいは喬子は、方南町に移るとすぐに、それらのものを捨ててしまったのかもしれないと、本間は考え始めていたところだった。

「意外なところから出てきたんです」椅子《いす》に戻りながら、保は言った。「宇都宮の、しいちゃんの元のクラスメイトが持ってました。俺たちは『カズちゃん』て呼んでた女の子なんですけど、俺、こっちへ出てくる前に、しいちゃんのことで、同級生のあいだをいろいろ聞き回りましたからね、それが噂《うわさ》になって、カズちゃんも、しいちゃんからアルバムを預かってたことを思い出したらしくて……うちに持ってきてくれたんです。それを、おふくろがここへ郵便で送ってくれました」

そのとき使われたものだろう、表書にここの住所を書いた大判の渦巻《うずま》き封筒が、脇《わき》に置いてある。

「彰子さんのクラスメイトが持ってたということは、彼女が直接預けにいったということかな？」

「それがそうじゃないんです」

保は、渦巻き封筒のなかから、一通の薄い封書を取り出した。長い間しまいこまれていたのか、手触りがかすかにざらついて、埃《ほこり》っぽい。封書の口ははさみで切ってあり、なかには便箋《びんせん》が二枚入っていた。

ワープロで、短い文面が打ってある。

「一恵《かずえ》さま

突然お便りします。ごめんなさい。いきなり大きな荷物を送りつけられて、きっとびっくりしているでしょうね。率直にお願いしますが、しばらくのあいだ、わたしのこの卒業アルバムを預かってくださいませんか。

わたしが東京であまりうまくいっていないことは、あなたもよくご存じだと思います。わたしは本当に幸せじゃないの。どうして不幸せなのか、その理由は、自分でもよくわかっています。

母も亡《な》くなったことだし、これから自分の生活を立てなおして、少しずつでも良くしていきたいと思っています。だけど、そんなとき、昔のアルバムなんかを見てしまうと、とっても辛《つら》いのです。狭いアパートでは、目に触れない押入の奥に押し込んでしまうというわけにもいきません。それで、昔の親友のよしみで、あなたにお願いしているのです。

学生時代のアルバムを楽しい気持ちでめくることができるようになったら、きっと

胸を張って取りにいきます。ですから、それまでどうか、お願いします、預かっていてね

お元気で　彰子」

署名までワープロ文字だった。本間は文面を二度読み、それから、彰子の高校時代のアルバムを引き寄せ、ページをめくって、寄せ書きのところを見た。

「ずっとずっと　親友でいようね！　野村一恵」

丸い文字で、そう書いてある。女の子らしい雨垂れマークのつけ方に、学生時代最後の尾っぽのような、少女らしい感傷がこめられていた。

抑えた声で、保が言った。「これをカズちゃんに送りつけたのは、しいちゃんの身分を盗んだ新城喬子って女ですよ」

即断は難しい。本間は訊いた。「カズちゃんがこれを受け取ったのは、いつごろのことだったと言ってた？」

手紙のなかで「母も亡くなったことだし」と言及しているところからみると、少なくとも一九八九年十一月二十五日以降ということはわかる。

保が、すっかりおなじみになった小さなメモ帳を取り出して、答えた。「送り状を捨てちゃったから消印を確かめることができないんだけど、たぶん、しいちゃんのお

ふくろさんの亡くなった翌年の春ごろだったろうって言うんです」

　つまり、一九九〇年の春だ。ただ、この「春」というのが問題で、関根彰子がコーポ川口から失踪したのは三月十七日のことだから、それ以前に受け取ったものなら、発送したのは彰子本人である可能性が強く、それ以後なら新城喬子の手で送られたものである可能性が濃くなる。微妙なところだ。

「カズちゃんが言うには、春物の衣類を出す頃《ころ》に、押入れを整理して奥の方にしまったそうなんです。てことは、そのときにはもうアルバムを受け取っていたことになりますよね？　だから、これを送ったのはしいちゃんじゃありませんよ」

「しかし、春物の衣類を出す頃ってのは、なかなか特定しにくいところだよ。それを三月とするか、四月とするか」

「宇都宮は東京より気温が低いんです。三月中に春物の衣類を出すなんてことはないですよ。絶対」

　保の言うことはわかるし、その蓋然《がいぜん》性は高い。だが、こういう、個人の都合や家庭の慣習によって差のあることに「絶対」はないのである。

「ほかになにか、月日を特定する手がかりになりそうなことは言ってなかったかな」

　保は大きな手でメモ帳をめくり、下くちびるを噛《か》んで考え込んでいる。

「このアルバムを受け取りに行ったとき、住所を証明するものを持っていくのを忘れちゃって、窓口で渡してくれなかったとか」

「うん？　ちょっと待った。というと、最初は、カズちゃんや家の人たちがいないときに配達されて、不在配達の扱いになって、あとからカズちゃんが郵便局までとりに行ったということかい？」

保はしどろもどろな口調になった。「あ、そうですね。そうです。俺、説明がヘタだな。で、小包みが来てるっていうから、いったい何だろうと思って、翌日急いでとりにいったのに、開けてみたら、しいちゃんのアルバムだったもんだから、ちょっとムッとしたそうでした」

「カズちゃんの家は、普段から家族が留守がちなのかい？」

「いえ、商売してますから、普段は誰かしらいるんですよ。不在配達になったときは、たまたまみんなで出かけてたとか」

「なんで出かけてたんだろうね」

「そんなこと、聞いたかなあ、俺」

心許《こころもと》なそうな顔になりながら、保は手帳の中身を調べている。やがて、「ダメだ。聞いてないや」と、頭をかいた。

ちょっと考えてから、本間は言った。「その秘密兵器をちらっと見せてもらっていいか?」

保の手帳のことである。彼は大いに照れた。「いいですよ。字、汚いけど」

本人の言うとおり、読みやすいとは言えない記録だった。ページの頭に日付が打ってあり、「カズちゃんの話」と見出しがつけてある。質疑応答の最初の方は律儀に箇条書きにしてあるのだが、話が進むに従い、記述があっちへ行きこっちへ行き、字も乱れてゆく。それでも、なかなかちゃんとしたものだ。

文字どおり、カズちゃんが「ムッとした」という記述がある。その上に、本間は面白い単語を見つけた。「甘茶」とあるのである。

「こりゃ何だい?」

指で示して訊くと、保は笑った。「郵便局からの帰り道に、近くのお寺で甘茶を配ってたんで、飲んだって話です。カズちゃん、太ってて、そのくせ甘いもんが大好きなもんだから、あいつと話してるとよくこういう話題が出るんです。今日はあれ食っちゃったこれ食っちゃった——何がおかしいんですか?」

「ちゃんと手がかりがあるじゃないか」笑いながら、本間は言った。「しいちゃんからの小包みを受け取りに郵便局へ行って、その帰りにお寺で配っていた甘茶を飲んだ

——そういうことだろ？」

「はい」

「お寺さんが通行人に甘茶を配るなんて、一年に一日しかないよ。花祭りだ」

「花祭り？」

「そう。お釈迦《しゃか》さまの誕生日だ。四月八日だよ」

保はぽかんと口を開いた。「ということは——」

「小包みはその前日に配達されていた。四月七日だ。送ったのはしいちゃんじゃないということになるな」

保は「はは」というような声を出した。「俺、けっこうやるじゃん、って感じですね？」

アルバムの末尾につけられた索引と生徒名簿を調べてみると、関根彰子と野村一恵は、たしかに同じ三年B組に属していた。

なるほど、新城喬子は、寄せ書きの言葉と生徒名簿を頼りに、野村一恵を選んでアルバムを送りつけたのだろう。

この文面から推察するに、喬子は、関根彰子の東京での生活がうまくいっていないこと、それは故郷の人たちにも周知の事実であるということは知っていたのだろう。

墓地のツアーで一緒になったとき、あるいは、彰子の口からじかに聞いたのかもしれない。

タクシーの運転手や、たまたま酒場で隣り合わせただけの赤の他人に、親しい人間には言えないような内々の話をしてしまう、ということは、よくある。他人同士なので、かえって気楽だからだろう。まして、彰子と喬子が同行したのは、墓地のツアーである。しみじみとして、身の上話に近いようなことまで話し合ったかもしれない。ある目的を持って彰子に近づいている喬子は、積極的にそういう話を引き出す努力をしたであろうし。

だがしかし、その打ち明け話は、彰子の自己破産の事実にまでは及ばなかった——彰子も、自分にとって暗い過去であるその事実については、まだ軽々に口に出すことができなかったのかもしれない。

皮肉なものだ——と思った。そのとき、自己破産の事実を話してさえいれば、彰子は今でも元気に「ラハイナ」で働き、コーポ川口に住んでいたかもしれない……

「これを受け取ったとき、差出人の住所氏名がどうなっていたか、それは訊いてみたかい?」

保は残念そうに首を振りながら、「訊いてみたんですけど、はっきり覚えていないみたいでした。埼玉の方だったかなあ、というくらいで」

　では、コーポ川口の住所だったかもしれない。

「カズちゃんは、いきなりこれを送りつけられて、どんなふうに感じたって言ってた？　さっきの、わざわざ取りに行ったもんだからムッとしたという以外に」

「やっぱり、驚いたって」

　保は寄せ書きの文字の上に指を載せた。

「ずっと親友でいようね……これ、ホント言うとウソなんですよね」

「親友じゃなかったの？」

「全然仲良くなかったってこともないけど、親友ってほどじゃあ……」保は苦笑した。「卒業式でカンゲキして、女の子ですからね、ちょっと書きすぎちゃったんじゃないかなあ。それもあるもんで、カズちゃんはこの手紙を読んだとき、『関根さんも傍迷《はため》惑《わく》なことするなあ』って思ったそうです」

　そう言ってから、保は少し考えるように目を伏せた。

「それだから、俺、このアルバムが送られてきた日にちのこととか全然考えないで、すぐに思ったんですよ。ああ、これをカズちゃんに送ったのはしいちゃんじゃないって」

言葉は静かだが、それは断言だった。

「ワープロの手紙を読んだときも、そう思いましたよ。違う、しいちゃんが書いたんじゃない」

「何故《なぜ》だい？」

「俺の知ってるしいちゃんは、それほど昔を懐《なつ》かしんでなかったから。アルバムを見ると辛くて、今の自分の生活と比べてしまうと悲しくなってくるなんて、そんな考え方をする娘じゃなかった。しいちゃん、学校時代には楽しいことなんてひとつもなかったって言ってたことがあるくらいだから」

そうだったのかもしれない。本間は考えた。関根彰子は子供時代から幸せを実感したことがなかったのかもしれない。だから、昔の自分、今の自分ではない「何者か」になるために、いつも焦《あせ》っていたのだ。

それは、たまたま彰子が母子家庭の出身だったからとか、学校の成績が良くなかったからだとか、そういう個別の要因から生まれた焦りではなかったろうと、本間は思う。それは誰もが心の中に隠し持っている願望であり、生きる動力となるものであり、それこそが一人の「個人」であることの証拠なのだ。

関根彰子は、その願望を果たすために、あまり賢明ではない方法を選んだ。「あるべき自分」の姿を探す代わりに、そういう姿を見つけたような錯覚を起こさせてくれる鏡を買ったのだ。

しかも、プラスチックの砂上の楼閣の上に住んで——

「しいちゃんは死んでる、もうこの世にはいない。俺、やっと、そう信じることができました」

保が低い声で言った。

「しいちゃんなら、こんなことをするはずがない。だから、このアルバムを見た瞬間に、ああ、しいちゃんはもう死んじまってるって、実感がわいたんです」

保は顎《あご》を上げ、ごつい手をテーブルの上からおろして、膝《ひざ》に置いた。こぶしを握っていた。怒りや悲しみをこらえるためにそうしているというよりは、なにかをつかんでいるかのように見えた。

思い出につかまっているのだ、と思った。そうしていないと、現実の彰子の身の上に起こったことを、冷静に考えることができないのだろう。

その彰子を殺したと思われる新城喬子がどういう女性だったのか、本間はゆっくり話して聞かせた。保はうなだれたまま聞いていた。ずっと黙っていた。話が終わって、台所のなかに沈黙が落ちると、ぼそりと言った。

「ヘンな女ですね、新城喬子って」

「変？」

「うん。だってそうじゃないですか。自分のためにさ、しいちゃんのこと……ものみたいに扱って、身分を乗っ取って、そのくせ、こんなアルバムを、わざわざ地元の友達のところに送りつけたりして……変ですよ。なんで捨てちまわなかったんだろ。その方がずっと簡単なのに。捨てちまえばいいのに。なんでそんなとこで、しいちゃんにすまながってるみたいな、そんなまっとうなことをしたんだろう」

突然、保は椅子を引くと、のそりと立ち上がった。そのまますたすたと部屋を横切って、殺風景なベランダへと出ていった。

闇《やみ》のなかに、頭の上に物干し竿《ざお》をいただいて、白いセーターに包まれた保の背中が見えている。椅子を動かして、幽霊にしては頑丈《がんじょう》すぎるその背中に、本間も背を向けた。

しばらく、保を放っておいてやった方がいい。

須藤薫の現住所は、なかなか判然としなかった。碇《いかり》を通して地元の警察署に照会をかけているのだが、先方も多忙だし、中継役の碇自身も忙しい男だ。ますます借りが大きくなるので、本間としては、いささか首が回らなくなってきた気分だが、当の碇の方は、機嫌《きげん》がよかった。以前に持ち込んできた、実業家の強盗殺人事件が解決したからである。

事件の真相は、ほぼ本間が推測したとおりだった。逮捕されたのは、殺された実業家の妻と、そのOL時代の同僚。動機についても、資産と事業が目当てだったことがはっきりした。

「どんぴしゃりだ。ありがたかった」

快活な声で、碇は言った。電話なのに、そのご満悦の顔が目に見えるようだった。

「何が決め手になったんだ？」

「辛抱が要ったよ。ずっと監視をつけてたんだから。わざと、わかるようにな。そのうちに、未亡人の方が精神的に参っちまったようでね。参考人として出頭してくれ、と言ってみたら、とたんに、ぷつんと切れた。わあわあ泣かれたよ。しかし、神経戦は疲れるわ、ホント」

しばらくのあいだは裏付け捜査が大変だ、と嘆いている。

「しかし、人間の心理というものについて、俺《おれ》は深く考えさせられたね、今回」

「毎度そんなことを言ってるじゃないか」

「今度は本当だ、本当」と、碇は言った。「なあ、当ててみろよ。この若い女房が、友達に、亭主殺しの話を持ちかけたのは、どこでだったと思う?」

当てたら怒るだろうなと思いながら、意外な場所、と考えた。答える前に、碇が言った。

「葬式なんだよ」

「誰の」

「二人の元上司だ。係長だったそうだが、なんと女性だよ。三十八歳で、癌《がん》だったそうだ。その葬式に行って、頭の上を坊主《ぼうず》の読むお経が通過していくところでさ、亭主殺して事業を乗っ取ろうなんていう話をしておったわけよ」

「実感として、人生は短い、と悟ったんだろうよ」

それに、殺人を決心するというのは極端な例だが、「死」にまつわる行事にのぞんだとき、誰でも少しばかり人が変わって、できもしない誓いを立てたり、ずっと秘密にしてきた思い出を語ってみたりするものだ。

「ところで、おまえの方はどうなんだ。その後、進んでるのか?」

本間が簡単に説明すると、碇はうーんと唸《うな》った。

「新城喬子という女を見つけだすことも大切だが、やっぱり死体がほしいな」

「……うん」

「山梨県警の方に、そのバラバラ死体の件を話してはみたのか？」

「まだだ。まず間違いないとは思うが、蓋然性だけじゃな。こっちは個人として動いてるわけだし」

指紋の照合など、大がかりな身元確認の手続きをとってもらうためには、もう少し確実な犯跡が必要なのだ。Aという女性が失踪《しっそう》しています。どうやら、彼女の名前を名乗っていたBという女性が殺したらしいのですが、まったく行方不明です——というのでは、他県へ出ていって騒ぎたてることはしにくい。

「身元のわかるものが出てればなあ。関根彰子には八重歯があるんだろ？　特徴的だからなあ」

碇も頭部のことを言っているのだ。

「しかし、それこそ雲をつかむような話だからな。探しようがねえか」

「いや、案外そうでもないんじゃないか、という気もするんだ」

「あん？　なんでだい」

保の言葉を引用しながら、本間は説明した。

「新城喬子という人間には、妙に——なんというのかな、義理がたいというのもおかしいが、人情味のあるところがあるような気がするんだ。保の言うとおりで、アルバムなんて、捨てちまえば済むことだろう？　それを、わざわざ同級生宛《あ》てに送り返してる。手間暇かけて、しかも、ひょっとすると、そんなことをしたのがきっかけで、自分が彰子の身分を乗っ取っていることがバレるかもしれないのに」

「うん……」

「理屈だけじゃない、なにかそこに彼女一流の感傷というか、こだわりがあってそうしたことじゃないかと思うんだよ。ほかのところでは、実に緻密《ちみつ》に周到に動いているのに、アルバムのところだけ、場違いに人間的なんだから」

倉田が喬子について、（あいつ、案外担《かつ》ぎ屋で）と言っていたことも、心の隅《すみ》にひっかかっているのだ。

「そうするとつまり、死体についても、処分が大変だからやむなくバラバラにしたが、頭だけきちんと埋葬してると、そういうことを考えとるわけか」

「具体的に言えば、そうなる」

「ふん……」

短い沈黙のあと、碇は勢いよく言った。

「その線で考えるなら、俺だったら、関根彰子の両親の墓を調べるな」

本間は苦笑した。「そりゃ、そうだ。だが肝腎《かんじん》の墓がないんだから」

関根彰子の両親の遺骨は、寺に預けられたままなのである。

「ちぇ、駄目《だめ》か。結局、つかみどころのない捜し物だってことじゃねえか」

悔しそうな舌打ちを残して、碇は電話を切った。


井坂が「須藤薫待ち」と名づけた待機のあいだは、久しぶりに続けて家の布団《ふとん》で寝た。智《さとる》の話も聞いてやることができたし、リハビリに行ってマチコせんせにしぼられてもきた。その間、保は毎朝出かけていき、夕方なにかしら収穫をつかんで帰ってきた。

と言っても、この聞き歩きは、新城喬子の現在の居所を突き止めるための材料になるものではなく、関根彰子の東京での生活をトレースするためのものだった。そこから、どれほど小さなものでも、彰子と喬子をつなぐものが出てくれば結構だが、そうでない場合は、この段階までくると、もうあまり役には立たない。

保はそれを承知で出かけていた。こっちの方は俺に任せてください、と言い切って、なかなか見事な仕事ぶりだった。

「ただ、ひとつだけお願いがあるんですけど」

「なんだい？」

真剣だった。「新城喬子を見つけだすんでしょう？」

「そうしたいと思ってる」

「俺たちで見つけだすんでしょう？　警察で手配するわけじゃないでしょう？」

「できたら、そうしたいね」

「じゃ、その時——新城喬子に会いに行くとき、頼みます、最初に、俺に声かけさせてください。俺、最初に彼女の声を聞いてみたいんです。お願いです。俺に声かけさせてください」


伊勢から戻って三日ほどたったころ、「ローズライン」の片瀬から電話がかかってきた。新城喬子の当時の同僚たちのあいだを回ってみたが、わざわざ報告するような話は採集できなかった、ということだった。

感心なことに、約束を忘れてはいなかったと見える。しかし、これはいよいよ臭いな、という気がした。やはり、喬子はこの片瀬を通してローズラインのデータを入手したのではなかろうか——

「市木さんには連絡してみましたか？」

かしこまった口調で、片瀬が訊《き》いた。

市木かおりが海外旅行から戻ってくる日は、ちゃんとカレンダーにしるしをつけてある。それによると、彼女の帰国は明日の予定だ。

「まだですよ。彼女はまだシドニーだかキャンベラだかにいるんじゃないんですか？」

あ、そうか、そうでしたねと、片瀬は言った。早口になっていた。

よほど、本間に市木かおりと話をしてほしくないのだろう。かといって、露骨な妨害工作をしているような様子は見えないし、悪意は感じられない。妙な男だ。

「明日になったら、ちゃんと電話してみますよ。とにかく、報告をありがとう。あなたにも、もういくつか訊きたいことがあるんですが、そのときにはよろしく」

脅しめいて聞こえたのか、片瀬は神妙に「はい」と答え、逃げるように電話を切ってしまった。

片瀬からいろいろ吹き込まれる前に話をしたほうがいいかもしれないと思い、市木かおりには、早朝を狙《ねら》って電話をすることも考えないではなかった。だが、今の片瀬の様子から察して――彼が途方もない悪党で芝居に長《た》けているのでもないかぎり――そうそう市木かおりに悪影響を与えるとも思えない。そこで、会社勤めの彼女が帰宅するころを見計らって電話してみた。最初は留守番電話に答えられてしまったが、二度目には本人の声が応答した。

警戒気味だった口調が、ローズラインの片瀬の名前を出すと、少し和らいだ。

「話は片瀬さんから聞いてます」

なかんずく、面白そうに笑いながら、

「あの片瀬さん、よっぽど新城さんに未練があるんやね」などと言った。

ほう、なるほど、来た来た。

「やっぱり。そうですか」

「うん。だってあの人、うちが新城さんとルームメイトしてたとき、何度か彼女を送ってきたことがあるもん。新城さんは、片瀬さんのこと恋人やなんてゆうてなかったけど、あの人はそう思てたみたいよ」

だから今も、それなりに熱心にやってくれているのだ。喬子の行方も心配なのだろうし、喬子を探している本間のことも、自分の立場についても気にかかるのだろう。

「新城さんとあたし、話し合って、他人同士が部屋を共有するんやから、できるだけプライバシーには立ち入らないようにしよって、約束したんです。せやから、新城さんのことは、あんまり知りません。あの人もあたしも、お休みゆうたら家になんていませんでしたし」

本間は眉《まゆ》を寄せた。

「新城さんも、休日というと出かけていたということですか」

「ええ。どこへ行ってたんか知りませんけど、結構遠出もしてたみたいです」

「彼女は運転免許を――」

「持ってました。車はレンタカーやけど」

「出かけるときは、誰かと一緒でしたか」

「さあ……たいがい、一人やったようですよ」

おそらく、新しい身分を手に入れる、その計画を実行するための下見や下調べをしていたのだろう。

「あなたはローズラインにお勤めなんですよね？」

「はい。あたしはコンピュータ室にいるんです。ローズラインのデータも扱います」

と、市木かおりは答えた。

その答えに、本間がよほど驚いた声を出したのだろう。「もしもし？」と、かおりは心配そうに呼び掛けてきた。

「いや、失礼。そうか、あなたはコンピュータ室にいるんですか」

これは、片瀬のついた消極的な嘘《うそ》だ。彼は、市木かおりは事務員だと言っていた。まあ、本人と話してみればすぐに露見する、罪のない嘘ではあるが。

「そうです。ローズラインと、グリーンガーデン南と、あと二、三箇所のデータを処理してるんです」

「場所はどこです？」

「本社ビルのなかにコンピュータが置いてあるんです。せやから、ミニコミ誌で新城さんと知りおうたんやし」

「ミニコミ誌？」

「ルームメイトの募集を、社内のミニコミ誌でかけたんです。あたしら、一人の稼《かせ》ぎじゃあんなマンションにはよう住めへんですから」

そこへ、喬子が現れた――

「あたし、これでも専門職ですから、わりといいお給料もろてますけど、彼女は準社員やし、大丈夫かなと思いました。だけど、すごく熱心やったから、OKしました」

「市木さん、大変失礼なことをうかがいますが」

「なんです？」

「新城さんに、コンピュータを操作して、ローズラインの顧客データを盗んでくれないかと頼まれたことはないですか？」

ちょっとのあいだ、あっけにとられたような沈黙があって、それから市木かおりは笑いだした。

「なんであたしがそないなこと頼まれなあきませんの？」

「もし頼まれたら、できますか？」

「できますよ」まだ笑っている。「せやけど、バレたが最後、即クビやわ。おまけに、コンピュータ・オペレータとしては就職でけんようになってしまいます」

本間としても、あの喬子が、こんな大切なことを相部屋の女性に頼み、重い借りをつくることなど、万にひとつもあるわけがないと思う。だが――

「じゃ、もうひとつ。片瀬さんね、彼は、新城さんに頼まれたら、そういうことをやりそうでしたか？」

市木かおりはすぐに答えた。「やりそうやわ」

やっぱり。だが、かおりはすぐに続けて言った。

「けど、駄目ですよ」

「なぜですか？　彼だってコンピュータには詳しいんでしょう？」

かおりはケラケラ笑った。「お客さんの手前、そういう顔してるだけですよ。あの人は、コンピュータ室に自由に出入りすることもできませんもん。IDカードがないんやから」

あたしらから見たら、片瀬さんなんてずぶの素人《しろうと》です、と、なおも笑い続ける。

「市木さん、しつこくて申し訳ない。じゃ、新城さん自身はどうでした？ 彼女はコンピュータに強かっただろうか。たとえば、ローズラインのシステムをどうこうして、顧客データを盗みだすようなことができたでしょうかね」

「そんなことがあったんですか？」

「いえ、仮定の話です。あなたが部屋を共有していた当時の新城さんに、そういうことができただろうか」

しばらく考えてから、かおりは答えた。

「新城さんは、ラップトップパソコンと、M・C・ハマーの演《や》ってるラップの区別もつかへんかったんやないかしら」

「M・C・ハマーって？」

「いややわ、わかりません？」

また笑いだしながら、かおりは言った。

「もし、あのころ、新城さんが一人で、うちのコンピュータからこっそりデータを盗みだしてた、なんてことがあったんなら、あたし、将来結婚するとき、お色直しでドレスを着る代わりに、くいだおれ人形と同じカッコしてもええですよ」

それには及ばないようですと言って、本間も笑った。

だが、笑っている場合ではないのだ。喬子は、いったいどうやってローズラインのコンピュータから関根彰子のデータを選び、取り出したのだろう？

事実が市木かおりの言うとおりなら、どれほど喬子がねだっても、片瀬には彼女の望むデータを取り出してやることも、そのための便宜をはかってやることもできなかったということになる。彼の態度がおかしいのは、以前自分が惚《ほ》れ込んでいた新城喬子という女性が、現在行方不明で、しかもおかしなことに巻き込まれている——もしくは自分で巻き起こしているようだということを知らされ、オロオロしているからであって、それ以上の理由はない、ということになる。

「ルームメイトとしては、彼女はどういう人でしたか」

少し頭を切り替えるつもりで訊いてみたが、なんとも漠然《ばくぜん》とした質問に、市木かおりは困っているようだ。

「どういう人いうてもねえ」

「几帳面《きちょうめん》で、きれい好きではあったでしょう？　まめに掃除をして」

かおりの口調が明るくなった。「ああ、そうですね。ほんま、あれは助かりました。料理も上手やったしね。ときどき、冷蔵庫の残り物をさらって、残りご飯を足して、節約チャーハン、つくってくれました。美味《おい》しかったわ、よう覚えてます」

方南町のアパートの、きちんと片づけられた部屋を、光っていた換気扇の羽を、本間は思い出した。それを口に出してみた。

「換気扇の汚れ落としに、ガソリンを使ってませんでしたか？」

すると、かおりはびっくりしたような声を出した。

「なんでわかりますのん？」

「喬子さんを知っていた人から聞いたことがあるんですよ」

「へえ……そやけど驚きやわ。そうそう、やってました。あたしはあれ、いやでね。臭いし、うちのなかにガソリンなんて置いとくの、なんか怖いですやん。やめてよ言うて、洗剤使うようにしてもろたんです。ガソリン、ちっちゃいビンに入れて、ベランダのちょっと目立たへんところに隠して置いてましたから、危ないこともなかったんやろうけど、万が一いうことがあるでしょ。ベランダには古新聞積んでたし……」

そこで、かおりは「あら」と声をあげた。「そういえば、新城さん、東京の新聞とってましたよ」

「東京の新聞？」

「はい。朝日やったかな……読売やったかしら」

ぶつぶつ呟《つぶや》いている。

「そや、読売や」と、また音量があがった。「大阪読売の方が絶対おもしろいのに、なんでわざわざ東京からとるのんて、訊いてみたことがありましたから」

「新城さんはなんと答えましたか？」

「さあ……。ごめんなさい、忘れてしまいました。なんて言うてたかしら」

喬子がその身分を盗もうとしている関根彰子は、東京で暮らしている。それだから、東京の情勢を知っていた方がいいと考えたのだろうか。

あるいは、もっと心情的なことが理由だったとも思える。日々、東京の新聞を眺《なが》め、計画が成就《じょうじゅ》したあかつきには、ここで暮らすことになる——まったく新しい人生をスタートすることになるのだと、自分を励ましていたのかもしれない。

「いつごろから、東京の新聞をとってたんでしょうね」

少し考えてから、かおりは答えた。「ルームメイトになって、すぐからだったと思います。ときどき、切りぬいてスクラップなんかつくってました」

スクラップを。すぐに訊いた。「どんな記事を切り抜いてたか、覚えておられますか？」

かおりはちょっと笑った。「わかりません。あたし、物覚えが悪いんです。家庭欄の『今日の料理』とか、そこらへんやないかと思いますけど」

まあ、記憶に残っていないほうが自然だろう。何か思い出したことがあったら、コレクトコールを使って電話をくださいと頼んでおいて、受話器を置いた。

結局、謎《なぞ》は謎のまま残っている。市木かおりは、喬子の日常生活をよく知ることのできる立場にいた。それこそ、箸《はし》のあげおろしまで。だが、新城喬子は、たとえルームメイトにでも、自分の心のうちを不用意に見透かされるような態度はとらなかったのだ。

ローズラインに就職し、コンピュータ室に勤める市木かおりのルームメイトになり、片瀬と親しくして、喬子はひたすら、乗っ取ることのできる新しい身分を探し、そのデータを手に入れるすべを模索していた――

倉田と離婚し、今のままでは平和で幸せな青春時代など望むべくもないと骨身にこたえて知った瞬間から、彼女は腹を決めたのだろう。なんとしても、新しい人生を手に入れるのだ、と。誰にも打ち明けず、助けも求めず、無論、邪魔だてもさせない。それほど固い決心と周到な計画の上に成し遂げたことだったら、こちらが半月やそこらで喝破《かっぱ》できるわけもない。

しかし、それにしても、彼女はどうやってデータを手に入れたのだ？　片瀬の線は、まったくなしか？

「あかんな」

思わずそう呟くと、

「どうしたの？」と、智に訊かれた。すぐうしろのテーブルで、本日の宿題をやっているところだったのだ。

「おとうちゃん、大阪の刑事になってしもたん？」

大真面目《おおまじめ》な顔でぎくしゃくと言って、吹き出した。

「ヘタだね」

「関西弁は難しいんだよ」

久しぶりに、智が誰かにくすぐられているかのような笑い声をあげるのを耳にした。

「だいぶ、よくなったか？」

ボケが殺されていたことがわかって、例の騒ぎが起こったあと、智はずっと泣いており、手のつけようがないほどだったのだ。見ていてあまりに痛ましいので、怒るわけにもいかなかった。応援に駆けつけてくれた久恵に宥《なだ》められて、やっと泣きやんでくれたときには、まわりの男連中はみなホッと胸を撫《な》でおろしたものだった。

「……うん」

「もう泣けてこないか」

「ときどき。でも、ガマンしてるから」

「そう」

「久恵おばさんにね、あんまり泣くと中耳炎になるからガマンしなさいって言われた」

男の子は泣くもんじゃない、などと言わないところが、いかにも久恵らしい。

「カッちゃんと相談して、ボケのお墓をたててやることにしたんだ」

本間はちょっと困った。井坂から、八方手を尽くして捜索したが、殺されて捨てられてしまったボケの死体を見つけだすことはできなかった、と聞かされていたからだ。

智は、父親の困った顔の意味をちゃんと察しているのか、急いで続けた。

「首輪を埋めてやるの」

「首輪を?」

「うん。ボケ、首輪を二個持ってたから。いなくなったときはめてたのは、蚤《のみ》とり粉のついたヤツだったんだ。革のね、名前の入ったスゴクいいやつが残ってるの」

「そうか。どこに埋めるの」

「まだわかんない。カッちゃんと探してる」智は思案顔になった。「水元公園にこっそり埋めたら、係のおじさんたちに叱《しか》られるかな？」

「うーん、まずいだろうねえ」

「そうだよね」智は頬杖《ほおづえ》をついた。「タモッちゃん兄ちゃんが、お墓のね、目印になるようなものをつくってくれるって」

智はすっかり保になついてしまい、「タモッちゃん兄ちゃん」という舌を噛《か》みそうな呼び方をしている。

「井坂のおじさんが、これからは、ボケの面倒はうちのお母さんがみてくれるってさ」

「ふうん」

「あの世は広いから、ボケは放し飼いにしてもらえるって」

智は仏壇の母親の写真の方を見ている。

「お父さん」

「うん？」

「田崎のヤツさ、なんでさ、ボケを殺したりしたのかな？」

「おまえはどう思う？　田崎くんの気持ちを想像してみてさ」

智は足をぶらぶらさせながら、かなり長いこと考え込んでいた。

「つまんなかったのかな」と、ぽつりと言った。

「つまんなかった？」

「うん。あいつのうち、飼わせてもらえないんだって」

「飼ってるんじゃないのか」

団地で犬を飼うのは生意気だ、悔しかったら一戸建ての家を買ってもらえと言っていたのに？

「飼ってないの。あのね、ボケのこと、学校でもちょっとモンダイになってさ、ウワサになっちゃって、それで井坂さんがね、近所の人から聞いたって言ってたけど、田崎のうちは犬飼えないんだ。お母さんがね、たくさんローン組んでやっと建てた家だから、ペットを飼って、汚れるといやだって言ってるんだって」

智の生真面目《きまじめ》な顔を見つめて、本間は言った。

「田崎くんは、本当はボケを殺したくなかったんだろうな」

「そうかな……」

「殺さずに、飼いたかったんだ。だけど飼えないから、カッちゃんとこで飼っているのがうらやましくてたまらなかったんだろう。なんで自分だけ、こんなつまらない思いをしなくちゃならないんだろうって思ったんだろう」

「だからさ、殺したの？」

「そうだね」

「そんなことしないで、カッちゃんとこに来てさ、ボケと遊ばせてよって頼めばよかったのに。そうじゃない？」

「そういうことを思いつかなかったんだろう。犬を飼えないことが、あんまり悔しくてさ。そのことだけで頭がいっぱいだったんだよ、きっとな」

自分の身に降りかかったことを、そういう形でしか外に向けて「清算」できない人間というのはいるんだよ、と思った。智には、まだ話して聞かせてもわからないだろう。だが、もう二、三年したら、きちんと教えておかなくてはなるまい。これから先、お前たちが背負って生きぬいてゆく社会には、「本来あるべき自分になれない」「本来持つべきものが持てない」という忿懣《ふんまん》を、爆発的に、狂暴な力でもって清算する――という形で犯罪をおかす人間があまた満ちあふれることになるだろう、と。

そのなかをどう生きてゆくか、その回答を探す試みは、まだ端緒についたばかりなのだということも。

鉛筆をひねくり回しながら、智が言った。「井坂のおじさんにも聞いてみたんだ」

「田崎くんがボケを殺した理由を？」

「うん。どう思うって」

「井坂さん、なんて言ってた」

智は考え込んだ。井坂の言葉を、まだ多いとは言えない語彙《ごい》の範囲内で、できるだけ正確に伝えようとしているのだろう。たとえば、ある晩突然、窓から火星人が飛び込んできて、五分以内に、智の学年では習っていない連立方程式の解き方を説明しないと、さらっていって動物園に入れちゃうぞと脅されたとしても、これほど真剣に頭をひねることはないかもしれない。

「井坂のおじさんね――」と、ようやく言い始めた。

「お父さん、聞いてる？」

「聞いてるよ」

「他人のすることが、なんでもかんでも気に入らないっていう人が、世の中にはいるんだよって」

「そうか」

「でね、そういう人は、自分の気に入らないことを見つけると、まずそれをぶっこわしてておいてから、ぶっこわした理由をでっちあげるんだってさ。だから、なんでボケを殺したのか、田崎がいろいろ言い訳をしてきたって、そんなの聞いちゃいけないって。えっとね、大切なのは、どんなことを考えたかってことじゃなくて、どういうことをしたかってことなんだって」

少しばかり、意外な意見だった。温和な井坂らしくもない。智の心の傷を和らげるために、敢《あ》えて厳しい見解を述べたのかもしれないが……。

それでも、一面、わからないでもなかった。ああ見えて、井坂は厳しい人間なのかもしれない。久恵と二人、楽しく気ままに生きているように見えるが、その生活を支えている背骨は、案外、鉄でできているのかもしれなかった。

「井坂のおじさん、家政夫さんしてるでしょう？　あと、本当はお金持ちなのに、引っ越しが面倒だからって、おばさんと二人で、ずっとこの団地に暮らしているでしょう？　そういうことをヘンなふうに噂《うわさ》する人たちが、やっぱりいるんだって。井坂のおじさんは、そういう人たちのことは、放っておくって。だけど、そういう人たちが、ただ気に食わないってだけで、おじさんのことを邪魔しようとしたり、ひどい目にあわせようなんてしてきたら、絶対負けないで戦うって言ってたよ」

ひと息に言って、智はまたちょっと考えた。

「ひどいことする人は、自分がどうしてそういうことをするのか、ちゃんと考えたことがないんだって。田崎もそうだって。だから、ひどいことができるんだって。そうも言ってた」

「じゃ、もう絶対に田崎くんを勘弁しちゃいけないって言ってたか？」

智は首を振った。「ううん。あいつが自分のしたことをよおく考えて、それからあやまりにきたなら、カンベンしてあげなさいって」

安心した。「そうだね。父さんもそう思うよ」

智もほっとしたような顔をした。鉛筆を持ちかえ、宿題に戻るような様子が見えたので、本間も手近にあった新聞を取り上げて広げた。

と、また智が話しかけてきた。

「お父さん」

「なんだい」

新聞から顔をのぞかせてみると、智は鉛筆を手にしたままこちらを見つめている。

「お父さんが探している女の人、まだ見つからないんでしょう？」

「うん。頑張《がんば》ってはいるんだけどね」

「その人、人殺ししたの？」

「まだ、わからない」

「見つけたら、警察に連れてく？」

「いろいろ、訊《き》きたいことがあるからね」

「どうしていろいろ訊くの？　それが仕事だから？」

これまで、智が、本間の仕事について、こんなふうに突っ込んで訊いてきたことはなかった。うちのお父さんはケイジだから、悪いことしたヒトをつかまえます。それで済んでいた。念を押してくるようなことは、一度もなかった。これが初めてだ。

「そうだ。仕事だから」

ただ、今回に限っては、どうもそれだけじゃないような気もする……そんな言葉を、胸の内側に呑《の》み込んでしまった。実を言うとな、父さん、なんでこんなに熱を入れてるのか、自分でもよくわかってないんだよ。

ひょっとすると、新城喬子に同情しているからかもしれない。いや、しかし、それなら黙って見逃してやればいい。その方がよっぽど親切だ。それができないのは――父さんが警察官であるからで――

「ただ、父さんたちが探している女の人は、面白くないことがあったから、というだけの理由で他人にひどいことをしたんじゃない。それだけは、はっきりしているよ」

少し黙ってから、智は「ふうん」と呟いた。

「今は連絡を待ってるの？」

「そうだよ」

「連絡があったら、今度はどこへ行くの？」

「たぶん、名古屋か大阪あたりだろうな」

「そう、じゃあ――」

智の声にかぶって、本間の肘《ひじ》のそばにある電話のベルが鳴り始めた。

ちょっとため息をついて、智は言った。

「おみやげに、ういろう買ってきてね」

25

「喬子《きょうこ》ちゃんなら、もう二年近く音信不通です。どうしているか、まるっきりわからなくなってしまいました」

須藤薫《かおる》は、昨年結婚して姓が変わり、現在は名古屋市の郊外に暮らしていた。三十二、三歳というところか、すらりと背が高く、顔が小さく、モデルでもしていたかと思うタイプの女性だった。夫の両親と同居しているので、自宅に訪ねてこられるのは困る。ただ、自分もまだ勤めているので、外出は気軽にできるから、外で待ち合わせる分にはかまいません、ということだった。

本間は彼女に、昔、新城喬子と付き合いのあったころに暮らしていた、小幡《おばた》の方でお目にかかれないかと訊いてみた。須藤薫は、快く承知してくれた。

「あのころ住んでいたアパートのすぐそばに、ランチのおいしい喫茶店がありました。喬子ちゃんが大阪で働くようになってからも、たまに泊まりがけで遊びにくると、よく二人で食べにいったお店です」

「コティ」というその喫茶店は、街なかの、常連客だけを相手にしているというタイプの店だった。薫が顔を出すと、店主が覚えており、ひとしきり懐《なつ》かしそうに話をしてから、ようやくテーブルについた。

「碇《いかり》さんというかたと少しお話しましたけれど、喬子ちゃんは今行方不明になっているそうですね？」

毎度のように、彼女に殺人の疑いがかかっていることだけは伏せて、事情を説明した。須藤薫は、話を聞き終えると、カップを取り上げて、ゆっくりコーヒーを飲んだ。

表情は穏やかだが、きれいなカーブを描いた眉と眉《まゆ》のあいだに、ほんの少し、しわを刻んでいる。

「いったい、どうしちゃったんでしょう」と、呟くように言って、カップを置いた。

喬子との付き合いは、彼女が十七歳のとき、母親と二人で名古屋に逃げてきて、アルバイトしていたころからのものだ、という。

「喬子ちゃん一家が夜逃げしてきたことや、借金があって大変だったということも知っています。全部、彼女が話してくれましたから」

須藤薫の話は、倉田康司が語ってくれた話の内容を裏付け、補足するものだった。

だが、まったく新しい事実も出てきた。

「倉田さんと別れたあと、喬子ちゃん、一時、取り立て屋につかまりましてね」

本間は目を見張った。だが、伊勢では居所を知られていたのだから、それは可能性としてもあり得たことだ。

「ですから、離婚後の喬子ちゃんと初めて会ったのは――」

ちょっと首をかしげて、

「翌年の、二月ごろだったんじゃないかしら。離婚の翌年のね。雪が降ってる日でした」

離婚は前年の九月のことだから、半年近く音信がなかったということになる。

「当時のことは、よく覚えておられますか？」

須藤薫は大きくうなずいた。「はい。だって、喬子ちゃん、わたしのところに逃げだしてきたんですから」

深夜にタクシーで乗りつけたのだが、所持金が千円もなかったので、須藤薫が料金を払ったのだという。

「レインコートの下はスリップ一枚という格好でした。顔色もまるで鉛みたいで、くちびるも荒れてて。どういう仕事をさせられていたのか、すぐにピンときましたよ」

今までどこにいたのか、という問いに、喬子は多くは答えなかったという。ただ、話の様子で、

「大阪とか東京とか、もちろん名古屋とか、そういう大きい都会にいたのではなさそうでした。地方の温泉町なんかだったのかもしれない」と思ったそうだ。

借金のかたに働かされたのか、と尋ねると、

「違う、売られたんだと答えました」

そのまま、須藤薫のところで一ヵ月ほどすごしたが、

「少しお金を貸してくれないか、というので、五十万円ほど用立てました。名古屋に

居ついてしまうと、今度はわたしに迷惑をかけることになるから、と言って。大阪に出て仕事を探すつもりだったようです」

事実、喬子はその年の四月に「ローズライン」に就職しているのだ。

「最初は安いアパートに住んでましたけど、そのうち、社員の人と共同でマンションを借りて落ち着いた、と報《しら》せてきました」

「千里中央のマンションですよ」

「そうですか。そこまでは記憶にないけど……」

薫はこめかみに細い指をあてた。

「それを聞いて、わたしもほっとしました。ローズラインは、わりとお給料もよかったんでしょうね。そのころからですよ。喬子ちゃんが、たまに、そっと一人で車を運転して、名古屋のわたしのところまで遊びに来るようになったのは」

「必ず車で？　電車ではなく？」

薫はうなずいた。「ええ。電車に乗るのは怖いと言っていました。電車に限らず、不特定多数の人が集まるようなところには、なるべく行きたくないんだ、と。誰に会うかわからないでしょう？」

意味するところは、よくわかる。

「それに、自分で車を運転していれば、たとえば道でばったり見覚えのある取り立て屋に出くわしてしまっても、すぐに逃げることができるから、と。もちろん、いつもレンタカーでしたしね。免許は、伊勢で働いていたころに、倉田さんにすすめられてとったんだそうです。とっておいて良かったたって言ってました」

喬子の怯《おび》えぶりがどれほどのものだったのか、この一事から推《お》して知るべしだ。広い大阪や名古屋の街で、怖い取り立て屋に出会う確率など、ほとんどゼロに近かっただろうに、それを恐れていたとは。ほとんど、追跡妄想《もうそう》に近い心理状態だ。

だが、そこから逆算して、伊勢から姿を消し名古屋の須藤薫の元に現れるまでのあいだに、彼女がどんな生活をおくっていたか、ということを考えると、胃の底をゆっくりと持ちあげられるような気分になった。

「そのころ、実際に、また取り立て屋に追われるようなことは？」

須藤薫は大きく首を振った。「ありませんでした。でも、わたしがもう安心じゃないか、と言っても、喬子ちゃんはうなずきませんでしたね。このままじゃ一生つきまとわれる、なんとかしなきゃって」

音信のなかった期間のことは、須藤薫が何をどう聞いても詳しく話はしなかったが、どうやら、取り立てを請け負っている暴力団の構成員の一人に目をつけられ、ただ親の借金のためだけでなく、そちらの面でも、喬子はしつこく追われることになっていたようだった、という。

「その男のことは、人間の皮をかぶった鬼だ、としか言ってませんでした」

須藤薫の整った顔が、いやな臭《にお》いをかいだときのように、わずかに歪《ゆが》んだ。

「何があったのか、だいたいは想像がつきます。ただ、ひとつ不思議だったのは、喬子ちゃんが、まるっきりなまものを食べることができなくなってたことで……。おさしみとか、ね。生臭くって嫌《いや》だっていうんです。以前は、そんなことなかったのに。暗い思い出がまつわりついていたのかもしれませんが」

なんとかしなければ、か。

新城喬子という名前を捨てなければ、もう平和な生活など望めない――彼女はそう思いつめていったのかもしれない。

「借金だって、あと四、五年たてば時効みたいになるだろうし、取り立て屋だっていい加減諦《あきら》めるだろうから、もういいじゃないのって、ずいぶん話してみました。でも、喬子ちゃんはもう本当に怖がっていて――」

薫は腕を組み、身をすくませた。

「倉田さんと結婚するときだって、そう思ってたって言うんですよ。もう大丈夫だろうって。でも大丈夫じゃなかった。もう二度と、あんなことを繰り返したくない。そう言いました。ものに憑《つ》かれたみたいな目をしてね。それを言われると、わたしも返す言葉がなくて。だってそうでしょう。倉田さんのときのようなことが二度と起こらないって、誰が保障してあげられます？」

なんとかしなくちゃ。あたら青春を無駄《むだ》にしないために。もう逃げ隠れしなくていいように。

「なんとかする、その具体的な方法を、喬子さんは話していましたか？」

須藤薫は首を振った。「いいえ」

まともな生活をしたい。追われる不安から解放されたい。平凡に、幸せな結婚をしたい――

求めるものは、ただそれだけだ。喬子はそう考えていたのだろう。そして、自分の身を守るためには、自分で闘うしかないと悟ってもいただろう。

父親にも、母親にも、彼女を守ることはできなかった。法も守ってはくれない。頼れる人だと信じ、庇護《ひご》を与えてくれると思っていた倉田康司も、彼の家の財力も、いざというときには彼女を見捨てた。

手の指のあいだからこぼれ落ちる、砂の一粒だ。彼女の存在は、社会にとってその程度のものなのだ。誰もすくいあげてはくれない。這《は》いあがっていかないことには、生きる道はないのだ。

もう誰もあてにはできない。男に頼ってもしょせんは虚《むな》しいだけだ。自分の二本の足で立ち、自分の両手で闘うのだ。どんな卑怯《ひきょう》な手段でも、甘んじて使おう――喬子はそう決めていたのだ。

「須藤さん、新城さんから、家の写真を見せられたことはありませんか？」

「家の写真？」

「ええ、これです」

あのチョコレート色のモデルハウスのポラロイド写真を取り出し、テーブルの上にすべらせた。須藤薫はそれを手に取った。

「ああ、これ……」

「見たことがありますか？」

少し微笑《ほほえ》んで、須藤薫はうなずいた。「はい、あります。喬子ちゃんが研修のときに撮った写真ですね？」

つかえていたものがはずれたような気がして、思わずため息がもれた。「そうですか。やっぱり新城さんが撮ったんですね」

「友達がポラロイドカメラを持ってきていたから、借りたんだと言っていました。喬子ちゃん、モデルハウスを見て歩くのが好きでしてね。面白い趣味だって、わたし、笑ったことがあります」

モデルハウスを見て歩くのが、好き。

「マイホームのローンが原因で一家離散したのに?」

薫は写真をテーブルに戻し、少し考えてから、言った。「そうですね、そう考えると、おかしな趣味ですけど、わたしは、逆だと思います。喬子ちゃん、言ってましたもの。いつかこういう家に住むんだって。家庭を持って、こういう家で幸せに暮らすんだって。昔の不幸な出来事があったからこそ、それが彼女の夢になってたんじゃないかしら。わたしはそう思います」

だから、この家の写真を大事に持ち歩いていたのか。それが夢だったから。

「この家は、それまで見たなかでいちばんのお気に入りだと言っていました。遊びにきたときに、見せてくれたんです。薫さん、わたし、人生を立てなおして、いつかきっとこういう家に暮らすようになってみせるからねって」

須藤薫は、その話をしていたときの喬子の笑顔を再現するかのように、明るい口調で言った。

「こういう家に住んでみせる、そしたら遊びに来てください、とは言わなかったんですか」

本間が尋ねると、須藤薫はつと顎《あご》を引いた。驚いているようだった。

「そういえば……言わなかったですね」

そうだろう。そのころの新城喬子は、将来どういう家を建てようと、どれほど幸せな生活をつかもうと、それをじかに見てもらうため、須藤薫を招くことはできないとわかっていたはずだ。なぜなら、幸せになるためには、新城喬子という名前を捨て、別人にならねばならないのだから。そして喬子は、そのための計画を進めていたのだから。

写真から目をあげて、本間は訊いた。「本当に、最近、新城さんから連絡はありませんか？」

須藤薫は、少し気を悪くしたのか、足を組んで座りなおすと、かすかに口元をひきしめた。

「喬子ちゃんとは、音信不通です。こんなことで嘘《うそ》を申し上げるわけがありません」

「応対すると、無言で切れてしまうような電話はありませんか？」

「さあ……少なくとも、わたしの知っているかぎりでは、そういうことはありません」

関根彰子《しょうこ》に成り代わることに失敗して、今現在、新城喬子はひどく不安定な心理状態にあるはずだ。それでも、旧友・須藤薫を、かつて心のなかの夢を語って聞かせるほどうちとけていた須藤薫を、頼ってきてはいない――

これはどういうことだろうか、と考えた。今の喬子は、何を考え、どう身を処しているのだろう。

「喬子ちゃんと親しくしていた当時、わたしはもう今の主人と付き合っていて、一、二年したら結婚することも約束してありました。だから、喬子ちゃんは、須藤薫はもう結婚してしまっているだろうし、今さら訪ねていっても、昔のように気軽に付き合うことはできないと思って、敬遠しているんじゃないでしょうか」

それはあるかな、と思った。もう須藤薫をあてにはできないと思っているのか。一人で逃げ続ける――それだけしか道はない、と。

「当時、あなたがお住まいだったマンションの部屋は？」

須藤薫の顔がほころんだ。

「すぐそこです。ホラ」

窓越しに彼女が指さしたのは、斜向《はすむ》かいのマンションの二階、いちばん左端の部屋の窓だった。今、その窓辺には明るい色合いの花をつけた鉢植《はちう》えが並べられ、クーラーの室外機の上にかけられた小物干しから、赤いソックスがぶらさがっていた。

ふと、本間は思った。新城喬子も、須藤薫の部屋に遊びに来たとき、あそこから顔を出して、外を眺《なが》めたのだろうか。薫の洗濯《せんたく》を手伝って、あそこにソックスを干したりしたのだろうか。

それまで暮らしてきた場所――名古屋の安旅館やアパート、伊勢市で住み込んでいた旅館や、倉田家の邸宅や、そのあと、一時期恐ろしい思いをしながら働かされていた知らない町で、大阪の千里中央のマンションで、そして、東京の方南町の、あの積み木のように可愛《かわい》らしいマンションで、喬子は掃除をし、洗濯をし、買物をして料理をつくり――そう、節約チャーハンをつくったと、市木かおりは言っていた――雨の日には傘《かさ》を広げてその戸口から出てゆき、夜眠る前に、カーテンを引きながら月を見あげ、靴《くつ》をみがいたり、花に水をやったり、新聞を読んだり、雀《すずめ》にパン屑《くず》を投げてやったりしながら暮らしてきたのだろう。その生活は、ときには恐ろしいものであり、ときには悲しいものであり、貧しいものであり、またときには幸せなものでもあった。

だが、終始一貫変わらないのは、彼女が逃亡者だったということだ。

取り立て屋の手の内に入って、そこで地獄のような生活を強《し》いられていたときでさえ、彼女は逃亡者だった。不公平な運命から逃げようとしていた。常に、逃げようとしていた。

もしも彼女が、そこで諦《あきら》めてしまっていたなら、あとに続いた出来事は、決して起こらなかったろう。だが、彼女は諦めなかった。逃亡者であり続けた。

そして、関根彰子の身分を乗っ取り、もうこれで逃げる必要はなくなったと思ったのもつかのま、彼女は今また逃げている。なんとかしなくちゃ、と思い詰めて行動したのに、状況は何も変わっていないのだ。

もう、よそうや。

心のなかで、本間は小さく呼びかけた。君も疲れたろう。俺《おれ》も疲れた。へとへとだ。もう追いかけっこはやめよう。君だって、永遠に逃げ続けることはできないぞ。

「喬子ちゃんが、最後にわたしに会いにきたのは、ローズラインを辞めたあとのことでした」

須藤薫の言葉に、本間もメモを取り出してチェックしながらうなずいた。

「彼女は、一九八九年の十二月いっぱいで辞めてるんですよ」

「そうですね。わたしのところに来たのは、翌年のお正月明けでした。一月の……末ごろだったんじゃないかしら。夕食を外で奢《おご》った記憶がありますから、お給料日のあとだったと思います」

それなら、関根彰子に成り代わるための準備を、着々と進めていたころだろう。

「もう大阪のマンションを出てしまったと言っていました。どうするの？　と訊《き》いたら、神戸にでも行こうかな、って」

「ほう……」

「ですけど、おかしくてね。話しているうちに、京浜東北線がどうのこうのなんて言うんですよ。京浜東北線といったら、関東でしょう」

あら、東京にいるの、と須藤薫が訊くと、「なんとなくバツの悪そうな顔になりましてね。わたしも気になったから問いつめたら、今は、ちょっと事情があって、川口市にいるんだ、って。それも、アパートじゃなくて、ウイークリー・マンションだとかって言って、連絡先も教えてはくれませんでした」

今でも、その話を蒸し返すと不審に思うのか、須藤薫は顔をしかめている。彼女を見つめながら、本間は、頭のなかで小さな輪が嚙《か》みあう音がするのを聞いた。

一九九〇年の一月頃《ころ》。新城喬子は川口にいた――

ゴールドの同僚、宮城富美恵の声がよみがえってきた。

（彰子、神経質になってて、郵便が開けられるなんて言ってた）

関根彰子の郵便を調べていたか。墓地のツアーの件も、それでつかんだ情報だったか。当時の関根彰子は、昼ごろに起きだして夜働き、深夜に帰宅するという生活だったはずだ。鍵《かぎ》のかかっていない郵便受けから、ひそかに郵便物を取り出し、めぼしいものを調べてから元に戻すのも、決して難しいことではなかっただろう。

おぼろげだった線が、今やひかれたばかりのセンターラインのようにくっきりとしてきた。関根彰子と新城喬子。二人をつなぐ仮説に、まず間違いはない。

「須藤さん」

座りなおして、本間は訊いた。

「思い出してみていただきたいんですがね。新城さんが訪ねてきたり、あるいは電話をかけてきたとき、ひどくとり乱していたり、様子がいつもと違っていたりして記憶に残った、ということはありませんでしたか。過去三、四年のあいだに」

きょとん、と目を見開いて、須藤薫は繰り返した。「様子がおかしかった？」

「ええ、そうです。イライラして落ち着かなかったり、泣いたり」

漠然《ばくぜん》とした訊き方をしたが、いちばん知りたいのは、一九八九年十一月二十五日のことなのだ。関根彰子の母、関根淑子が転落死を遂げた日である。

これが新城喬子の手による殺人であるという本間の推論が正しければ、この日には、喬子は宇都宮にいたはずだ。この前後九日間、十八日から二十六日までローズラインを休んでいたことは、すでに片瀬から確認をとってある。

しかし、今ここで知りたいのは、二十五日のその日、おそらくはその夜、喬子からこの須藤薫に連絡があったかどうかということだった。

喬子は、取り立て屋の手のなかから逃げだしてきたとき、最初に薫を頼っている。当時はそれほど信頼し、心を開いていた友人なのだ。困ったとき、一人ではどうしようもないとき、薫を頼っている。

ならば、初めて人を手にかけたときも、なんらかの形で薫に救いを求めていたのではないか？

無論、告白しているわけはない。だが、電話をかけて、少し話をするだけでも、声を聞くだけでも——という心理にはなっていたのではなかろうか。

軽く握ったこぶしを口元にあて、考え込んでいる薫を見つめながら、ただこれは博《ばく》打《ち》のような質問だがな、とは思った。殺人の衝撃に、喬子は一人で耐えたのかもしれないのだから。現に、翌年三月に関根彰子を殺した——そう、彼女が殺した——そのときには、薫に連絡をしていない。薫は、一月の末に会ったのが最後だというのだから。

だが、何かあってもいいはずだ。あるいは、殺人の前でもいい。ずっとあとでもいい。喬子が何か、凶行の一端を匂《にお》わせるようなことを言ってはいなかったか――

「おかしいと言えば、おととしの一月の末に、ですから最後に会ったときも変でしたよ」

ゆっくりと、言葉を選びながら、須藤薫は言った。

「喬子ちゃん、わたしのところに遊びに来て、帰るときはいつも、じゃ、またねと言ってたんです。手を振って、また来ます、と。だけど、あの時だけは、そうじゃなかった。さよなら、と言ったんです。わざわざ頭を下げて、さよならと言って帰ったんです」

本間は黙ってうなずいた。

喬子は、これが須藤薫との永遠の別れだと思っていたのだろう。新城喬子はもういなくなってしまう。関根彰子になってしまえば、もう薫と顔を合わせることはできない。だから、さよならと言ったのだ。

「そうそう……そういえば、その日にかぎって、亡《な》くなったお母さんの話をしたりして」と、薫は続けた。「やたらに、死ぬということを話題にしてたような気がするわ。須藤さんは死んだらどこに埋めてほしい、なんて、訊かれた覚えがあります。喬子ちゃんは、絶対に郡山には戻りたくない、あたしが死んでも故郷には埋めないでほしい、と言ってました」

あまりに話題が暗いので、身体《からだ》の具合でも悪いのかと尋ねると、黙って笑っていたという。

「おかしいなって、思いました。胸騒ぎみたいなものも感じました。そのうえに、さよなら、でしょう？　あとになって、連絡がとれなくなって、喬子ちゃんの消息が途絶えてしまったときには、ああやっぱり、と思ったものです。今頃そんなことを言っても手遅れでしょうけれど」

彼女はまだうつむいている。敢《あ》えて「手遅れ」という言葉を使ったところに、内心の不安が表れていた。本間は、倉田康司に初めて会ったとき、彼がいきなり「喬子は死んでるかもしれない」と言い放ったことを、ふと思い出した。

どれほど隠したつもりでも、新城喬子の周囲には、不穏な空気が流れていたのだ。少なくとも、須藤薫はそれを感じとっていた。

「ほかにはありませんか？」

疲れた、というように、肩を落としてため息をもらすと、須藤薫は言った。

「細かいことは、すぐには思い出せません」

「それじゃ、こちらで日を特定してみたらいかがですかね。一九八九年の十一月二十五日。何か記憶に残るようなことはなかったですか？」

「ずいぶんはっきり特定なさるんですね」

怪しむように、須藤薫は目を細めた。

「その日に何かあるんですか？」

本間は微笑してみせた。「ありませんよ。ただ、ローズラインの勤務表を調べてみると、新城さんは、この日の前後九日間休暇をとってるんです。あなたを訪ねてはこられなかったですか？」

須藤薫は、記憶をたどるように宙に目を泳がせたまま、無造作にカップを手にとった。それを口元に持ってゆく。そして、思いなおしたように手をさげると、訊いた。

「喬子ちゃんは、ローズラインに勤めていたとき、その時以外にも、長い休暇をとっていましたか？」

本間はメモを見た。片瀬に調べてもらったことだが――

「ありませんね」すぐにわかった。書いてある。「三日間以内の休暇ならありますが、九日間というのはこのときだけです。十一月十八日から二十六日まで」

須藤薫の表情がゆるんだ。少し得意そうに見える。

「ああ、それならわかります。わたしは記憶力のいいほうじゃありませんけど、喬子ちゃんが、ほかにはそんなに長い休暇をとったことないのなら、間違えようがないから」

本間は乗り出した。「このころ、喬子さんから連絡が？」

「ありました。わたしを訪ねてきました。休暇の二日目でしたから、そうすると、十九日の夜ってことになりますね。それが、すごく様子が変で。怪我《けが》してましてね」

怪我をしていた。

「どんな怪我です？」

「火傷《やけど》です。幸い、あまり重くはありませんでしたけどね」と、薫は言った。「でも、入院してしまったんです。ひどい熱で」

一瞬、聞き違いかと思った。入院してしまったんです。

「なんとおっしゃいました？」

「病院へ行ったんです。救急で」無邪気に目を見張って、須藤薫は説明した。「すぐ近くの大きな総合病院です。二十六日の午前中に退院するまで、ずっといました。九日間の休暇はそのせいですよ。間違いありません。わたしが連れていったんだし、付き添ってもいましたから」

爆弾だった。

新城喬子は、関根彰子の母、淑子が死亡したころ、名古屋市内の病院に入院していた——

「肺炎だったんです」

言葉も出ない本間の様子を怪訝《けげん》に感じたのか、少し及び腰になりながらも、須藤薫は説明してくれた。

「十八日から、一泊で、友達とドライブ旅行に行って、その帰りに事故に遭ったというんです。ですから、うちを訪ねてきたのは、十九日の夜中を過ぎたころでした」

「誰と旅行に行ったの、と訊いても、言えないの一点張りだったんです。右手に、浅いけど範囲の広い火傷をしてまして、おまけに、その季節だっていうのに、ブラウス一枚の上に薄いコートをかぶっただけというスタイルなんですよ。車が事故を起こしたとき、エンジンから火が出て、セーターが燃えちゃったというんです。その格好で新幹線に乗ってきたというから……ぶるぶる震えてました。案の定、熱を出してましてね」

それでも、最初のうちは須藤薫の部屋に寝かせ、様子をみたのだ、という。

「ですけど、手に負えないんです。ひどくうなされて、トイレに行ったかと思うと、浴室の壁にガンガン頭をぶつけてたりして……まるで気が変になったみたいでした。興奮状態で、わたしがそばにいることもわからないくらいなんです。それでとうとう、救急車を呼びました」

「そのまま入院です。火傷の手当ても、そこでしてもらえました」

「勤め先のローズラインの方には、正直に事情を話すこともできなくて……風邪をこじらせて親戚《しんせき》の家で寝ている、と話しておきました。べつに、問題にもなりませんでした」

「七日間、病院に泊められました。元気になってからも、誰の車に乗ってて事故に遭ったのか、最後まで話してくれませんでした。よほど、秘密にしておかなくちゃならない相手だったんだろうと思います」

「わたしは日記はつけてませんが、お金の出入りはきちんと記録してあります。そのときは、入院の保証金を用立てたはずですから、古い家計簿を調べれば、もっと確かなことがわかると思います。調べてみましょうか?」

お願いしますと答えて、須藤薫と別れた。その夜、本間の泊まっているホテルの部屋に、彼女が電話を入れてくれた。確かに入院の日付に間違いはない、お話ししたとおりだ、そこにファクシミリがあれば、病院の計算書の写しを送ることもできる、という。そのようにしてもらった。

本間がファクシミリ用紙をひったくったので、フロントマンがぎょっとした顔をした。

小幡総合病院。一九八九年十一月十九日から二十六日まで、新城喬子はそこで入院治療を受けている。社会保険証の提示あり。六人部屋。保証金七万円。

新城喬子は、一九八九年十一月二十五日に、関根彰子の母親を殺してはいない。

26

「しかし、それで根こそぎひっくりかえるってわけじゃあるまい？」

言葉とは裏腹な陰気な顔つきで、碇《いかり》が昆布茶《こぶちゃ》をすすっている。

水元《みずもと》の家の台所である。智《さとる》にお土産を買ってやることも忘れてしまうほど大きな事実を抱えて戻ってから、二日が過ぎていた。

「共犯者がいたのかもしれませんしねえ」

遠慮がちに言葉をはさんだのは、井坂である。智のリクエストだとかで、今夜のおかずに、大鍋《おおなべ》でおでんを煮ている。割勘方式で、自宅の分もつくっているのだ。そういう平和な匂いと暖気の立ちこめる台所には、仏頂面《ぶっちょうづら》はふさわしくないのだが、どうしようもなかった。

「共犯者の線は、最初から考えてないよ。もしそういう人間がいるなら、今までの段階のどこかで浮かんできていたはずだ」

「例の片瀬って男は？　俺はやっぱりあいつが臭いと思う」

「彼は大阪にいた。関根淑子が死んだときには、夜九時までの勤務でローズラインに詰めていた。羽根でも生えてない限り、同じ日の十一時すぎに宇都宮にいることはできないよ」

「じゃ、偶然だ」

自分でも信じていなさそうな顔で、碇が呟《つぶや》いた。

「世の中には、あっと驚くような偶然があるもんだ」

ほかにどうしようもなかったので、本間は笑った。

「新城喬子《きょうこ》がこれと狙《ねら》いをつけていた関根彰子《しょうこ》の母親が、実に都合のいい時期に、都合よく事故で死んでくれたって？　ありっこないよ」

「わからねえぞ。事実は小説より奇なり、だ」

「同伴者が――」井坂が頑張《がんば》る。「その、十一月十九日に旅先で自動車事故に遭ったときの同伴者ですね、彼が運転者でもあったんでしょうが、その人物が共犯だったということはありませんかな?」

本間は黙って考え込んだ。「はい」とも「いいえ」とも答えられない。何があり得て何があり得ないか、わからなくなってきた。

碇が気のない声で言った。「その同伴者が栗坂和也だったとか?」

「推理小説の読みすぎだ」

「まあ、な」

「そういえば、あれから彼はどうしてるんでしょうな。電話一本かけてこないが」

気がかりそうな表情で、井坂が言った。

「もとはと言えば、栗坂さんが持ち込んできた話でしょう。気にならないんですかなあ」

「そんな殊勝な男なら、最初から人に頼ったりせんでしょう」と、碇は冷たい。床に三万円投げていったというエピソードを聞いて以来、彼は和也に腹を立てているのである。

井坂が席から立ち上がり、コンロのそばに寄っていって、鍋の落とし蓋《ぶた》を持ちあげた。湯気があがる。だらしなくテーブルの上に顎《あご》を載せていた碇が、「ああ、いい匂いだ」とうめいた。

「夕飯を食っていくといい」

「そろってお通夜《つや》のような顔をしておでんを食うか」

えっへっへというような笑い方をしてから、碇はぽつりと言った。

「なあ、飯食ってるんだろうなあ」

「誰が」

「新城喬子さ」

本間は碇の顔を見た。「そりゃそうだろう」

「そうだよな。飯も食えば風呂《ふろ》にも入るし化粧もするし男といちゃついたりしてるかもしれないしな。どこかにいるんだからよ、ピンピンして」

妙だよな、と、また気の抜けたような声で笑った。

「俺らがこうやって頭抱えてるときにさ、当の彼女は、資生堂のビューティサロンでこの春の口紅の新色を試してたりするんだからよ」

「また、具体的なことをおっしゃいますなあ。何か根拠があるんですか」

箸《はし》を片手に、井坂が感嘆の声をあげた。ちらと碇の顔を見やって、本間は解説した。

「つい先だって、見合いしたんですよ、この男は。おおかた、その相手が資生堂の美容部員でもしてたんじゃないですか」

碇は照れた。「当たりだ。おまえってのは不愉快な男だな」

新城喬子は今、どこで何をしているか。

そのことについては、さして具体的に思案してみたことがなかった。無論、手がかりがないうちは憶測のしようがないということもあったし、当てずっぽうに考えても時間の無駄《むだ》になるだけだと考えていたからでもある。

スタートラインに戻って、いつか、まだ「関根彰子」の正体が別人だとわかる以前に溝口弁護士が言っていたように、新聞に三行広告でも出してみるべきなのかもしれない。

「喬子　事情はわかった　すぐ連絡されたし」

しかし、誰の名前で出す？　和也のか？

馬鹿《ばか》らしい。

だが、もしそういう広告を出して、喬子がそれに応《こた》えて名乗り出てきたら、もっと馬鹿馬鹿しいことになる。わたし、関根彰子さんから戸籍を売ってもらってたんですけど……彰子さんですか？　今は博多で働いてるとか。つい最近も、電話で話したところです。本当に申し訳ありませんでした、こんなことをして――

和也は彼女の説明を聞いて感激し、二人はよりを戻し、めでたく結婚。こっちは胃《い》潰瘍《かいよう》で入院だ。いや、高血圧で倒れるかもな。

いやいや、あるわけがない。そんなことがあってたまるか。

新城喬子は、今、きっとどこかで息をひそめているはずだ。できるだけ東京から遠く離れ、計画の失敗に落胆して――

本間が唐突に椅子《いす》の背から起き上がったので、碇が驚いた。

「なんだよ」

「うん」他所《よそ》を見たまま、そう言った。「新城喬子は、今、何を考えてるだろうと思ってさ」

「さめざめ泣いてるかもしれんぞ」碇が言って、鼻先で笑った。「それとも、カネボウの美容部員としゃべくってるかもしれん」

「とりあえず、働いてるでしょう」と言ったのは井坂だ。「そうそう居食いをしていられるほど、金持ちだったとは思えませんから。新しい落ち着き場所だって必要でしょうし」

「もう須藤薫をあてにしてはいなかったようだしな」と、碇が言った。

本間は目を細くした。「もう一度、同じことをやろうとはしないかね？」

「何を」

「新しい女の名前と身分を乗っ取るのさ」

それも、できるかぎり速やかに、だ。

「新城喬子は、今現在、昔はあれだけ頼りにしていた須藤薫に、連絡さえとっていない。接触してないんだ。それは、彼女が怖がっているからじゃないかと思う」

「怖がってる？」

「うん。いいか、本物の関根彰子ではないことが露見する恐れが出てきたんで、彼女は逃げた。とんでもないところからボロが出て、彼女としては動転したろうさ。そして、一人になってから考える――自分がいなくなったあと、栗坂和也はどうしているだろうか、と。自分の行方を探しているんじゃないか、ひょっとすると、あの自己破産の一件を手がかりに、和也は、今ごろ、関根彰子が実は新城喬子という女だったということを突き止めているかもしれない、とまで思う……」

「それはねえだろう。そこまで考えるかね？」

「確信を持って考えることはないかもしれない。だが、怯《おび》えてはいるんじゃないか？　だからこそ、新城喬子という存在につながる昔の友人たちには、連絡をとらないんだ。

全部切り離そうとしてる。関根彰子で失敗したことで、心理的には余計に追い詰められちまった。それなら、とりあえず仕方がないから今はまた新城喬子に戻っているとしても、すぐに次の乗り移り先を探そうとするんじゃないかね？」

碇と井坂が顔を見合わせた。碇が言った。「それには、また通信販売の会社に勤めるところから始めなきゃならねえだろう」

「一からやりなおしですからね」と、井坂がうなずく。

そうか……本間はほっと息を吐いた。今、何かがすっと頭の隅《すみ》をよぎったような気がしたのだが、話をしているうちに、それはどこかへ行ってしまった。魚影を見たと思って振り返ったら、あるのは波だけだった。

「おや、そろそろ行かないと」

台所の時計を見て、井坂が言った。午後三時五分前だ。智とカッちゃんに、三時からボケの葬式をするから見にきてくれと言われていたのである。

結局、そこらの道端や公園のなかを掘り返すわけにはいかず、ボケの墓は、井坂夫妻の暮らしている、一階の部屋の前庭につくらせてもらうということで、話が決まっていた。分譲とはいえ公団住宅だから、本来なら、庭には占有権がない。だが、夫妻の部屋のベランダのすぐ下側ならかまわないじゃないかということになったのだ。

墓標の代わりに、保《たもつ》が、木《こ》っ端《ぱ》を削って小さな十字架のようなものをつくってくれた。彼はなかなか器用で、かつ、敬虔《けいけん》な一面を持ち合わせているようだ。

今は、保にも、気の毒な状態になっている。関根淑子の死に新城喬子が噛《か》んでいる可能性が消えたと説明してやったとき、傍目《はため》にもはっきりわかるほどがっかりしていた。

「俺《おれ》も参列するかな」と、碇が立ち上がった。「なんか、『禁じられた遊び』を思い出すねえ」

井坂久恵が、可愛《かわい》い花輪をこしらえてくれていた。

「気持ちだけだけど」と、線香もたけるように用意をしていた。

小さなシャベルを使い、庭に浅い穴を掘って首輪を埋める──その儀式を、智とカッちゃんは、これ以上ないほど厳粛な面持《おもも》ちでとりおこなった。ボケの首輪は真新しい頑丈なもので、埋める前に智が見せてくれたが、内側にちゃんとイニシャルが刻んであった。

十字架は、保が立てた。久恵がそこに花輪をかけ、一本ずつ線香を立てて、煙に目をしばしばさせながら、手をあわせる。

「これでもう、ボケ大丈夫かな」

そばに寄ってきて、智が訊《き》いた。

「ちゃんと落ち着けるかな」

「落ち着けるよ」

「気持ちがこもってるからな」碇が智の肩をぽんぽんと叩《たた》いた。

「夏になったら、ここんとこに支柱を立てて——」ベランダのてすりに沿って手で示しながら、智が言った。「朝顔を植えるんだ。そしたら、夏じゅうきれいだから」

「オレ、種をとってあるんだ」と、カッちゃんが言った。「すごい大きい朝顔の」

「代わりばんこに、いろいろな花を植えましょうよ。一年中咲いてるように」

久恵が言って、子供たちに笑顔を向けた。「さて、じゃ、シャベルを片づけて手を洗ってらっしゃい。ケーキがあるから。精進落としをしましょう」

「何を落とすって？」と、カッちゃん。

「いいから行きなさい」笑いながら子供たちを押しやって、久恵が大人一同を振り返った。「お疲れさまでした。碇さんまで出てくださって」

「暇な身体《からだ》ですからな」

「じゃあ、ついでにお茶をどうぞ。あなた、手伝ってよ」

三々五々引きあげようとして、本間は、保の様子が少しおかしいことに気がついた。

先ほどからずっと、口数も少ない。「葬式」のあいだは、子供たちの気分に合わせてそうしてくれているのだろうと思っていたが、どうやらそれだけでもなさそうだ。どこか、自分でもしかと場所のわからない身体の奥の方が痛んでもいるかのように、首をかしげ、時おり頭をひねったりしている。

「どうかしたか」

声をかけると、保は目をあげて、周囲を見回した。井坂夫妻や碇は、先に行って建物の角を曲がってしまっている。

「なんかちょっと、頭にひっかかることがあって」

ズボンの膝《ひざ》についた泥《どろ》をはらいながら、

「シャベルで穴掘って、十字架を立てて、そうしてるあいだに、なんかずうっと昔に同じようなことをした覚えがあるなあって感じがしてきたんですよ」

「子供の頃、ペットに死なれて、墓を掘ってやったとか？」

保は首を振った。「違います。うちは親父《おやじ》が動物嫌《ぎら》いで、泣いてもわめいても、何にも飼わせてくれなかったから」

おかしいなあ、変だよなあ……しきりとぶちぶち言っている。

「郁美に訊いてみようかなあ。あいつ、オレの人生のこと、オレよかずっとしっかり把握《はあく》してるから」

「いい奥さんだ」

「その代わり、悪いことできないですけどね。ホント、たまんねえ」

その晩、保が宇都宮の家に電話をかけ、郁美を呼び出して話しているのを、聞くともなく聞いていた。テーブルの上には、これまでに集めた資料や聞き書きのメモを広げていた。ほかにすることがないし、とにかく、手持ちの札をもう一度さらってみるしかない。

小さな子供と妊娠中の妻を残して出てきているのだから、遠慮などしないで、実家には毎日連絡して様子を訊け、と言ってある。だから、ここに滞在しているあいだ、保は毎晩几帳面《きちょうめん》に郁美の声を聞いていたのだが、いつでも、開口一番に「太郎は元気か？　赤ん坊はどうだ？」と尋ねるものだから、彼女はすねてしまったらしい。

「もしもし？　オレだけど」と切りだして、郁美に何か言い返され、

「なんだよ、オレだよ。オレだってば」

察するところ、「オレなんて人は知りませんけど」とでも言われたのだろう。

思わず微笑しながら、それでも、そろそろ保を郁美のもとに帰さなければな、と思っていた。彼も気が済んだだろう。いや、済んでいなくても、いつまでも引き止める

わけにもいかない。保には、それこそ保の人生がある。それは郁美のいる宇都宮の家にあるのだ。そこで彼の帰りを待っている。

「そんな子供みたいなこと言うなよ」

一所懸命に身振り手振りで、保は郁美をなだめている。

「そうだよ、当たり前だよ、おまえのことだって心配だよ——そうだよ——え？　そんなこと言えるかよ」

席をはずしてやろうと立ち上がりかけると、保があわてて手で制した。

「バーカ。いい加減にしろよ」と、郁美を叱《しか》りつけておいて、「おい、オレさあ、ちょっとおまえに訊きたいことがあるんだ。それで電話したんだからさ。今、座ってるか？」

郁美も、すねる「加減」を心得ている。そこからは話が進んだ。保は今日の出来事を説明し、

「オレさ、なんかずっと昔に、あんなふうにシャベルで穴掘って、ペットの墓をつくってやったような気がするんだよなあ。だけど、うちの親父はホラあのとおりだから、うちは犬も猫《ねこ》も飼ったことないだろ？　おまえ、なんか覚えてないかなあ」

しばらく郁美の話に聞き入ってから、保はとんきょうな声をあげた。

「え？　飼育部？　飼育係か。へえ、オレ、そんなのやってたかなあ」

郁美がまた何か言う。

「なんでおまえがそんなこと覚えてんの？　へえ、そうかあ、話したかあ——オレ、小学校の五年まで寝小便してたんだぜ。それもおまえにしゃべったっけ？」

どうやら解決がついたらしい。本間は、新城喬子と関根彰子、それぞれの人生のタイムテーブルをつくる作業へと戻った。

そのとき、保がまた吠《ほ》えた。今度は本間も驚いた。

「そうか！」と、保はこぶしで電話台を叩く。「そうだよ。思い出した。しいちゃんも一緒だったんだ！」

彰子の名前が出たので、本間は保の顔を見た。保は振り返り、こちらに向かって大きくうなずいている。

「そうだよ、そうだった……オレさ、あんときさ——」

郁美が話し、保が興奮して言葉を返す。彼女に補足してもらうことで、記憶がよみがえってきたのだろう。

「郁美、おまえって頭いいな。おまえってすげえ女だ」

大音量でそう言って、保は電話を切った。

「一緒に飼育係をやってたんです」

テーブルのそばに戻ってくると、息を切らして説明を始めた。

「小学校の、四年のときだったと思います。教室で、迷いこんできた十姉妹《じゅうしまつ》を飼ってて、オレとしいちゃんが係になって面倒をみてたんですよ」

その十姉妹が死んでしまったので、校庭の隅に埋めてやったのだ、という。

「すっきりしたろう」と、本間は笑った。「喉《のど》もとまで出てきていて思い出せないものがあるってのは、気分が悪いからな」

「ええ」

保はうなずいたが、いやに急《せ》き込んでいた。

「本間さん」と、テーブルに乗り出す。「オレね、郁美と話してるうちに思い出したんですけど」

その勢いに、いささか面食らった。「うん、それで？」

「しいちゃんね、すごくその十姉妹を大事にしてたんです」

彼女の家には、ペットを飼うようなゆとりはなかったろうから、ことさら可愛かったのかもしれない。

「で、死んじゃった時、本当にすっごく悲しんで、オレが墓掘って埋めてやったときも、ずっと泣いてた。智ちゃんと同じように泣いてました。しいちゃん、十姉妹がかわいそうだって。こんなところで一人ぼっちで、淋しいだろうって」

しゃべり続ける保の頬が、うっすら紅潮している。本間はまじまじと彼の顔を見つめ、ふっと、保の言おうとしていることがわかったような気がした。

「まさか――」

言いかけると、保は大きく頭を上下させてうなずいた。

「そうなんです。そのこと、しいちゃんは大人になってからも忘れてなかった。郁美のやつも、しいちゃんがおふくろさんの葬式で帰ってきたとき、その話をしているのを聞いたって。それを覚えてたんです、あいつ」

テーブルをばんと叩いて、保は言った。

「子供っぽい思いつきだったけど、そのころは本気だったんだ。しいちゃん、小学生のときのしいちゃん、オレに言ったんですよ。『あたしが死んだら、タモッちゃん、ピッピといっしょにここに埋めてね』って。ピッピってのが、十姉妹の名前です」

十姉妹を埋めた、校庭の片隅に。

「わかるでしょう？　それがどういうことだか」保は、唾《つば》を飛ばしながら続けた。

「郁美が聞いたのは、おふくろさんの葬式のとき、しいちゃんが、お墓がつくれなくて申し訳ないって言ってたこと、それと――」

――あたしはすごい親不孝だから、死んでも父さんや母さんと一緒にはいられない。ピッピのところに埋めてもらおうかな。

「そう言ってたって。郁美ははっきり聞いたっていうんです。しいちゃんの口から。これ、どういうことですかね?」

「そう興奮するなよ」頭を働かせながら、本間は言った。「それだけじゃなんとも――」

保はきかなかった。「そうかな? オレにはそうは思えない。ねえ、新城喬子は、しいちゃんとお近づきになるために、墓地のツアーに一緒に行ったんでしょう? 墓を買おうというツアーですよ。そういうとき、センチになって、自分が死んだときにはどこどこに埋めてほしい、なんて話をしませんかね? それで、しいちゃんが十姉妹のピッピの話をしたとしたら? 学校ですよ。場所がわからなくたって、宇都宮になに小学校って名前さえ聞き出せば、調べることはいっくらだってできるじゃないですか!」

墓地のツアーで、新城喬子は、関根彰子からそういう話を聞き出した――

そうだ。いつか碇とも話をしたことがある。死の儀式、死につながるものにのぞむと、人は、日ごろ心の奥にしまいこんであるような事をふと口に出してみたりするものだ、と。あの夫殺しの若妻のように。

自然に出てきた話か、あるいは、意図的に喬子が聞き出した話か。だが聞き出して何になる？　なぜそんなことをする必要があるのだ。死体など、捨ててしまえばいい。

そうだ、捨ててしまえば——

あらためて、本間は息を詰めた。そうだ。捨ててしまえばいい。だが、新城喬子は、関根彰子のアルバムさえ捨てることができなかった。わざわざ、彼女のアルバムに「親友」と書きつけている野村一恵を選んで送りつけた。保管を頼んだ。なぜだ？

捨てるに忍びなかったからか。申し訳ないと思ったからか。

たかがアルバムにそこまでしたなら、彰子の遺体には、もっと気をつかって接した可能性がある。俺は、自分でもそう考えていたじゃないか。だから、やむを得ずバラバラにはしたが、韮崎の墓地には、肝心要《かなめ》の頭部を捨てることができなかったのだ、と。

どこか、彰子の望んだ場所にきちんと埋葬しようと考えたから。

保の興奮が移ってきそうだったが、強《し》いて頭を冷やして、本間は言った。「そういうこともあったかもしれない。が、なかったかもしれない。想像だけじゃどうすることもできないよ」

爆発するような勢いで、保は言った。「そうですよ。だから、掘ってみればいい。俺一人の記憶じゃ怪しいけど、宇都宮に帰れば同級生がいっぱいいます。みんなの知恵を借りて、手伝ってもらって、学校の校庭中を掘り返してみます！」

連絡します、と言い置いて、保は翌朝いちばんの新幹線に飛び乗った。二月十一日、寒さの厳しい祝日だった。

この日は、いつもは休日というと寝坊を決めこんでいる智も早々に起きだして、勇んで帰ってゆく保を見送った。対照的に、ひどい腹痛でも起こしたかのような顔をしている父親を見あげて、感情的にはどっちに肩入れするべきか思案しているようだ。

「タモッちゃん兄ちゃん、うまくやってくれるかなあ」

朝食の席で、おずおずと言い出した。

「なんか、言ってることはよくわかんなかったけど」

保は、智に対しては、遺体を探して校庭を掘りまくるのだなどという軽率な台詞《せりふ》を吐かなかったので、智としては余計にわけがわからないのだろう。

「まあ、待ってみるさ」

そうとしか言いようがない。

保と二人、明け方近くまで起きていた——眠れなかったのだ——ので、頭がぼんやりしている。それでいて、一方に奇妙な焦燥感があった。

昨日、郁美に助けてもらって思い出を掘り起こしたとき、保は、実にすがすがしい顔をしていた。すっとした、という様子だった。つかめそうでつかめなかった記憶を、がっちりキャッチしたからだ。

それとまったく違って、本間はすっきりしない。昨日、台所のテーブルで碇と井坂と話していたとき、脳裏のすぐ内側、思考が言葉になって表れる、その寸前まできて消えてしまった考えは、あれきり出てこないのだ。半分眠り込んだ状態で、耳元に何かささやきかけられているような、くすぐられているような、落ち着かない気分だった。

苛々《いらいら》しているわりには、現実的な問題の方にも頭が行って、それでまた神経がちりちりした。朝食の後片づけをしているときに、うっかりして皿を一枚割ってしまい、智にペナルティを科せられた。

「お父さん、ヘンなの」と、智は言った。「頭の半分ぐらいがお留守になってんじゃないの」

「そうらしい」

洗った食器を布巾《ふきん》で拭《ふ》きながら、智はなにげなさそうに言い出した。「膝がだいぶよくなったから、仕事に戻ろうかななんて考えてるでしょう」

当たっていないでもなかった。正確には、俺だってこの件にばかりかかずらっているわけにもいかないんだ、と考えていたのだが。

「マチコせんせはどう言うかな」

智は笑った。「リハビリさぼってばっかりいるから、まだダメですって言うよ」

「でも、もうかなり普通に歩けるようになったぞ」

「自分でそう思ってるだけじゃない？　見てると、かばってるのがわかるもん」

「そうかねえ」

水道の蛇口《じゃぐち》をぎゅっとばかりに閉めて、そう言った。

この件が宙ぶらりんになり、あるいは消えてなくなったら、俺《おれ》は這《は》ってだって復職するぞ、と思った。たとえ松葉杖《まつばづえ》をついて聞き込みに歩くことになっても、もう家にはいるものか。

智が遊びに出かけてゆき、家のなかで一人きりになると、結局はまた、新城喬子と関根彰子のもとへ戻るしかなかった。テーブルに資料を広げる。外は上天気、恵まれない野良犬《のらいぬ》の鼻の頭もぬくぬくと温めてくれそうな日差しが溢《あふ》れているというのに、ひたすらただ頭を抱えるだけだ。

ここまでつくりあげてきた仮説に沿って疑問点をあげてみる。

新城喬子は、どうやってローズラインから顧客データを持ち出したか、その件に、片瀬は関係しているのか。

新城喬子は、どうやって関根彰子の母、淑子を殺したか。

(あるいは、殺さなかったのか)

この三週間ほどのあいだにやってきたことは、カードの家を組み立てるようなことだったのかもしれない。風のひと吹きで、跡形もなく崩れ去ってしまう。

このふたつの未解決の疑問は、どちらかひとつだけでも致命的だ。じっと眺《なが》めていると、また、「喬子　すぐ戻れ　話し合おう」という三行広告に応《こた》え、新城喬子が現れて、涙にくれながら栗坂和也の腕のなかに飛び込む光景が目に浮かんできた。

「わからん」と、思わず唸《うな》った。

いたずらに立ったり座ったりしているあいだに、昼をすぎた。一時をまわったころ、いったん帰ってきた智が、お昼はどうしようか、という。

いつもなら、井坂が休みのときには、本間が台所に立ち、なにかしら怪しげなものをつくることにしているのだが、今日はそんな気になれなかった。

「外で食おうか」と持ちかけると、智は当然、喜んだ。

団地の近くにあるファミリーレストランまで、二人で出かけた。外気に当たると、思っていたよりも気分がよくなったので、食事が済んでもすぐに家に戻る気になれなかった。

「午後から誰かと約束してるのかい」

レストランを出て、のんびり歩きながら、智に訊《き》いてみた。

「三時にカッちゃんのとこに行くんだ。あいつさ、今、新宿に新しいファミコンソフト買いに行ってるの」

「今度はどういうゲームだ？」

智は説明してくれた。一度ではわからなかったので、もう一度言ってもらった。まだわからない。

「とにかく、新しいヤツだな」

「そ、最新の」

智は澄ましている。旧《ふる》いバージョンであるお父さんの頭の回路には、ボクらのためにつくられたソフトを乗せても走らないのさ、というところか。

「気持ちいいね」大きくのびをしながら、智が言った。

「いい天気だ」

「お父さん、だいぶ歩けるようになったね」

「そうだろ？　だから今朝も言ったんだ」

「すっかりよくなっちゃうと、マチコせんせは淋しがるかもしれないけど」

妙なことを言う。

「たまには散歩でもするか」

「もうしてるじゃん」と言ったが、智は嬉《うれ》しそうだ。「公園に行かない？」

水元公園に足を向け、冷えた外気で耳たぶが冷たくなるのを感じながら、小一時間ぶらぶらと散策した。公園という言葉から生まれる連想を裏切るほど、広い場所だ。その程度の時間では、とても回りきれない。

気の早い暦の上ではもう春のはずだが、少なくとも、公園内の草木は、まだそのことを知らされていないようだった。ポプラ並木は、ほっそりとした枯れ枝を無数にのばして空を指し、ほら、まだそこに木枯らしが吹いていると告げるように、てっぺんのあたりがかすかに揺れている。赤く枯れた欅《けやき》の林のなかで、手をのばせばつかめそうなほど近くを飛びすぎてゆく烏《からす》に出会ったが、あれも春の伝令ではあるまい。厚着をしすぎている。菖蒲田《しょうぶだ》も今はただの泥沼《どろぬま》だ。すいれん池の周囲にイーゼルを立て、この冬枯れをカンバスの上に写そうと絵筆を動かしているグループを見かけたが、たぶん描《か》き手の願望が入っているのだろう、絵のなかの公園は、実際のものより、ずっと緑が多いように見えた。

そうしているあいだにも、またふと新城喬子のことを考えた。この晴天に、彼女もどこかへ出かけたろうか。布団《ふとん》を干したり、日差しを見あげて目を細めたりしているだろうか。彼女が踏みしめているはずの冬枯れの道は、どこのどういう道だろう。止め保の勢い込んだ顔も思い出した。本気で校庭を掘り返すつもりなんだろうか。止めて止まるものでもなかったが、やめさせてやった方がよかったかもしれない。

すべては、本間の計算違いから始まったことだったのかもしれないのだ。カードの家は倒れてしまった。きれいにそろえて箱にしまい、もとの仕事に戻るべきときが来たのかもしれない。

「なんか、すっごい久しぶりだね」

二、三歩前を跳ねるように歩きながら、智が言った。

「お父さん、治ってよかったよ」

「おかげさまで」

内溜《うちだま》りで釣《つ》り糸を垂れている人たちを見物し、今度来るときにはやってみようかと話し合いながら、公園から出た。釣りの話をしながら、智が二度も続けてくしゃみをしたので、そろそろ引き上げどきだと思った。

公園の出口で腕時計を見ると、三時十五分前だ。

「カッちゃんに会うかもしれないな」

団地の入り口まで戻ってくると、周囲をキョロキョロ見回しながら、智は言った。

「新しいゲームは売り切れでした。カッちゃん、手ぶらかもしれないぞ」

からかうように言ってやると、智はあかんべいをした。

「ちゃーんと予約してあるんだよ」

今の子は用意周到である。やれやれ、と思いながら歩いていって、九号棟の見えるところまで来たとき、本間は目を細めた。

智も立ち止まる。「これ、なんだろう」

右手の方向から、焦《こ》げ臭い煙が流れてくるのだ。そちらには、ゴミ用の焼却炉がある。

「ちょっと見てくるか」

「ボクも行くよ」

駆け足で、智もついてきた。

近づいていってみると、本間の肩の高さぐらいの焼却炉の前に、作業服を着た男性がひとりいて、煙を手で払いながら、ゴミの山を仕訳していた。本間を見あげると、駆けつけてきたのが住人だと、すぐにわかったのだろう、軽く頭をさげて、言った。

「すみません。紙のゴミしか燃してないんですが、湿気ってたんで、くすぶってるんですよ」

重そうな金属性のとびらの隙間《すきま》からも、煙が溢れ出ている。そういうことだったか。

智が煙にむせて咳《せき》をした。

「ご苦労ですね。すみませんでした」

そう声をかけ、智を連れて引き返そうとしたとき、ふと足元に目がいった。

作業員の足元に山積みにされているものがある。古い帳簿の綴《つづ》りだった。黒い紐《ひも》で綴《と》じてある。

「これも燃やすんですか？」

尋ねると、作業員は軍手をはめた手で汗を拭《ぬぐ》いながら答えた。

「ええ。先週の日曜に引っ越した方が、会計士さんでしてね。もう十年も昔の、保存期間のすぎた帳簿を置いていったんです」

「そりゃまた、大変だ」

作業員は額の汗を拭った。「そうなんすよ。置いてかれても困るんだけど、まあしょうがない。でも、ちょっとした記録ですよねえ。今はもう、こんな古めかしいのは使わないようですよ。パソコンとかがありますからねえ。入力したら、紙に書いた方は要らなくなっちまうから」

入力したら、もう要らない。その言葉が、心のなかでポンと跳ねた。

「そうでもないんだって」と、智が言った。「おや、そうなのかい」と、作業員が笑顔になる。

「うん。ボクの担任の先生がね、電子手帳ってのを買ったんだけど、それがさ、説明書を読んでみると、電池がなくなると全部消えちゃうから、大事なデータはよそにメモしておいてくださいって書いてあったんだって」

作業員は、あははと笑った。

「それ、安物だったんだろう」

「そんなことないよ。みんなそうなんだって。だから、結局、紙の手帳もとってあるんだって」

話しながら、智も笑っている。

コンピュータだけではなくて、書類の方もとっておく。頭のなかで、本間は反芻《はんすう》した。書類の方も。

かくも簡単な、単純なことだったか。

「それじゃ、手間が倍だね、坊や」作業員が言っている。

「そうだって。かえって資源の無駄遣《むだづか》いじゃないのかなあ」

作業員は、煙をあげる焼却炉の蓋《ふた》を開け、新しい紙束を投げ込む。黙ったまま突っ立っている本間を、智が不審そうに見あげた。

「どうしたの、お父さん」

その小さな頭に手を置いて、本間は言った。

「おまえのおかげで助かった」

「へ？」

微笑して、智の髪をくしゃくしゃにしてやった。

「ただ、ごめんな。父さん、明日また大阪へ行ってこなきゃならなくなったよ」

27

「控え？　え？　うちのですか？」

ローズラインの応接室で、片瀬が顔をしかめて聞き返した。早朝の新幹線で到着し、まっすぐこちらに駆けつけて片瀬を呼び出すと、今度は受付を通してもらうことができたが、その代わり、事務の女性たちを遠ざけ、ドアを閉めきってある。

「そないなことを訊きに、わざわざ僕に会いに？」

「そうです。あいにく、そないなこと、という程度の問題じゃないんでね」

乗り出して、少し声を高めた。

「アンケートや注文書ですよ。コンピュータ入力したあと、どうします？　すぐに廃棄処分するんですか？」

「もちろんです。場所をとってしょうがないですから。一ヵ月のサイクルで処分しますよ」

「本当ですか？」

「ほんまです。遺漏はありません」

片瀬の声は自信に満ちているように聞こえた。それも、必要以上に。

「ほんまです、か。ははあ」わざとらしくそう念を押しておいて、続けて訊いた。

「それを処分するのは、誰の役目です？」

その質問に、片瀬は少しひるんだ。間が開いた。

もう一度。「誰が処分するんです？」

片瀬は手をあげ、鼻の頭を隠すように押さえた。うつむいて、視線を避けようとする。

「答えられないような質問じゃないでしょう？　それとも、答えるとまずい理由があるんですか？」

「――総務。庶務です」

やっと、ぼそりと答えた。そして、あわてて打ち消した。「けど、新城さんは庶務やなかった」

「どうやって処分するんですか？」

「月に一度、専門の処理業者に出すんです」

「それまでは？」

「地下倉庫に保管しておきます」

「その地下倉庫には、誰でも入れるんですか?」

今度は、さっきよりも長い間が開いた。

「片瀬さん?」

「はい」

出席をとる教師の声に答える生徒のようだ。

「地下倉庫には、誰でも入ることができるんですか?」

片瀬は咳払いをした。「事務の女性なら、誰でも入れます」

本間は膝《ひざ》を打ちたい気分だった。書類だ。入力される前の、生のデータだ。それは喬子の手の届くところにあった。

なにもコンピュータのシステムをどうこうしなくても、彼女の目的を達することはできたのだ。

ただ、証拠が残っているだろうか。

「処理業者とのあいだには、厳密に秘密保持の申し合わせをしてあるんでしょう?」

「もちろんです。アンケートや注文書は、うちの大切な資料ですから」

「じゃ、処分に出すときも、たとえば箱詰めにしたその箱の数をカウントしておくとか、きちんと記録をつけておくとか、そういうことはしてあるんじゃないですか?」

「総務の方でしていると思います」

「調べてみていただけますか。過去に——そう、新城喬子《きょうこ》さんがこちらで働いていた、一九八八年四月から一九八九年の十二月までに、処理に出す箱の数が合わなかったとか、書類が足りなかったとかいう事故が起こっていないかどうかを」

片瀬は上目遣いに本間を見た。「調べるんですか」

「お願いします」

「けど、僕も暇な身体《からだ》やないし——」

「じゃあ、あなたの上司に交渉してみましょうか。こちらにも、方法はいろいろあるんですよ」

実際には、片瀬に断られたことは面倒になってくる。だが、ここで彼にうんと言わせるためになら、山ほど嘘《うそ》をついたってかまわない。

「それは、困るわ。それはやめといてください」

片瀬の声が裏返りそうになっていた。

「これが本当に妙な事件につながっていたとしたら、うちにとっては大変なことや。頼みます、内聞に——」

その滑稽《こっけい》なほど歪《ゆが》んだ顔を見ていて、はっと気がついた。わざわざ調べてもらうこともない。彼は知っているのだ。

「片瀬さん。あなた、新城さんに頼まれて、処分するはずの入力済み書類を彼女に見せたり、コピーをとってやったりしたようなことがあったんじゃないんですか？」

だからビクビクしていたのだ。だから、新城喬子とローズラインのデータの関連について尋ねられると、あれほどおたおたした態度をとったのだ。

「そうなんですね？」

土俵ぎわで膝ががくんと折れたという様子で、片瀬はがっくりうなずいた。

「頼まれて、書類を見せてやりました。というか、そういうことを手伝ってやったというか、教えたというか」

思わず、本間は大きくため息をついた。

「いつごろだったか、日にちはよく覚えてないんですが——」

「まったくわからない？　見当もつかないですか？」

片瀬はうなずく。

「じゃ、それはともかく、具体的にはどういうふうにやったんです？」

「処理に出すボックスから、黙って書類を持ち出せばいいんです。簡単や。業者は月にいっぺんしか回収に来《け》えへんから」

「あなたが書類を持ち出したボックスには、何が入ってたんですか？」

「アンケートです」

「アンケートね。いつのものでしたか？」

片瀬は肩を縮めた。「さっきも言うたでしょう。覚えてないんです。ほんまですよ」

黙ってじいっと顔を見てやると、「ほんまです」がちっとも「ほんま」でなかったことがわかった。片瀬の目が泳いでいるのだ。

「本間は私の名字で、あなたの言ってることじゃあないな」

片瀬は気弱そうに口元を緩めて笑ったが、本間がちっとも面白くないという顔をしていると、しおしおと笑みを引っ込めた。

「覚えてないんです……」

「まったく？　全然？」

わかっているのに思い出せないふりをしてやがるのか？

やがて、片瀬が小さく言った。「最初は、五月でした」

最初？

「じゃ、何回も持ち出したんですか？」

片瀬はうなずいた。なるほど、これじゃ身を縮めているわけだ。

「五月というのは、何年の五月です？」

「彼女がうちで働きだした年の――」

では、一九八八年だ。

「何回持ち出したんです？」

「――四回です」

「すると、八月まで？」

「はい」

小さな声で、片瀬は続けた。

「全部、関東甲信越地方の顧客を対象としたアンケートでした。ヘンなもん見たがる娘やなと思ったんで――せやから覚えてました」

「喬子さんは、なぜそんなものを見たいのか、理由を言いましたか？」

「一応は……」

「どんな理由です」

片瀬はモゴモゴ言った。「自分でパソコン使って、プログラムを走らす稽古《けいこ》をしてるんで、材料として使えるデータがほしいんや、と言うてました」

「信憑性《しんぴょうせい》がある理由でしたか？」

片瀬は黙っている。

「あなたは信じてなかったんでしょう？」

うなだれて、バツが悪そうに笑った。「名簿屋にでも売ってるんちゃうかなと思ってました」

それでも、喬子のすることだから見逃していたというわけか。

「片瀬さん」

「はい」

「それらのデータのなかに、関根彰子《しょうこ》さんのアンケートが含まれていたかどうか、知る方法がありますか？」

「ここではわかりません。ほんまですよ。ただ、ちょっと時間があれば、調べることはできます」

だんだん早口になりながら、片瀬は説明した。

「アンケートでとった情報は、それがいつごろのデータであるか、きちんと区分けされ、あとから識別できるような形にしてから入力されます。それはつまり、あとで、ある一定のプログラムを通して検索すれば、特定の期間に入力された情報だけを集めることができるようにするためです」

それを使ってデータを集めてみれば、喬子が手に入れたアンケートのデータがどういうものだったか、すぐにわかるという。

「片瀬さん、その情報を全部プリントアウトして、私にくださいませんか。四ヵ月分、全部です。時間がかかってもかまいません。待ってますから」

そう言われるだろうと思っていた、というように、片瀬はため息をもらした。

「やらなあきませんか」

「ダメなら、あなたの上司に——」

「わかりました、わかりました。かなわんわ」

片瀬は両手で頭をごしごしかいた。

「けど、このことは内密にしていただけませんか」

うろたえていた。大事にならないように、なんとか小火《ぼや》のうちに消したいと思っているのだ。

「約束しましょう。努力してみますよ」

もし、俺《おれ》の考えていることが当たっていたら、とても守ることのできない約束だが、と思った。

二時間ほど待ってくれと言われて、また「かんてき」に入った。待っている間、今までにないほど苛《いら》ついて、煙草《たばこ》ばかりふかしていた。

約束より十五分ほど早く、片瀬はやってきた。厚さ五センチほどのプリントアウト用紙を手にしている。

「百六十件ありました」

それをテーブルの上にどさりと載せて、そう言った。

ずっしりと重い。手で持ちあげなくても、それがわかった。

新城喬子は、こうしてローズラインから関東甲信越地方に住む顧客のパーソナルデータを手に入れた。そして、乗っ取ることができそうな条件の揃《そろ》っている若い女性を探した。そして関根彰子を見つけた。そうだ。その仮説に間違いはない。

連続用紙をめくりながら、片瀬に訊《き》いた。「関根彰子さんは？」

「ありました」片瀬が答え、用紙の厚みの三分の二ほどのところを示した。「七月中に集まったデータですから」

そこをめくって探しながら、そう、関根彰子がローズラインの顧客データの中に入ったのは七月二十五日だった、と思った。

喬子はどういう手順で「標的」を探していったのだろう。延々と続く、名前、年齢、現住所、職業、パスポートの有無――

まずは、年齢だ。あまりかけ離れている女性ではまずい。職業も、堅い勤めではまずい。無職とか、アルバイトとか、突然辞めてもあまり怪しまれない女性でないと。それと、揺るがせにできないのが、身寄りがない、もしくは少ないという条件だ。

手に入った分から、そうやってチェックをかけていったのだろう。五月分。六月分。七月分。そして最後に八月分。その時点で、たとえば五人なら五人、可能性のありそうな女性をピックアップし、そこでデータの持ち出しにはストップをかける。そして、第一次候補者からまたしぼっていって——

「あった」

目の前に、関根彰子のデータを打ち出したページが現われた。手が震えることはなかったが、勢いよく座りなおしたので、テーブルの上のお冷やが揺れた。

「ありますよ。関根彰子」

気が済んだでしょうと言いたげな口調で、片瀬が呟《つぶや》いた。

「ボク、そろそろ行かんと……仕事が……」

「ちょっと待ってください、あと五分」

彰子のデータを読み、顔をあげ——

そのとき、これまで続けてきた努力のほんの一端を、なにかが、そう、時間の神かもしれないが、なにか支配的なものが哀れんでくれたのだろう。本間の頭に閃《ひらめ》いたものがあった。

急に、体中の汗がアルコールに変わり、蒸発していったような気がした。

「どうしたんですか?」と、片瀬が訊いた。

新城喬子にとって、関根彰子は何番目の候補者だったのだろう?

そうだ。最初から彼女がナンバー・ワンだったわけではないのだ。現に、彰子のデータは七月分のなかにあるのに、八月分まで片瀬に持ち出しを頼んでいる。

関根彰子を含め、候補者は複数いた。

そのなかで、もっとも条件のよい標的を狙《ねら》って、喬子は当初、行動を起こした——

理屈の上では、これまでも何回となく考えてきた。喬子はローズラインからデータを取り出し、そのなかからめぼしい「標的」を探しだしたのだ、と。

だが、それは空《そら》で考えたことだ。もっと早くに、こうして、百六十人分のプロフィールをこの目で見て、プリントアウトされた連続用紙の重さを感じてみなければいけなかった。そうしたら、もっとずっと以前に思い当たっていたはずだ。

新城喬子にとって、関根彰子がナンバー・ツー以下の候補者だったとしたら?

もっとふさわしい、彼女が「これ」と狙いを定めた女性が、ほかにいたとしたら?

ナンバー・ワンがほかにいたのだとしたら？　その標的を「落とす」ために、着々と準備を進めていたのだとしたら？

そしてそんなとき、まったくの偶然で、関根彰子の母親が死亡したことを知ったとしたら？

新城喬子は、東京の新聞を取り寄せていた。そして、違法建築が原因の関根淑子の死は、ベタ記事ではあったが、東京の新聞紙上で報じられたのだ。

喬子がそれを見て、彰子の母の死亡したことを、彰子が少なくとも戸籍上は天涯《てんがい》孤独の身の上になったということを知ったという可能性は、充分にある。

そうだ。関根淑子の死は、やはり事故死だった。自殺の可能性もあるが、とにかく、他者の手にかかって殺されたのではない。

あれは偶発的なものだった。そして、新城喬子は、関根淑子の死によって、他の標的から方向転換をして彰子に狙いをつけたのだ。

淑子の死によって、彰子が、計画の実行のために手を汚すことの少ない、それだけ危険も少ない標的になったと判断したから。

それならすべて、辻褄《つじつま》があう。

「なんやしらんけど、これ、そんなに意味があるもんなんですか」

片瀬が、空恐ろしくなったのか、茫然《ぼうぜん》とした表情でそう聞いた。

「あなたが思っているよりは、はるかにね」

「けど……僕はそんな……」

「片瀬さん、思い出してみてくれませんか？　新城喬子さんは、山梨県に行ったことがあるだろうか？」

片瀬がおうむ返しに言った。「山梨県？」

「そうです。山梨県韮崎《にらさき》市。中央線の、甲府の近くです。大きな観音像があるんです。どうです？」

つっかえつっかえ、片瀬は言った。「あると思います」

「どうして？」

「一緒に――遊びに行ったことがあるからですよ」

「あなたと？」

「はい。ドライブ旅行でした。僕ら、――それが二度目の旅行やったけど」ごくりと唾《つば》を呑《の》んで、片瀬は言った。「僕の姉が甲府に嫁いでるんで、遊びがてらに喬子さんを紹介しよ思て、連れていったんです。韮崎の方にも行きました。ほうとう食べに」

額に手をあてて、今聞いたことが頭のなかに納まるのを確かめてから、本間は訊いた。「あなたとドライブ旅行にね」

「はい」

「片瀬さん、あなた、新城喬子さんに惚《ほ》れてたわけだ」

「……はあ」

「ですから、当時、彼女に別の男性がいたら、それとわかったでしょう？　そんな気配はありませんでしたか？」

やや憤慨した面持《おもも》ちで、片瀬は首を振った。「ないです」

「自信がありますか」

「ありますよ。僕ら——僕ら——その——」

「肉体関係まであったから？」

片瀬はうなずき、外見にはそぐわないほどはにかんだようすで、目を伏せた。「そうです」

新城喬子は、この男をがっちり手中につかんでコントロールしていたのだ。しかし、それだとすると、喬子が須藤薫に話した、一緒に車で旅行に行き、事故に遭ったという男は誰だったのだろう？　最後まで、須藤薫にさえ名前を打ち明けなかった男——そんな男がどこにいた？

(火傷《やけど》をしてまして)

須藤薫の言葉を思い出してみた。

(ぶるぶる震えてました)

(うなされて)

(浴室の壁にガンガン頭をぶつけてたんです)

「僕、真剣に喬子と付き合うてました」

ぽつりと、片瀬が言った。

「喬子にも、その気持ちは通じてたと思います。ほかに男なんか、いたわけない」

い、い、い、い、い、い、い。

ほかに男なんかいたわけがない。

本間は顔をあげ、まともに片瀬を見つめると、言った。

「そうだ、あなたのほかには男はいなかったんだな」

そうだ。そうだった。新城喬子が、一九八九年十一月十九日に、須藤薫に話した交通事故の話はでっちあげだった。根も葉もない嘘だった。彼女は本当のことを言いたくなかったから、嘘をついたのだ。

男の名前を言わなかったのではない。言えなかったのだ。なぜなら、そんな男など存在していなかったのだから。ドライブ旅行も、交通事故もなかったのだから。

慄然《りつぜん》として背中をのばしながら、本間はあらためてプリントアウトの束を見つめた。

あの日、一九八九年十一月十九日、新城喬子は、東京か、横浜か、川崎か、そのどこかにいて、このプリントアウトのなかに隠れている女性、誰か一人だけ、喬子が「標的」としてナンバー・ワンだと思った、最適の候補者を、もしくは彼女がその女性に成り代わるとき邪魔になる近親者を、始末しようとしていたのではないか？

(浅いけど、範囲が広い火傷をしていて)

(セーターが燃えちゃったというんです)

方南町のアパートで見た、あのガソリンの小瓶《こびん》。それを手にとったとき感じた刺激臭。光っていた換気扇の羽根。

ガソリン。

い、い、
放火だ。

東京にとって返し、それからは、ひたすら電話にかじりつくことが仕事になった。このために一日休暇をとってくれた碇《いかり》と、井坂夫妻と手分けしてプリントアウトをチェックし、二十代の女性を探しだすと、片っ端からかけまくった。

「警察の名前を出していいですよ」と、碇は井坂たちに宣言した。「この登録されている女性たちと話して、二年ほど前に、身内が火災などで怪我《けが》をしてないかどうか、なんとしても聞き出してください」

もう転居している女性、留守番電話が応答する女性。一発で本人の声を聞くことができるケースの方が少なかった。我慢比べだ。

夜になると、井坂夫妻には休んでもらって、碇と交替で電話をかけた。声が嗄《しゃが》れていた。

十一時をすぎ、そろそろ今夜はやめておいた方がいいかもしれないというとき、さなきだに意地悪な捜し物の神は、こちらを向いて微笑《ほほえ》む気を起こしてくれた。

「当たりだ」

碇が言って、窓際《まどぎわ》で身体をのばしていた本間を呼び寄せた。

「今、担当の者と代わりますからね」

そう言って、本間に受話器を差し出した。

木村こずえという二十二歳の女性だった。プリントアウトの職業欄には「フリーアルバイター」とある。聞こえてきた声は細く、甘かった。やや幼いような口調でもあった。こちらの説明を聞いてはくれるが、ときどき「本当なんですか、これ、びっくりテレビとかじゃないんですか？」とさえぎる。

「にわかに信じられないのは当然です。だが、嘘《うそ》でも冗談でもない。いいですか、我々は、あなたのことを『ローズライン』のデータから知ったんです」

とにかく最後まで話を聞いてくれ、と強調した。

「木村さん、失礼はお許しください。あなたはご家族が少ないでしょう？　今はお一人暮らしですね？　ひょっとするとご両親はもういないんじゃないかな。そうでしょう？」

こずえの声が、震えを帯びた。「どうしてそんなことがわかるんですか？」

よし、と掟にうなずいて、先を続けた。

「先ほど電話に出た者が、ここ二年ほどのあいだに、お身内で災難に遭われた方がいないか、と尋ねたでしょう？　そういう方がいると、お答えになりましたね」

少したためらうような間があってから、こずえは答えた。「はい。姉です」

「お姉さん」

「そうです」

「お姉さんはどういうことで災難に遭われたんです？」

こずえの声がうろたえた。「あのわたし、電話を切ります。イタズラでしょう？　刑事さんなんかじゃないんでしょう？　やめてください」

本間の手から碇が受話器をひったくると、捜査課の専用番号を教え、

「いい？　メモしましたかね？　じゃ、そこへかけて、我々の名前を言って、そういう刑事がいるかどうか確かめてください。でね、応対に出た者に、大至急、この本間って刑事と連絡をとりたいから、わたしのところに電話をくださいって、そう言ってみてください。わかりましたか？　ただし、あなたの名前と電話番号は、全然でためを言ってみてください。本当の名前や番号は言っちゃダメですよ。そうしておくと、電話に出た者が、今我々があなたにかけているこの電話に、緊急連絡してきます。我々はそれを聞いて、あなたにかけなおします。そして、あなたが警察にかけたとき、係の人間に告げた嘘の名前と番号を、ちゃんと言ってみせてあげます。ね？　それなら、我々が嘘をついてないという証拠になるからね。じゃ、やってみましょう」

こずえは了解したらしい。いったん電話を切ると、碇は本間に言った。「急がば回れだ」

本間は顔の汗を拭《ぬぐ》った。「そうだな。すまん」

「いいってことよ。俺もじりじりしてる」

せっかちに煙草に手をのばすと、火をつけて、碇は訊いた。

「なあ、このこずえちゃんの存在を確かめて、それからどうするつもりなんだ？」

本間は頭を振った。「確証はないんだ。ただ、自信はある」

「なんじゃい、それは」

「いつか、新城喬子が今どうしているか、ということを話し合ったときに、頭に浮かびかけてたんだよ。それが、あの分厚いプリントアウトを見たときにはっきりしたんだ」

今は、それをがっちりつかまえた。

「関根彰子の件で失敗した新城喬子は、また別の標的を狙う。しかも、大至急に。彼女は焦《あせ》ってるはずだから」

「そうだ。それはあり得る」

「いいか？　そのときには、何も一からやりなおす必要はないんだよ。前にとっておいたデータをまた利用すればいい。彼女はそういうデータを保管してたんじゃないかと思う。周到な女だからな。万が一のことを考えてさ」

碇が唸《うな》った。「なるほど……」

「そして、その場合、真っ先に探りを入れそうなのは、かつて途中で方向転換して捨てた、第一候補者のところじゃないかと思った。だからどうしても、この彼女に会いたいんだよ」

「じゃ、木村こずえのところに新城喬子が現れるかもしれないと？」

そのとき、電話のベルが鳴った。すぐに受話器をあげると、当直だという同僚の声が聞こえてきた。

「佐藤明子って女の子から電話があってさ、大至急ポンちゃんから電話がほしいっていうんだ。あんたは休職中だって言ったんだけど、どうしてもっていうんで」

久方ぶりに通称で呼ばれたな、と思った。あんまりこわもてのする通り名ではないが。

「電話番号は？」

「それがさあ、555の4444だっていうんだ。イタズラじゃねえかね」

「いいんだ。ありがとう」

電話を切って、木村こずえにかけなおす。脇《わき》で碇が、「あんまり想像力のねえ娘《こ》だね」と注釈した。

こずえはすぐに受話器をとった。本間はできるだけ穏やかに言った。

「もしもし？　木村さんですか？　佐藤明子さんで、番号は555の4444だ。違いますか？」

木村こずえの声が、泣きだしそうな感じになった。

「本当なんですね……」

「三年前、ですから一九八九年の十一月のなかごろです。日曜日でしたから……十九日だったかしら。わたしの姉が大怪我をしまして」

落ち着きを取り戻し、こずえが説明した。

一九八九年十一月十九日。

間違いない。深夜、新城喬子が、右手に火傷を負って須藤薫を訪ねた日だ。

「大怪我――」

「はい。火傷と、あと酸欠で脳をやられてしまって。ずっと植物状態で、去年の夏に亡《な》くなったんです」

つっかえていたものが、胸の底から消えてゆく。視界が開けた。

当たりだ。大当たり。

そうか。新城喬子は失敗したのだ。狙った「標的」の、第一候補者の身内が――消すべき身内が、死なずに植物人間になってしまったのだから。

強引に標的を「失踪《しっそう》」させ、病人を放り出してしまっては、あとを追われてしまうかもしれない。どこから真相が露見するかわからない。危なくて、計画を進めることができなかったのだ。

だから、関根彰子に乗り換えた。母を失ったばかりの関根彰子に。関根淑子の事故死の新聞記事を見つけたとき、喬子は何を思ったろう。喜んだろうか。これで手間が省けた、と。大喜びで乗り換えたのだろうか。

確かめることは、まだある。声を励まして、本間は続けた。

「木村さん、お姉さんは火事に遭われたんですね?」

こずえはすぐに答えた。「はい、そうです。火元がすぐにはわからなかったんですが、消防署と警察で調べてくれて、結局、放火だったんじゃないかと。当時、わたしたちの住んでいた地域一帯で、通り魔みたいな放火がしょっちゅう起こっていたんです。マスコミにも取り上げられて、そしたらそれが面白いのか、手口がどんどんエスカレートしていって。怖がっていた矢先でした」

本間は目を閉じた。新城喬子は東京の新聞をとっていた。それでいたずら放火魔のことを知って、利用したのだ。

「わたしはその日、お稽古《けいこ》ごとに行っていて帰りが遅かったので助かりましたが、姉は眠っていて逃げ遅れたんでしょう」

違う。そうではない。その放火に限っては、あなたのお姉さんを狙ったものだった

――

「木村さん」

固唾《かたず》を呑んでいる碇の顔をちらと見あげて、本間は訊《き》いた。

「当時、その放火があったころに、その少しくらい前からあなたやお姉さんと親しくなった友達はいませんでしたか？」

「女の人ですか？」

「そうです。いませんか？」

少しのあいだ、こずえは黙っていた。

「どうだったかな……あのころは、わたしもショックで頭がごちゃごちゃしていて……」

「そうでしょうね、無理もない」

本間は言って、ひとつ息をついた。

「それではね、最近、あなたに新しい知り合いはできていませんか？」

「新しい知り合い？」

「はい。そうだな……昔、お姉さんの友達だったとか、あるいは、近所で道を訊かれたとかね」

「ああ、それならいます」と、こずえは答えた。

「いますか」喉《のど》がぎゅっとしまるような気がした。

「どういう人です？　その人の名前は？」

間髪を入れず、あまりにもあっけなく、こずえは言った。

「新城さんです、新城喬子さん」

しんじょう、きょうこさん。

本間が復唱するのを聞いて、碇がぴしゃりと額を打ち、両手のこぶしを握り締めてガッツポーズをつくった。

「その人はどういう人です？」

「姉の友達です。つい最近連絡があったばかりですが」

一瞬、息が止まった。

「なんですって？」

詰問《きつもん》に、こずえも驚いたのか、黙ってしまった。

「つい最近、連絡があった？」

「うっひょー」

こずえの「はい」という返事にかぶって、碇が大声をあげた。踊っている。足を持ちあげて彼の向こうずねを蹴飛《けと》ばし、黙らせておいてからこずえに言った。

「すみませんね。今の妙な声は気にしないでください」

こずえはびっくりしているようだったが、くすっと笑った。

「新城喬子さんね。連絡してきたんですか」

「はい。ずっと音信が途絶えていて、久しぶりに電話してくれたんです。姉が亡くなったことを知らなかったといって、すごくすまながってくれて。お墓参りをしたいから、案内してくれないかって――。それで、今週の土曜日の午後、銀座で会う約束をしてるんです」

28

木村こずえと話し合いをして、彼女の協力をとりつけ、土曜日にどうするかの打ち合わせを済ませると、本間は宇都宮に向かった。保《たもつ》にストップをかけるためである。

あれきり、保からは連絡もないままになっている。勢い込んで帰っていったが、実際問題としては、母校の校庭をくまなく掘り返すなど不可能に近い。新城喬子《きょうこ》本人をつかまえることができれば、遺体の捜索は後回しにしてもいいのだ。

新幹線に揺られながら、それでも、何度か考えた。どちらだといいのだろう、と。心のどこかでは、細い糸にぶらさがるようにして、保が関根彰子《しょうこ》の頭部を見つけてくれることを期待している。だが一方では、彼にそれをやらせることは酷だと思っている。

自分の手で「しいちゃん」の骨を掘りだしたら、保は本当に気が済むだろうか。本人は気が済むと思っているようだが、ひょっとするとそれは錯覚にすぎないかもしれない。一生、そのときの衝撃を背負って生きていく羽目になってしまうかもしれないのだ。

電話をしておいたので、保は改札を出たところで待っていてくれた。電話の声にも、どことなく興奮を押さえているような、はやっているような調子があったが、元気そうな顔つきで、がっちりした肩のあたりに気力がみなぎっている。遠くから本間を見つけ、大声で呼びかけてきた。

関東の空っ風が吹き荒《すさ》ぶ、ちょっと外に出ていると、耳や鼻や頭が痛くなってくるような寒い日だった。ドアのところに本多モータースの名前が入ったヴァンの助手席に落ち着くと、生き返ったような気がした。もう大丈夫だろうなどと意気がっていたのはどこへやら、しばらくのあいだ、うずく膝《ひざ》を撫《な》でさすって機嫌《きげん》をとってやらねばならなかった。

「報告しなくちゃならないことがあるんです」

寒さに鼻の頭を赤くしながら切りだした保を制して、

「こっちにも話があるんだ」

「それでわざわざ？　電話じゃ話せないような大事ですか」

「うん」

新城喬子本人に会うことができそうだ、ということから始めて、経過を話してやった。保は驚きに目をしばたたかせ、時には声をあげた。途中で二度、本間が注意を促すほど、飛ばして走った。

「すげえや。とうとうやりましたね」

語尾が震えている。とうとう我慢できなくなったのか、いったん車を路肩に寄せ、エンジンを切った。

すみません、と言いながら、しばらく震えていた。再び走りだすまで、十分ほどかかっただろうか。

「オレ、なんていうか、なんて言ったらいいかわからない」

「みんなのおかげだよ。いちばん理想的な形になった」

「土曜日でしょう？　あさってか。俺《おれ》も行きます。行っていいでしょう？」

「もちろん」

「最初に声をかけさせてくれるって約束、忘れてないですよね？」

「覚えてるよ」

赤信号に変わったばかりの交差点を強引に突っ切って、保はやっとスピードを落とした。

「うちへ来る前に、学校へ行ってください」

ハンドルをがっちりと握って、前方を見つめたまま、そう言った。

「問題の小学校かい？」

「そうです。八幡山公園の近くなんですけどね」

前回、この街を訪れたとき見た覚えのある町並みを通りぬけ、緑の多い丘陵を遠くに望むところで、保は車を停《と》めた。

大都市といっても、ここが東京と違って贅沢《ぜいたく》なところだ。保と関根彰子が通った小学校は、ラグビーと野球を同時にやることができそうな、広いグラウンドを持っていた。もちろん、ケチな舗装などしていない。土のグラウンドである。

鉄筋四階建ての灰色の校舎が、呆《あき》れるほど遠くに見える。校舎の両翼からグラウンドをとり囲むように、桜がぐるりと植えられている。今はすっかり葉を落としているが、春先にはうっとりするほど美しい眺《なが》めになるだろう。

「これじゃ、掘るっていっても掘りようがないね」

おそろいのえんじ色の体操着を着込んだ子供たちが、グラウンドの中央で縄跳《なわと》びをしている。三十人ぐらいはいるだろうか。高学年のようだ。教師が時折、鋭く笛を吹く。

「友達からもいろいろ聞き出して、オレらがここにいたころの校舎と校庭のロケーションなんかも、一所懸命復元してみたんですけどね」

仕切りのフェンスに両手をかけて、保が言った。本間は彼を見やった。

「復元というと？」

「建て替えられてるんです。五年前に」

ああ、と思った。

「大いにあり得ることだったよな」

保は頭をかいた。「そうです。建物の位置もすっかり変わってるし、だから、十姉妹《じゅうしまつ》の墓がどの辺だったのか、全然見当もつかなくて」

声をたてて、保は笑った。本間は彼を見あげた。落胆の色が見えないのはなぜだろうか。

「ちょうどね、電話しようと思ってたところでした」と、保は言った。「オレ、まるっきり何もつかめなかったわけじゃないんですよ。ただ、もうちょっと色々調べてから報《しら》せようと思ってただけで」

二年前──一九九〇年の春、桜が満開のころに、この校庭で、新城喬子と思われる若い女性に出会ったという人物を見つけたのだ、という。

「本当か？」

両手をフェンスにかけ、心持ち身体《からだ》を揺すりながら、保はゆっくりうなずいた。

「間違いないです。オレたちが通ってたころからここに勤めてる、ベテランもベテラン、古株の事務員さんなんですけどね。女の人です。もう五十をすぎてるけど、記憶はすごくはっきりしてた」

保が新城喬子の顔写真を見せると、間違いない、この女性だと断言したという。

「美人だったからよく覚えてるって」

「新城喬子はなんといってここを訪ねてきたんだい？　なぜその事務員に会った？」

「土曜日の午後に、ふらっと校庭に入ってきて、ちょうどその辺を──」

保の頑丈《がんじょう》そうな腕がのびて、桜並木を指し示した。

「ゆっくり散歩して、あたりを眺めてるみたいに見えたそうです。地元の人間とか、ときどきは観光客が、学校の桜を見にくるのはめずらしいことじゃないですから、最初は放っておいたんだけど、あんまり長いことじっと立ってるし、若い女の子だしね。少し心配になって、話しかけてみたそうです」

その若い女性は、きちんとした身形《みなり》をしていたが、とても地味だった。

「黒いスーツに白いブラウスで、口紅も薄かったって。なんだか、通夜《つや》か葬式の帰りみたいだって思ったそうです」

保は振り向いて、念を押すように本間の顔を見た。

「通夜か葬式ですよ？」

「うん……」

事務員が話しかけると、その若い女性は、桜があんまり綺麗《きれい》なのでつい入りこんでしまったのだ、と言った。

「ここの桜は地元でも有名ですよって自慢したら、本当に素敵ですねって、目を細めていたそうです」

だが彼女は、どことなくうち沈んだ様子に見えたという。だから、事務員は訊いてみた。こちらにはご旅行で？と。すると彼女は答えた。

「ええ、旅行です、って。そして本間さん、こう言ったそうです。友達の代わりに来た、って」

頭をめぐらせて、本間は枯れ枝をつらねている桜並木を見やった。ここに、友達の代わりに来た。

「その友達はこの街の人かって、訊いたそうです。そしたら、彼女はうなずいた。でね、言ったんですよ。こう言ったんだそうです」

はやる呼吸を整えて、保は続けた。

「その友達は、昔、この小学校に通っていた。そして、学校で可愛《かわい》がってた十姉妹が死んだとき、校庭の隅《すみ》にお墓をつくってやったことを覚えてるって。場所がどの辺だったか、もう忘れてしまったけど」

この広い校庭のどこかに。関根彰子が、自分が死んだらここに埋めてほしいと、半ば夢のように、子供時代の感傷を引きずって、ぽつりとそんな言葉をもらした、その場所だ。

「その若い女性は、事務員さんに、今でも、学校で飼っている動物が死んだら埋めてあげるような場所はありますか、と訊いたそうです。そんな場所はないって答えたら、そうでしょうねって笑ったそうです」

友達の代わりに、昔の思い出の場所を訪れた。新城喬子はそう言ったか。

「事務員さん、その女の様子がなんかおかしいし、気になって仕方がなかったんで、いろいろ訊いてみたそうです。でね、今日、その友達が一緒に来られなかったのはどうしてかって、友達はどこにいるのかって尋ねたら——」

若い女性は、しばらくのあいだじいっと黙り込んで、やがて、ぽつりとこう言ったという。

「その友達は、もう死にました」

保と肩を並べ、広い校庭に散らばった体操着姿の子供たちを眺めながら、校庭を渡ってくる土の匂《にお》いのする北風が骨身にしみるのを感じながら、本間は考えた。

新城喬子はここへやって来ていた。関根彰子の代わりに。彼女に代わって、彼女が「死んだら埋めてほしい」と言っていたところへ。

「俺、がんばってるところなんです」

フェンスをぐいと押して身体を起こし、保が言った。

「校長先生やPTAの人たちを説きつけて、なんとかして、校庭を掘り返す許可をもらおうと思って。だってそうでしょう？　やる価値はありますよ。新城喬子はここへ来てたんだ。きっと、しいちゃんをここに埋めるためにやって来てたんですよ。探せば、きっとしいちゃんが見つかるはずです」

足元の地面は、雑草も枯れ、堅く踏みしめられている。土埃《つちぼこり》で曇った爪先《つまさき》を、フェンスの土台のコンクリートブロックにかけて、保と同じように身を乗り出し、本間は言った。

「新城喬子はここへ来た」

「そうです」

「だが、俺は、やっぱり、しいちゃんはここにはいないと思うな」

北風に顔をしかめながらも、保は真っすぐに本間を見つめている。「どうしてです？ わざわざ足を運んできたのに」

「ここには埋められないよ。いや、ひょっとすると埋めるつもりはあったかもしれない。でも、学校の校庭だぞ。無理だ。危険すぎる。いつどんなことで発見されるかわかったもんじゃない。不可能だということが、ここへ来てみて、余計にはっきりしただろう」

「だけど……」

保をさえぎって、できるだけ穏やかに、本間は言った。

「新城喬子は、しいちゃんの死体を、考えられるかぎりでいちばん安全なところへ捨てようとしたろう。当然だよ。身元が判明したら、とんでもないことになるんだ。海に捨てたかな。それとも、山奥に埋めたか。韮崎に捨てたものが発見されたことも、彼女にしてみれば計算外だったろう。ゴミと一緒にどこかへ処分されることを期待してたんだろうから」

保は立ち尽くしている。校庭でホイッスルが響き、散らばっていた生徒たちが駆け足で集合してゆく。

「死体は、発見される恐れのないところに捨てた。だが、その埋め合わせのために、新城喬子はここへやってきたんだ。しいちゃんに代わって。彼女が『死んだら埋めてほしい』と言っていた場所を見にきたんだ。俺はそう思う」

ちょうど、智とカッちゃんがボケのなきがらの代わりに首輪を埋めることで満足したように。

春、満開の桜並木の下で、風に乗って舞い散る花びらを髪にくっつけ、彼女はずっとここにたたずんでいた。

そのとき何を思ったろう。関根彰子にすまないと思ったか。それとも、完全に彼女に成り切って生きるために、彼女が大人になってからも忘れることのなかった思い出の眠っているこの場所を、ひと目見ておかねばならないと思ったのか。

その友達は、もう死にました。

「じゃ、しいちゃんはどこに埋められたんだ？　どこに捨てられたんです？」

保の声がかすれている。

それを知っている人間は、ただ一人だ。

今一度、ホイッスルの音色が高く響いた。氷のように硬く澄んだ冬の空気のなかに、この世に姿を現したことのない、決して人に姿を見られることのない、不可思議な鳥の啼《な》き声のように。

「東京へ戻ろう」

保の肩に手をかけて、本間は言った。

「彼女に会いに行くんだ」

29

約束の日に、約束の場所で——

木村こずえが新城喬子《きょうこ》と待ち合わせを約束しているイタリアン・レストランは、銀座といってもはずれの方にあり、そのせいか、ゆったりとした造りの店だった。吹き抜けのある一階、中二階、それと、半階分だけ摺《す》り鉢《ばち》状に地下にさがった円形フロア。

待ち合わせの時刻は午後一時だった。今、十分前だ。

もしも気がすすまないのなら、あなたはここにいなくてもいいと、木村こずえには説明した。新城喬子が来れば、我々にはわかるのだから、と。

だが、こずえは首を振った。

「怖いけど……でも、ひょっとしたら姉を殺したかもしれないという疑いのある人なんでしょう？」

「ええ、そうですよ」

「じゃあ、わたし、会います。会って、どんな人なのか、ちゃんと顔を見たいんです」

できるだけ普通にふるまうようにと、それだけは念を押した。彼女は今、円形フロアの中央に近いテーブルに席をとり、やや緊張した面持《おもも》ちで、時おり、セーターに包まれた胸のあたりを押さえたりしながら、待っている。運ばれてきたカプチーノ・コーヒーには手をつける様子もない。

本間と保《たもつ》は、一階フロアの端、円形フロアを見おろすことのできる、階段の脇《わき》のテーブルについていた。二人とも、同じように注文したコーヒーには手をつけず、保は水ばかり飲んでいた。

「俺が声をかけてもいいですね？」

声が、少し震えている。

「いいよ」と、本間はうなずいた。「なんといって話しかける？」

保は目を伏せた。「わからない」

一階フロアの反対の端では、碇《いかり》が明るいイタリアン・レストランには不似合いのくすんだ背広姿で、大きく新聞を広げている。彼の方は、二杯目のコーヒーを頼んでいた。

店の出入口は二箇所ある。新城喬子がどちらから入ってきても、見逃すはずもなく、また、退路をふさぐこともできる。

昨夜は一晩中、ほとんど眠らずに、碇とこの件について話し合った。

物証がない。死体もない。行方不明の女性が一人と、彼女に成り代わっていた女性が一人いるだけだ。殺害の動機は推測できるが、手段も、むろん凶器も、まったくわからない。推定するにも限りがある。

束にして売ることができるほどの状況証拠。頼りになるのはそれだけだ。

「検事には嫌《きら》われるだろうなあ」と、碇は言ったものだ。「立件できねえって、さ」

「どうかな。まだわからんさ」

「指紋だって残ってないし、目撃証言みたいなものだってどの程度期待できるか

「……」

「言ってくれ言ってくれ、どんどん言えよ」

ふっと苦笑して、碇は言った。「なんか、正直いってどうでもいいんじゃねえのか？　新城喬子本人を見つけだしただけで、それで気が済んじまったような顔してるなあ」

今ここで、陽光が寄木細工の床に斜めに差しかけているのを眺めながら、そうかな、と考えた。喬子に会えれば、彼女をつかまえることができたら、それだけでいいと、俺は考えているのかな。

頭に浮かぶことは、質問ばかりだった。怒りは感じていなかった。これまで、捜査にたずさわり、こんなことは一度もなかった。ただの一度も。

保にはああ尋ねたが、本間自身、新城喬子に会ったとき、最初に何を言いたいか、自分でもわからなかった。

君は同じことを繰り返そうとしているのか、と尋ねるか？　関根彰子《しょうこ》で失敗したから、最初に戻って、姉を亡《な》くした木村こずえに乗り換えるのか、と。そうして、また

逃げる。どこかで栗坂和也とばったり会ってしまうかもしれない危険もある東京を離れ、今度はどこへ行くつもりだ？

それとも、関根彰子の首をどこに捨てたか、それを尋ねるか？

栗坂和也に、関根彰子の自己破産の事実を突きつけられたとき、どう感じたかと尋ねるか？

今井事務機のみっちゃんからは、とっても会いたがってると伝えてくれと頼まれている。社長も心配していると、そう言ってやるか？

君を探してくれと和也が頼んできたとき、彼の歯がカチカチ鳴っていたことを話してやるか？

それとも、君のしていることは徒労の繰り返しだと、どこまで行っても君は逃亡者でしかないと、それを告げてやろうか？

君は否定するだろうか。俺《おれ》たちが考えた筋書きを。こしらえたカードの家を。だが、君が望むと望まざるとにかかわらず、これから先には、長い戦争が待っている。事情聴取という名の。あるいは、取り調べという名の。最後は法廷まで行くか？　それとも、そこまで行きつかずに終わるだろうか。

どちらにしても、逃げるか、闘うか、そのどちらかの道しかない。そして、唯一《ゆいいつ》間違いのないことは、君がもうほかの人間の名前や身分をかたるチャンスはなくなったということだ。

　君は新城喬子であって、ほかの誰でもない。ちょうど、関根彰子が関根彰子であって、どれほどあがいても彼女以外のものにはなれなかったのと同じように。

　やわらかな管弦楽をＢＧＭに、白と木目と溶かしバターのような黄金色に彩《いろど》られた店内で、自分や、碇や、保の存在は、さぞかし不似合いなものだろうと思った。時折通りすぎるウエイターや、周囲のテーブルに居合わせている若い客たちの視線のなかに、それを感じることができる。

　君も、それを感じるだろうか。新城喬子の顔を思い浮かべて、本間は考えた。店内に一歩足を踏み入れたとたんに、違和感を覚えるか？　そして、俺たちを見つけて、事情を察知して、すぐに引き返し、背中を向けて逃げだすか？

　もし、君が逃げてくれたなら、俺は気が楽なんだがな、と思った。もう君を追いたくはない。だからこそ、君が逃げだそうとして、そうすることですべてを認めてくれたなら、どれほどにか楽になるんだがな。

　その時ふと、頰《ほお》のあたりを新しい風が撫《な》でるのを感じた。

「来た」

ぴしりと背をのばし、保が言った。

顔をあげると、遠く離れたテーブルで、碇がゆっくりと、新聞を顔の前からおろしてゆくのが目に入った。彼の座っている椅子《いす》のすぐ脇を、パウダーブルーのフードつきコートを着た新城喬子が、今、通過してゆく。

間違いない。彼女だった。

髪型が少し変わった。パーマをかけたか。耳のすぐ下で切りそろえた髪の下に、きらきら光るイヤリングが見え隠れしている。すらりとのびた足を優雅に動かし、テーブルとテーブルの間を擦り抜けて、ウエイターたちの視線にも臆《おく》することなく、姿勢も美しい。

足を止め、ちょっと周囲を見回す。これだけ距離があっても、形のいい鼻梁《びりょう》を、つんとすまし気味のくちびるを、さっとひとはけ紅をのせた白い頬を、よく見ることができる。

苦悩の色も、孤独の影も、そこからはうかがうことができなかった。彼女は美しかった。

彼女は木村こずえを見つけた。そっと会釈《えしゃく》する。

そうか、彼らは初対面なのだ。喬子はこずえを知っているのだろうが、こずえは彼女を知らない。

あらためて思い出し、本間は気を詰めてこずえの反応を見守った。が、こずえもしゃんとしていた。決して、こちらの方も、碇の方も見ようとはしなかった。軽く席から腰を浮かせて、会釈を返している。

新城喬子が彼女のテーブルに近づいてゆく。階段を降りて半地下に、今、端の丸テーブルを回って、今日の空の色のようなコートの裾《すそ》を、軽くひるがえして。

今、二人がテーブルについた。挨拶《あいさつ》を交わしあい、こずえが相手を見あげ――見あげ――

やっと笑った。

「こんにちは」

喬子の声だろうか。それとも、こずえの声だろうか。店内の、健康的な喧騒《けんそう》のあいだを縫って、そういうあいさつが耳に入ったような気がした。

喬子は一度立ち上がってコートを脱ぎ、それを空いている隣の椅子の背にかけて、バッグを置いた。こずえの斜向《はすむ》かいに腰をおろす。

白いセーターを着ている。襟元《えりもと》にふわふわした飾りがついている。彼女が椅子を引いて座りなおすと、その飾りが優雅に揺れた。

喬子は、本間と保に背を向けた形になった。彼女が手を動かしたとき、どちらの手にも指輪をはめていないのがわかった。和也からもらったサファイアは、今どこにあるのだろう。彼はもう、終わってしまった過去か。倉田のように。片瀬のように。結局は君を守りきれなかった、君にとっては意味のなくなった過去の恋愛か。

碇が顔をあげ、こちらを見ている。

ウエイターがメニューを持って近づいてゆく。喬子はそれを受け取る。こずえと一緒にメニューを開く。

気をそろえたように、二人が笑う。おかしいことがあっての笑いではなく、この贅《ぜい》沢《たく》な空間にふさわしい、明るい表情のひとつとしての笑みだ。こずえの笑みは、心持ち硬い。だが、喬子は気づく様子もない。

「声をかけるんだろう?」

促すと、保が喬子の背中を見つめたまま立ち上がった。

そのまま、糸に引かれるように足を進めると、無言で階段を降りてゆく。およそ不器用な歩き方だった。周囲の客が、フォークを口元に運ぶ手を止めて、あるいはグラスに指をかけたまま、あるいは連れとの談笑をつと打ち切って、保の広い背中を見あげている。

本間も自分のテーブルのそばに立ち上がった。反対側のフロアで、碇が身体《からだ》を起こし、椅子から離れ、ゆっくりと階段へ向かい始める。

それでも、本間はそこから動くことができなかった。こずえに向かってうなずきながら、何事かしきりに話しかける、新城喬子の後ろ姿を見つめていた。

なんと小さく、華奢《きゃしゃ》なのだろう。

やっと捜し当てた。そう思った。やっとたどりついた。

保が階段を降りきり、こずえと喬子のテーブルに近づいてゆく。こずえは、打ち合わせどおり、賢明に我慢して、こちらを、保を見ないようにしている。喬子のイヤリングが光り、細い肩が楽しげに動く。

大きすぎて目に入らなかった標識を見つけたときのように、新鮮な驚きを感じながら、本間は思った。

こっちから何を尋ねるかなどは問題じゃない。俺は、君に会ったら、君の話を聞きたいと思っていたのだった。

これまで誰も聞いてくれなかった話を。君がひとりで背負ってきた話を。逃げ惑ってきた月日に。隠れ暮らした月日に。君がひそかに積み上げてきた話を。

時間なら、充分ある。

新城喬子――

その肩に今、保が手を置く。

あとがき

本作品はフィクションであり、登場する人物、団体名等はすべて架空のものです。但《ただ》し、作中で言及している、クレジット・サラ金による多重債務者を救済するために活動している団体は、現実に存在しております。また、弁護士会や消費者団体、一部の地方自治体などでも、相談窓口を設けております。

おもな参考文献

『カード破産と借金整理法』　弁護士・宇都宮健児著　自由国民社
『ローン・クレジットの法律紛争』　甲斐道太郎他著　有斐閣選書
『カードトラブルハンドブック』　全国クレジット・サラ金問題対策協議会発行
『第十一回　全国クレジット・サラ金被害者交流集会』

全国クレジット・サラ金問題被害者交流集会実行委員会発行

『相続』監修　弁護士・吉田杉明　自由国民社

なお、冒頭のエピグラフは、広辞苑第三版から引用しました。

本書の上梓《じょうし》までには、いつにもまして、多くの方々にお力添えをいただきました。とりわけ、超多忙なスケジュールのなか、貴重な時間を割いて取材に応じてくださり、クレジット・サラ金問題の現状について有益なお話を聞かせてくださいました弁護士の宇都宮健児先生には、この場をお借りして厚く御礼申し上げます。ありがとうございました。

地理不案内の著者の大阪取材に同行してくださった髙村薫さん、大阪弁の会話について細かくアドバイスして下さいました東野圭吾さん、コンピュータ関連の素朴な質問にお答え下さいました井上夢人さんを始め、連載中に何度も立往生しかけた著者を励ましてくださった皆様、そして、小説推理編集部、双葉社出版部の皆様にも、末尾ながら感謝の言葉を申し述べたいと思います。

一九九二年七月吉日

宮部みゆき

解説

佐高信

宮部みゆきは、藤沢周平についての座談会で、「冬の足音」という作品に触れ、藤沢はどうして女性の微妙な心情を見抜いてしまうのか不思議に思った、と語っている。また、

「先生の短篇にはお腹《なか》を抱えて笑うようなものもありますよね、それでいてしらずしらず最後には泣いてしまうような。そういうものを書けるようになるには、どういうふうに自分が歳《とし》をとったらいいのだろうと思うんです」

と不安をもらしてもいるが、宮部の、微妙な心情描写もなかなかである。

たとえば、この作品で、消息を絶った女性の高校時代の同級生の妻が、かつて勤めていた会社の、あまり親しくはなかった女性から、突然かかってきた電話を思い出し、

「子育てで大変よ」

と言ったら、ちょっと絶句して、

「結婚したの？」

と問い返されたと述懐した後で、

「たぶん、彼女、自分に負けてる仲間を探してたんだと思うな」

と語る。

なぜ、「負けてる仲間」を探すのか？

「寂しかったんでしょう、きっと。ひとりぼっちになったような気がして、どん底にいるような気分だったんでしょう。わからないけどね。でも、結婚するんでも留学するんでもなく会社を辞《や》めて田舎へ引っ込んだあたしなら、少なくとも、東京にいて華やかにやってるように見える自分よりは惨《みじ》めな気分でいるはずだって当たりをつけて、それで電話してきたんですよ」

読者も思わず、「なぜ？」と問いかけ、そして、「ウーム」と頷《うなず》く、こうした「寂しさの人間観察」がこの長編小説を支える絶妙の塩味である。

推理小説でもあるから、解説で筋をたどるわけにはいかないが、不幸な境遇のヒロイン、喬子《きょうこ》について語る夫の倉田の次の言葉も、充分過ぎるほどに塩味が効いている。

「死んでてくれ、どうか死んでてくれ、お父さん。そう念じながら、喬子はページをめくってたんです。自分の親ですよ。それを、頼むから死んでいてくれ、と。僕には我慢できなかった。そのとき初めて、喬子のそういう姿を浅ましいと感じてしまった。それで、僕のなかの堤防が崩れちまったんです」

なぜ、喬子が、そう念じながらページをめくらなければならなかったか？　宮部はこの「なぜ」にも、間然することなき伏線を張りめぐらせる。喬子でなくとも、自分でもそう思ってしまうだろうな、と読者に納得させる筋書きを用意する。

この小説は推理小説であると同時に、見事な経済小説でもある。クレジットという便利なものが日常の暮らしの中に入り込んだ時、どんな変化が起こったか？

作中で、弁護士がその浸透ぶりを語る。

一九八三年三月末の統計では、クレジットカードの発行枚数は五千七百五万枚だった。それが八五年には八千六百八十三万枚となり、九〇年三月末には一億六千六百十二万枚にまで増えた。

クレジットカードには、銀行系、信販系、流通系と、いろいろあり、それぞれが〝幸せ〟を約束する。あるいは、それを夢見させる。

しかし、夢の内実はどうなのか？

ヒロインの、かつて同僚だった水商売の女性に、宮部は、

「あの娘《こ》がクレジット三昧《ざんまい》の暮らしをしたのはね、そうしていると、錯覚のなかに浸《つ》

かっていられたからよ」

と語らせる。

「お金もない。学歴もない。とりたてて能力もない。顔だって、それだけで食べていけるほどきれいじゃない。頭もいいわけじゃない。三流以下の会社でしこしこ事務してる。そういう人間が、心の中に、テレビや小説や雑誌で見たり聞いたりするようなリッチな暮らしを思い描くわけですよ。昔はね、夢見てるだけで終わってた。さもなきゃ、なんとしても夢をかなえるぞって頑張《がんば》った。それで実際に出世した人もいたでしょうし、悪い道へ入って手がうしろに回った人もいたでしょうよ。でも、昔は話が簡単だったのよ。方法はどうあれ、自力で夢をかなえるか、現状で諦《あきら》めるか。でしょ？」

作中の会話をしばしば長く引用するのは、そこに藤沢周平の系譜につらなる庶民派作家の精髄《エキス》がにじんでいるからである。こう書いて、宮部はヒロインを突き放しているわけではない。「おかわいそうに」と高みから憐《あわ》れみを垂れるのでもなく、いわば、同じ地平に立って、宮部はヒロインの悩みを悩んでいる。そこから、この作品の独特の迫力が生まれる。

「自力で夢をかなえるか、現状で諦めるか」昔は話が簡単だったが、クレジット社会になって、それが崩れた。

　買物とか、旅行とか、夢だったものが、そこに「見境なく気軽に貸してくれるクレジットやサラ金」が出てきて、何かが大きく狂った。

　しかし、それは狂わされた者だけの責任なのか？　作中の次の弁護士の話は、その点を衝《つ》いて鋭い。

「交通事故において、ドライバーの責任論だけを云々《うんぬん》して、おざなりな自動車行政や、安全性よりも見てくれと経済性ばかりにこだわって、次から次へとニューモデルを出してくる自動車業界の体質に目を向けないことは間違っている。そうでしょう？」

　聞き手の同意を得て、弁護士は続ける。

「たしかに、一部には問題のあるドライバーがいます。免許を取り上げた方が社会のためだ、という人間だ。しかし、そういうドライバーと、なんの過失もないのに事故で命を落とされたあなたの奥さんのようなドライバーを一緒にして、ただ『事故に遭《あ》ったのは本人が悪いからだ』と言い捨てることは、もっと間違っている。消費者信用についても、多重債務者についても、それとまったく同じなのですよ」

　大手の都市銀行が学生向けのクレジットカードを出してから、二十年以上経《た》った。しかし、中学、高校、大学のどこでも、カード教育はしていないのである。

卒業前の女子高生に化粧の講習をするところがあるが、そんなものをやるくらいなら、カード教育をすべきではないか。

オウム真理教が地下鉄サリン事件を起こし、その恐ろしさが喧伝《けんでん》された時、なるほどと思った情報が一つあった。それは、山梨県上九一色《かみくいしき》村のあのサティアンにいる信者たちの中には、多重債務者が多いという情報だった。

取り立てをするヤクザたちも、薄気味悪くて、あの中には入れなかっただろう。そのためか、カード破産した者やそれに近い者たちがオウム信者となって、あそこに逃げ込んだというのである。

クレジットという近代と、オウムという前近代が不思議な結びつきをする。それが現代日本である。

その地下の流れともいうべきものを描いて、この作品は酩酊《めいてい》するような読みごたえがある。これを読んだ時、私は直木賞受賞まちがいなし、と思った。

残念ながら、その予想ははずれてしまったが、それは多分、選考委員が経済小説的部分を理解できなかったからだろう。おカネのことがわからずして現代は描けない。それをスリリングなストーリーに溶かし込んで見事に描き切った宮部の手腕には舌を巻く。是非また、おカネに視点を据《す》えて現代を描く作品に挑《いど》んでほしい。たとえば、いま、累卵《るいらん》の危機にある銀行などはどうだろうか。

私は「50冊のフィクション」を選んで解説した『戦後を読む』（岩波新書）に『火車』を挙《あ》げ、「自分の過去を消し、他人になろうとしてなりきれなかった女たちを描いて、この小説は哀切である」と書いた。そして、「ローン地獄に落ちる人など、自分とは無縁だと思っている人でも、『火車』を読めば、きっと、そうした人を身近に感じるだろう。そして、現代の日本にパックリと口をあけている、その地獄の淵《ふち》の深さに戦慄《せんりつ》するに違いない」と結んだ。

深い淵に落ちないために、この作品を読んでほしいという思いは、いよいよ強い。

（平成九年十二月、評論家）

この作品は平成四年七月双葉社より刊行された。

火《か》　車《しゃ》

新潮文庫　み－22－8

平成　十　年　二　月　一　日　発　行
平成二十四年十一月二十日　七十三刷改版
令和　三　年　三　月　三十日　八十八刷

著　者　宮《みや》部《べ》みゆき

発行者　佐　藤　隆　信

発行所　株式会社　新　潮　社

郵便番号　一六二―八七一一
東京都新宿区矢来町七一
電話 編集部(〇三)三二六六―五四四〇
電話 読者係(〇三)三二六六―五一一一
http://www.shinchosha.co.jp

価格はカバーに表示してあります。

乱丁・落丁本は、ご面倒ですが小社読者係宛ご送付ください。送料小社負担にてお取替えいたします。

印刷・錦明印刷株式会社　製本・株式会社大進堂

ISBN978-4-10-136918-1 C0193